APPLICATION MATHEMATICS

응용 왕수학

왕수학연구소
박 명 전

6학년

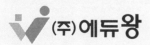

(주)에듀왕

수학 왕을 꿈꾸는 어린이들에게

수학자 가우스가 초등 학교에 다니던 때 하루는 선생님께서 학생들에게 1부터 100까지 자연수를 모두 더하는 문제를 내셨습니다. 모든 학생들이 끙끙대며 1부터 더하기를 해나가고 있는데 가우스만이 문제를 받자마자 아무런 풀이 과정 없이 정답이 5050이라고 제출해 선생님을 깜짝 놀라게 했다고 합니다.

가우스는 $1+2+3+\cdots+98+99+100$ 을 단지 $100+1=101$, $99+2=101$, $98+3=101$ 등으로 계산하면 50개의 쌍이 나오므로 답은 50×101, 즉 5050이라고 암산하였던 것이지요.
이 일화는 가우스의 천재적인 계산 능력을 보여 줄 뿐만 아니라 수학을 대하는 우리들의 자세를 일깨어 주고 있습니다.

수학은 단순히 공식을 암기하거나 사칙연산만을 다루는 학문이 아닙니다. 오히려 여러 가지 방법으로 문제를 분석하고 해석하여 새로운 풀이에 접근해 보는 보다 활동적인 학문임을 염두해 두어야 합니다. 난이도가 높은 문제일수록 더더욱 이러한 창의적인 사고력과 문제해결력을 보다 요구하게 되지요. 응용왕수학은 바로 이러한 요구에 발맞추고자 노력하여 맺은 열매입니다.

이 책에는 제가 20여년 동안 교육 일선에서 수학경시반을 이끌어 오면서 11년 연속으로 수학왕을 지도, 배출한 노하우가 고스란히 담겨져 있습니다.
난이도 높은 문제를 보다 다양하고 쉬운 방법으로 해결해 나가는 획기적인 과정을 다루어 수학에 대한 흥미를 유발하게 하였습니다. 또 다양한 문제를 실어 어린이들이 폭넓고 깊이 있는 해결능력을 배양하는 데 보탬이 되고자 하였습니다.

수학의 영재를 꿈꾸는 어린이들이 이 책을 통해 꿈에 가까이 다가갈 수 있기를 바라는 마음뿐입니다.

응 용 왕 수 학

이 책의 특징과 구성

1 교육과정 개정에 따라 학년별 교과 내용을 영역으로 나누어 문제를 편성, 수록하였습니다.

2 교과서의 수준을 뛰어 넘는 난이도 높은 문제들을 수록하여 전국경시대회, 과학고, 영재고 등과 같은 시험에 대비하는 데 부족함이 없도록 준비하였습니다.

3 해결 방법을 쉽게 이해할 수 있도록 체계적이고 논리적인 해설을 자세히 실었습니다.

핵심내용

교과 내용 중 핵심적인 내용이 정리되어 있습니다. 공부할 내용을 미리 알고 요점을 정리해 놓으면 문제 해결에 많은 도움이 될 것입니다.

탐구

단원에 관련된 문제를 유형별로 간추려 그 해법을 따라가 보았습니다. 유형을 익혀 놓으면 뒤의 왕문제, 왕중왕문제를 풀 때 보다 쉽게 접근할 수 있을 것입니다.

연습문제

탐구에서 찾아낸 해결 방법을 연습함으로써 어려운 문제의 해결 방안을 익힐 수 있게 하였습니다.

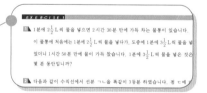

왕문제

본격적으로 적절한 해결 방법을 생각해 문제를 풀어 봄으로써 응용력과 문제해결력을 키워 나가는 단계입니다. 각각의 문제를 최선을 다하여 풀다 보면 사고력과 응용력이 높아질 것입니다.

왕중왕문제

전국경시대회, 영재교육원, 특목고를 대비할 수 있는 문제들을 수록하였습니다. 꾸준히 도전하면 중, 고등 과정과도 접목할 수 있는 풍부한 실력을 갖출 수 있게 될 것입니다.

APPLICATION

CONTENTS
차례

6학년

정 답 과 풀 이

I 수와 연산

APPLICATION

용 용 왕 수 학

1 분수의 곱셈

(1) 진분수의 곱셈

진분수끼리의 곱셈은 분자는 분자끼리, 분모는 분모끼리 곱해서 계산합니다.

$$\frac{3}{4} \times \frac{5}{7} = \frac{3 \times 5}{4 \times 7} = \frac{15}{28}$$

(2) 대분수의 곱셈

• 대분수를 가분수로 고치고 약분이 되면 약분을 한 후, 분자는 분자끼리, 분모는 분모끼리 곱합니다.

$$2\frac{1}{7} \times 1\frac{4}{5} = \frac{15}{7} \times \frac{9}{5} = \frac{27}{7} = 3\frac{6}{7}$$

• 분모는 분모끼리, 분자는 분자끼리 곱한 후 계산 결과를 약분합니다.

$$\frac{3}{5} \times 1\frac{1}{6} \times 5 = \frac{3}{5} \times \frac{7}{6} \times 5 = \frac{3 \times 7 \times 5}{5 \times 6} = \frac{105}{30} = \frac{7}{2} = 3\frac{1}{2}$$

• 대분수를 가분수로 고친 후 바로 약분하고 곱합니다.

$$\frac{3}{5} \times 1\frac{1}{6} \times 5 = \frac{3}{5} \times \frac{7}{6} \times 5 = \frac{7}{2} = 3\frac{1}{2}$$

2 분수의 나눗셈

(1) 분모가 다른 (진분수)÷(진분수)의 계산 방법

• 분모를 통분한 다음 분자끼리 나눗셈을 합니다.

$$\frac{3}{5} \div \frac{3}{4} = \frac{3 \times 4}{5 \times 4} \div \frac{3 \times 5}{4 \times 5} = \frac{3 \times 4}{3 \times 5} = \frac{3}{5} \times \frac{4}{3} = \frac{4}{5}$$

• 나누는 수를 역수의 곱으로 고쳐서 계산합니다.

$$\frac{2}{3} \div \frac{3}{5} = \frac{2}{3} \times \frac{5}{3} = \frac{10}{9} = 1\frac{1}{9}$$

(2) 대분수가 있는 나눗셈의 계산 방법

① 대분수를 가분수로 고칩니다.

② 나누는 수를 역수의 곱으로 고친 후, 약분이 되는 것은 먼저 약분하고 계산합니다.

③ 계산 결과가 가분수이면 가분수를 대분수로 고칩니다.

$$7\frac{2}{3} \div 3\frac{1}{6} = \frac{23}{3} \div \frac{19}{6} = \frac{23}{3} \times \frac{6}{19} = \frac{46}{19} = 2\frac{8}{19}$$

두 가지 속도로 녹화되는 비디오 플레이어가 있습니다. 이 플레이어에 A방식으로는 3시간, B방식으로는 8시간 동안 녹화가 가능한 테이프를 넣어 모두 녹화시키는 데 4시간 20분이 걸렸습니다. 처음에는 A방식으로 녹화하였다면 녹화를 시작한 지 몇 분 후에 B방식으로 바꾼 것입니까?

풀이

A방식으로는 한 시간에 전체의 $\dfrac{1}{\square}$을 녹화하고, B방식으로는 한 시간에

전체의 $\dfrac{1}{\square}$을 녹화합니다. 4시간 20분 모두 B방식으로 녹화를 하면

$4\dfrac{1}{3} \times \dfrac{1}{\square} = \dfrac{13}{\square}$ 만큼 녹화를 하게 되므로 A방식을 사용한 시간은

$\left(1 - \dfrac{13}{\square}\right) \div \left(\dfrac{1}{\square} - \dfrac{1}{\square}\right) = \square\dfrac{1}{5}$ (시간)입니다.

따라서 B방식으로 $60 \times \square\dfrac{1}{5} = \square$ (분) 후에 바꾼 것입니다.

답 <u>　　</u> 분 후

EXERCISE 1

1 1분에 $2\dfrac{1}{2}$ L씩 물을 넣으면 2시간 30분 만에 가득 차는 물통이 있습니다. 이 물통에 처음에는 1분에 $2\dfrac{1}{2}$ L씩 물을 넣다가, 도중에 1분에 $3\dfrac{1}{2}$ L씩 물을 넣었더니 1시간 50분 만에 물이 가득 찼습니다. 1분에 $3\dfrac{1}{2}$ L씩 물을 넣은 것은 몇 분 동안입니까?

2 다음과 같이 수직선에서 선분 ㄱㄴ을 똑같이 3등분 하였습니다. 점 ㄷ에 대응되는 수를 구하시오.

$5\dfrac{1}{3}$ 　　　　　　　　　　　　　　　　　$12\dfrac{3}{5}$

식을 보고 물음에 답하시오.

$$\frac{1}{3\times 5}-\frac{1}{5\times 7}=\frac{\square}{3\times 5\times 7}, \quad \frac{1}{3\times 5\times 7}=\frac{1}{\square}\times\left(\frac{1}{3\times 5}-\frac{1}{5\times 7}\right)$$

(1) □ 안에 공통으로 들어갈 수를 구하시오.

(2) 식을 이용하여 다음을 계산하시오.

$$\frac{1}{3\times 5\times 7}+\frac{1}{5\times 7\times 9}+\frac{1}{7\times 9\times 11}+\frac{1}{9\times 11\times 13}+\frac{1}{11\times 13\times 15}$$

풀이

(1) $\dfrac{1}{3\times 5}-\dfrac{1}{5\times 7}=\dfrac{7-3}{3\times 5\times 7}=\dfrac{\square}{3\times 5\times 7}, \quad \dfrac{1}{3\times 5\times 7}=\dfrac{1}{\square}\times\left(\dfrac{1}{3\times 5}-\dfrac{1}{5\times 7}\right)$

(2) (준식)$=\dfrac{1}{\square}\times\left(\dfrac{1}{3\times 5}-\dfrac{1}{5\times 7}+\dfrac{1}{5\times 7}-\dfrac{1}{7\times 9}+\cdots+\dfrac{1}{11\times 13}-\dfrac{1}{13\times 15}\right)$

$=\dfrac{1}{\square}\times\left(\dfrac{1}{\square}-\dfrac{1}{\square}\right)=\dfrac{1}{\square}\times\dfrac{4}{\square}=\boxed{}$

답 (1) $\boxed{}$ (2) $\boxed{}$

EXERCISE 2

1 다음을 계산하시오.

$$\frac{1}{2}+\frac{1}{6}+\frac{1}{12}+\cdots+\frac{1}{42}+\frac{1}{56}$$

2 가영이네 학교 6학년 학생 중에서 $\dfrac{1}{4}$은 ㉮ 마을에 살고, 나머지의 $\dfrac{3}{4}$은 ㉯ 마을에 살고 있습니다. ㉮ 마을과 ㉯ 마을에 살고 있지 않은 학생이 81명이라면 가영이네 학교 6학년 학생 수는 몇 명입니까?

1 □ 안에 알맞은 수를 구하시오.

$$1988 \times \left(1 + \frac{2}{7} - \frac{47}{71}\right) \times \frac{1}{\square} \div \left(1 - \frac{2}{9} - \frac{1}{7}\right) = 63$$

2 다음을 계산하시오.

$$\frac{1}{110} + \frac{1}{132} + \frac{1}{156} + \cdots + \frac{1}{342} + \frac{1}{380}$$

3 ▲와 ■가 자연수일 때 다음 식을 만족하는 ▲와 ■의 쌍 (▲, ■)는 모두 몇 가지입니까?

$$6 \div \frac{▲}{9} = ■$$

4 ㉮와 ㉯를 계산한 값이 같을 때, □ 안에 알맞은 수를 구하시오.

㉮ $\frac{3}{4} \div \frac{5}{6} \times 1\frac{5}{9}$　　㉯ $2\frac{1}{4} \div \square \times 1\frac{2}{5}$

5 ③$=1\times2\times3$, ④$=1\times2\times3\times4$로 나타낼 때, □ 안에 알맞은 수를 구하시오.

$$\frac{1}{③} - \frac{1}{④} = \frac{1}{④} \times \square$$

6 4개의 서로 다른 수가 있습니다. 이 4개의 수 중 3개씩을 골라서 각각 평균을 내면 $50\frac{1}{4}$, $53\frac{23}{36}$, $54\frac{17}{36}$, $63\frac{1}{18}$이 되었습니다. 이때, 가장 작은 수는 얼마입니까?

7 3시와 4시 사이에 짧은바늘과 긴바늘이 일직선이 되는 시각을 분 단위까지 나타내시오.

8 어떤 학교의 남학생 수는 전교생의 $\frac{5}{9}$보다 130명 더 많고, 여학생 수는 전교생의 $\frac{2}{7}$보다 20명 더 많습니다. 이 학교의 전체 학생 수는 몇 명입니까?

9 어떤 일을 하는 데 A기계만 사용하면 12시간이 걸립니다. 처음에는 A기계를 사용하다가 도중에 A기계의 3배의 일을 하는 B기계로 바꿔 처음부터 6시간 15분 만에 그 일을 끝냈습니다. B기계를 몇 시간 동안 사용하였습니까?

10 어느 대학교의 입학시험에서 합격자의 평균 점수는 합격최저점수보다 15점 높고, 불합격자의 평균 점수는 합격최저점수보다 55점 낮으며, 전체 수험자의 평균 점수는 239점이었습니다. 합격자 수가 전체 수험자의 $\frac{1}{5}$이었다고 할 때, 합격자의 평균 점수는 몇 점입니까?

11 어느 초등학교에서는 작년에는 남학생과 여학생이 합해서 1660명 있었지만, 올해는 작년과 비교해서 남학생이 $\frac{1}{6}$만큼 늘고, 여학생이 $\frac{1}{5}$만큼 줄었기 때문에 전체 학생 수가 작년보다 20명 늘어났습니다. 올해 남학생과 여학생 수는 각각 몇 명입니까?

12 다음 나눗셈의 몫은 자연수입니다. □ 안에 들어갈 수 있는 자연수는 모두 몇 개입니까?

$$\frac{3}{4} \div \frac{\square}{84}$$

13 영수는 어떤 책을 첫날에 전체의 $\frac{2}{5}$를 읽고, 둘째 날에 27쪽을 읽고, 셋째 날에는 나머지의 $\frac{1}{3}$을 읽었습니다. 3일 동안 전체의 $\frac{4}{5}$를 읽게 되었다면 영수가 읽은 책은 모두 몇 쪽입니까?

14 ㉮마을에서 ㉯마을로 가는데 자전거는 달리는 것의 $3\frac{3}{4}$배의 속도로, 자동차는 자전거의 $3\frac{1}{3}$배의 속도로 달린다고 합니다. 전체 거리의 $\frac{2}{3}$를 자전거로, 나머지의 $\frac{1}{3}$을 자동차로, 그 나머지를 달려서 갈 때 걸린 시간은 처음부터 달려서 갈 때 걸린 시간의 몇 배입니까?

15 아버지, 형, 동생 세 사람의 나이의 합은 79살입니다. 아버지의 나이는 형의 나이의 $2\frac{5}{9}$배이고, 아버지와 형의 나이의 차는 동생 나이의 2배보다 2살이 적습니다. 이때, 형의 나이는 몇 살입니까?

16 가영이와 한초는 각각 얼마씩의 용돈을 가지고 있습니다. 각자 가지고 있는 용돈의 $\frac{1}{4}$씩을 교환하면 가영이가 가진 금액은 한초가 가지고 있는 금액의 2배가 됩니다. 가영이가 처음에 가지고 있던 용돈은 한초가 처음에 가지고 있던 용돈의 몇 배입니까?

17 갑, 을, 병 세 사람이 연못의 둘레를 각각 일정한 속도로 돌고 있습니다. 출발점에서 갑과 을은 같은 방향으로, 병은 반대 방향으로 동시에 출발하였습니다. 한 바퀴 도는 데 갑은 14분, 을은 8분이 걸리며, 을과 병은 출발한 지 $4\frac{4}{5}$분 만에 만났습니다. 병이 한 바퀴 도는 데는 몇 분이 걸립니까?

18 어떤 일을 하는 데에 매일 몇 명의 사람이 16일간 일해서 그것의 $\frac{3}{4}$ 을 하였습니다. 그후 사람 수를 $\frac{2}{3}$ 만큼 줄인 인원으로 일한다면 처음부터 며칠 만에 이 일을 끝낼 수 있겠습니까?

19 ㉮★㉯를 보기 와 같이 약속할 때 $\frac{8}{15}★\frac{4}{21}$ 를 계산하시오.

보기

$$㉮★㉯ = ㉮ \div \frac{2}{3} + ㉮ \div ㉯$$

20 빈 병에 전체의 $\frac{5}{8}$ 만큼 물을 넣고 무게를 재어 보니 345 g이었고, 넣은 물의 $\frac{2}{5}$ 를 마신 후 다시 무게를 재어 보니 210 g이었습니다. 빈 병에 물을 가득 넣어 무게를 재면 몇 g이 되겠습니까?

1 ★ ÷ ▲ ÷ ▲ = $\frac{1}{90}$ 을 만족시키는 가장 작은 자연수 ★과 ▲를 찾아

★ + ▲의 값을 구하시오.

2 A군과 B군이 함께 하면 하루에 전체의 $\frac{5}{72}$를 끝낼 수 있는 일이 있습니다. 이
일을 A군이 혼자서 21일 동안 일하고, 그 뒤로 B군이 혼자서 10일 동안 일
하여 끝냈습니다. B군 혼자서 이 일을 하면 며칠 만에 끝낼 수 있습니까?

3 ㉮지역에서 ㉯지역으로 갔다가 되돌아오는 데 영수는 갈 때는 1시간에 6 km
씩, 되돌아올 때는 1시간에 4 km씩 왕복하고, 한초는 갈 때는 1시간에 8 km
씩, 되돌아올 때는 1시간에 3 km씩 왕복하였습니다. 그 결과, 영수와 한초
의 왕복 소요시간에 30분의 차가 생겼습니다. 물음에 답하시오.

(1) 영수는 평균적으로 1시간에 몇 km씩 간 것입니까?

(2) ㉮지역과 ㉯지역 사이의 거리는 몇 km입니까?

4 20 g의 금은 물 속에서 무게가 1 g 가벼워지고, 21 g의 은은 물속에서 무게가 2 g 가벼워집니다. 지금 금과 은을 합한 덩어리 10 kg을 물 속에 넣었더니 무게가 690 g 가벼워졌습니다. 물속에 넣은 금만의 무게는 몇 g입니까?

5 수직선 위에 $4\frac{3}{8}$과 $9\frac{1}{4}$의 수가 놓여 있고 두 수 사이에 세 수 ㉠, ㉡, ㉢이 다음과 같이 놓여 있을 때 ㉡에 알맞은 수를 구하시오.

$$㉠-4\frac{3}{8}=9\frac{1}{4}-㉠$$
$$㉡-㉠=㉢-㉡=9\frac{1}{4}-㉢$$

6 다음은 규칙에 따라 수를 늘어놓은 것입니다. 25번째 수를 38번째 수로 나눈 몫을 구하시오.

$$\frac{1}{2},\ 1,\ 1\frac{1}{4},\ 1\frac{2}{5},\ 1\frac{1}{2},\ 5\frac{1}{2},\ 4\frac{1}{3},\ 3\frac{3}{4},\ 3\frac{2}{5},\ 3\frac{1}{6},\ \cdots\cdots$$

7 다음 중 나눗셈의 몫을 ㉮라고 할 때 ㉮ × 1000 > 4가 되는 나눗셈식은 모두 몇 개입니까?

$$\frac{1}{5} \div 6, \ \frac{1}{6} \div 7, \ \frac{1}{7} \div 8, \ \frac{1}{8} \div 9, \ \frac{1}{9} \div 10, \ \cdots\cdots$$

8 지난해 갑과 을이 가지고 있던 밭의 넓이는 832 m²였습니다. 그런데 올해 갑은 자신의 밭의 $\frac{2}{9}$를 팔았고, 을은 자신의 밭의 $\frac{1}{4}$만큼을 더 샀더니 두 사람이 가지고 있는 밭의 넓이는 지난해보다 166 m²가 줄어들었다고 합니다. 현재 갑이 가지고 있는 밭의 넓이는 몇 m²입니까?

9 석기와 영수가 각각 가지고 있는 구슬의 $\frac{1}{5}$씩 서로 교환하면 석기가 가지고 있는 구슬의 개수는 영수가 가지고 있는 구슬의 개수의 3배가 된다고 합니다. 만일 두 명이 각각 가지고 있는 구슬의 $\frac{1}{3}$씩을 서로 교환한다면 석기가 가진 구슬의 개수는 영수가 가진 구슬 개수의 몇 배가 되겠습니까?

10 처음에 갑이 24일 동안 일하고, 그 후 을이 18일 동안 일하면 완성되는 어떤 일이 있습니다. 이 일을 을이 24일 동안 일하고, 그 후 갑이 18일 동안 일해서 전체의 $\frac{1}{18}$이 남았습니다. 처음부터 갑과 을이 함께 하면 며칠 만에 일을 끝낼 수 있겠습니까?

11 10시와 11시 사이에서 시계의 긴바늘과 짧은바늘이 숫자판의 10의 눈금을 끼고 좌우대칭이 되었습니다. 이때의 시각은 몇 시 몇 분 몇 초입니까?

12 ㉠, ㉡, ㉢은 모두 자연수일 때, ㉠이 될 수 있는 수 중 1000보다 작은 수를 모두 찾아 합을 구하시오.

$$5\frac{2}{5} \div ㉠ = \frac{1}{㉡} \qquad 5\frac{1}{7} \div ㉠ = \frac{1}{㉢}$$

13 상, 하 두 권으로 된 동화책이 있습니다. 이 동화책을 A는 18일 동안 매일 몇 쪽씩 읽었더니 10쪽이 남았습니다. 그런데 B는 A보다 매일 5쪽씩 많이 읽었기 때문에 14일 만에 다 읽었습니다. 이 책을 다시 만들 때는 상권을 20쪽 줄이고, 하권을 $\frac{1}{6}$ 만큼 더 늘려 상, 하권의 쪽수를 같게 하였습니다. 처음의 상, 하권의 쪽수를 각각 구하시오.

14 비어 있는 자동차 기름 탱크에 휘발유를 가득 채웠더니 48000원이 들었습니다. 첫째 날에 전체의 $\frac{1}{4}$을 쓰고, 둘째 날에는 $14\frac{2}{5}$ L를 쓰고, 셋째 날에는 나머지의 $\frac{5}{9}$를 썼습니다. 3일 동안 사용한 휘발유를 보충했더니 휘발유의 가격이 5 %가 올라 36960원이 들었습니다. 자동차 기름 탱크의 들이를 구하시오.

15 예슬이는 ㉮에서 ㉯까지 가는데, 처음에는 1시간에 $4\frac{1}{2}$ km씩 계속해서 갈 예정이었지만, 전체 길이의 $\frac{1}{4}$까지 온 지점에서 1시간에 $5\frac{2}{5}$ km씩 가는 속도로 바꿨습니다. 그 후, ㉯에 도착하기 전 도중에서 12분 쉬었습니다. 그래도 예정보다 3분 빨리 도착할 수 있었습니다. 이때, ㉮에서 ㉯까지의 거리를 구하시오.

16 예슬이와 호승이가 가지고 있는 돈은 모두 6300원입니다. 그런데 예슬이는 가지고 있는 돈의 $\frac{2}{9}$로 책을 사고, 호승이는 가지고 있는 돈의 $\frac{2}{5}$로 학용품을 샀더니, 남은 돈은 예슬이가 호승이보다 1180원 많았습니다. 처음에 두 사람이 가지고 있던 돈은 각각 얼마입니까?

17 A, B, C 3개의 막대가 있습니다. 이 3개의 막대의 길이의 합은 364 cm입니다. 연못에 3개의 막대를 똑바로 세웠을 때 수면에 나와 있는 막대의 길이는 A의 $\frac{3}{4}$, B의 $\frac{4}{7}$, C의 $\frac{1}{5}$입니다. 연못의 깊이는 몇 cm입니까?

18 어떤 물탱크에 물이 가득 들어 있습니다. 물탱크에는 일정한 양의 물이 흘러 들어가고 있고, 물탱크의 밑부분에는 30개의 수도꼭지가 있습니다. 이때, 수도꼭지 26개를 열어서 물을 빼내면 10분 만에 물탱크는 비게 되고, 14개의 수도꼭지를 열어서 물을 빼내면 40분 만에 물탱크가 비게 됩니다. 30개의 수도꼭지를 모두 열면 몇 분 만에 물탱크가 비게 됩니까? (단, 수도꼭지에서 1분 동안 빠지는 물의 양은 같습니다.)

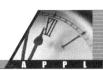
1 소수의 곱셈

(1) (자연수) × (소수)

ㄱ 소수를 분수로 고쳐서 계산하기

$$24 \times 0.6 = 24 \times \frac{6}{10} = \frac{144}{10} = 14.4$$

ㄴ 세로셈으로 고쳐서 계산하기

$$\begin{array}{r} 2\ 4 \\ \times 0.6 \\ \hline \end{array}$$ ➡ $$\begin{array}{r} 2\ 4 \\ \times\ \ 6 \\ \hline 1\ 4\ 4 \end{array}$$ ➡ $$\begin{array}{r} 2\ 4 \\ \times 0.6 \\ \hline 1\ 4.4 \end{array}$$

(2) (소수) × (소수)

$$\begin{array}{r} 0.2\ 3 \\ \times\ \ 4.2 \\ \hline \end{array}$$ ➡ $$\begin{array}{r} 2\ 3 \\ \times 4\ 2 \\ \hline 9\ 6\ 6 \end{array}$$ ➡ $$\begin{array}{r} 0.2\ 3 \\ \times\ \ \ 4.2 \\ \hline 0.9\ 6\ 6 \end{array}$$

0.23 ← 소수점 아래 두 자리
4.2 ← 소수점 아래 한 자리
0.966 ← 소수점 아래 세 자리

2 소수의 나눗셈

(1) 나누는 수와 나누어지는 수의 소수점 아래 자릿수가 같을 때

$$11.52 \div 0.48 = \frac{1152}{100} \div \frac{48}{100}$$
$$= 1152 \div 48$$
$$= 24$$

$$0.48)\overline{11.52}$$ ➡ $$48)\overline{1152}$$

$$\begin{array}{r} 24 \\ 48\overline{)1152} \\ \underline{96} \\ 192 \\ \underline{192} \\ 0 \end{array}$$

$$\begin{array}{r} 24 \\ 0.48\overline{)11.52} \\ \underline{9\ 6} \\ 1\ 92 \\ \underline{1\ 92} \\ 0 \end{array}$$

(2) 나누는 수와 나누어지는 수의 소수점 아래 자릿수가 다를 때

$$14.58 \div 2.7 = \frac{145.8}{10} \div \frac{27}{10}$$
$$= 145.8 \div 27$$
$$= 5.4$$

$$2.7)\overline{14.58}$$ ➡

$$\begin{array}{r} 5.4 \\ 27\overline{)145.8} \\ \underline{135} \\ 10\ 8 \\ \underline{10\ 8} \\ 0 \end{array}$$

$$\begin{array}{r} 5.4 \\ 2.7\overline{)14.5.8} \\ \underline{13\ 5} \\ 1\ 0\ 8 \\ \underline{1\ 0\ 8} \\ 0 \end{array}$$

(3) 몫과 나머지 구하기

$$0.5)\overline{1.3}$$ ➡

$$\begin{array}{r} 2 \\ 5\overline{)13} \\ \underline{10} \\ 3 \end{array}$$

$$\begin{array}{r} 2 \\ 0.5\overline{)1.3} \\ \underline{1\ 0} \\ 0.3 \end{array}$$

나눗셈의 몫은 2이고, 나머지는 0.3입니다.
$$1.3 \div 0.5 = 2 \cdots 0.3$$
(검산) $0.5 \times 2 + 0.3 = 1.3$

■ 안에 알맞은 수를 구하시오.

$$\frac{0.9-0.9\times0.9}{1-0.1}\times\blacksquare=\frac{0.0505}{0.101}$$

풀이

$$\frac{0.9-0.9\times0.9}{1-0.1}=\frac{0.9\times(1-\boxed{})}{\boxed{}}=1-\boxed{}=\boxed{}\text{이므로}$$

$$\boxed{}\times\blacksquare=\frac{0.0505}{0.101}\text{ 입니다. 따라서 양 변에 10을 곱해 주면}$$

$$\blacksquare=\frac{\boxed{}}{0.101}=\boxed{}\text{입니다.}$$ 답 $\boxed{}$

EXERCISE 1

1 다음을 계산하시오.

$$7.3\times3.4-0.73\times1.7+7.3\times2.27$$

2 윗변이 아랫변보다 1.9 cm 더 길고, 높이가 3.2 cm인 사다리꼴의 넓이가 14.56 cm² 입니다. 아랫변의 길이를 구하시오.

3 한솔이의 몸무게는 한별이의 몸무게의 1.4배보다 27 kg 가볍고, 한별이는 한초의 몸무게의 1.2배이며, 한초는 지혜의 몸무게의 1.2배보다 4 kg 무겁습니다. 지혜의 몸무게가 36 kg일 때, 한솔이의 몸무게는 몇 kg입니까?

6학년 학생들의 평균 키는 1.44 m이고, 여기에 1.52 m, 1.41 m, 1.53 m, 1.6 m, 1.57 m의 5명의 키를 더하여 평균을 내면 1.45 m가 됩니다. 6학년 학생 수는 몇 명입니까?

풀이

6학년 학생 수를 ■명이라 하면

$$■ × \boxed{} + (1.52 + 1.41 + 1.53 + 1.6 + 1.57) = \boxed{} × (■ + 5)$$

$$■ × \boxed{} + 7.63 = \boxed{} × ■ + \boxed{}$$

$$0.01 × ■ = \boxed{}$$

$$■ = \boxed{} ÷ 0.01 = \boxed{}$$

답 ☐ 명

EXERCISE 2

1 81.42를 어떤 수로 나누었는데 잘못 계산하여 몫이 1.38이 되었습니다. 이 계산은 정답보다 12.42가 적게 나온 것이라면, 어떤 수는 얼마입니까?

2 72.325를 어떤 수로 나누어 몫을 소수 둘째 자리까지 구하면 11.26이고, 그 때의 나머지는 0.0358입니다. 어떤 수는 얼마입니까?

3 $4 ÷ 7 = 0.571428571428 \cdots$과 같이 몫이 규칙적으로 반복되고 있습니다. 소수점 아래 50째 번의 숫자는 무엇입니까?

왕 문제

	전국 경시 예상 등위			
APPLICATION	대상권	금상권	은상권	동상권
	17/18	16/18	15/18	14/18

1 서로 다른 4개의 자연수가 작은 수부터 A, B, C, D의 순서로 되어 있습니다. 이 4개의 수 중에서 2개씩 골라서, 그 평균을 구하였더니, 14.5, 17, 18.5, 19, 20.5, 23이었습니다. D는 얼마입니까?

2 남학생 48명과 여학생 32명이 수학 시험을 보았습니다. 남학생과 여학생의 전체 평균 점수는 68.4점이고, 여학생의 평균 점수는 남학생의 평균 점수보다 6점이 높았습니다. 여학생의 평균 점수는 몇 점입니까?

3 떨어진 높이의 80 %씩 튀어오르는 공 ㉮와 60 %씩 튀어오르는 공 ㉯가 있습니다. 공 ㉮와 공 ㉯를 떨어뜨려 두 번째로 튀어오른 높이가 같도록 할 때, 공 ㉮를 9 m 높이에서 떨어뜨리면 공 ㉯는 몇 m 높이에서 떨어뜨려야 합니까?

4 어떤 여객기의 승객은 720명입니다. 이 중 남자 승객의 80 %는 한국인이고, 이 인원은 여자 승객 전체의 1.6배에 해당됩니다. 외국인 승객 중 52 %는 여자입니다. 한국인 여자 승객은 몇 명입니까?

5 규성이는 백화점에서 정가의 25 %를 할인하여 옷을 사고, 산 값의 5 %의 소비세를 포함하여 22050원을 지불하였습니다. 이 옷의 정가는 얼마입니까?

6 일정한 속도로 달리는 기차가 120 m의 다리를 통과하는 데 10.2초가 걸렸고 255 m의 터널을 통과하는 데 16.2초가 걸렸습니다. 이 기차는 1시간에 몇 km를 가는 빠르기입니까?

7 어떤 자연수를 12로 나눈 후, 소수 첫째 자리에서 반올림하면 12가 됩니다. 이와 같은 자연수를 모두 찾아 그 합을 구하시오.

8 석기네 반 전체 학생의 수학 평균 점수는 86.35점이고, 남학생 22명의 평균 점수는 89.5점, 여학생들의 평균 점수는 82.5점입니다. 석기네 반 여학생은 모두 몇 명입니까?

9 자전거 바퀴의 둘레가 앞바퀴는 1.8 m, 뒷바퀴는 1.4 m인 자전거가 있습니다. 이 자전거로 어느 거리를 달리자, 뒷바퀴는 앞바퀴보다 468번 더 많이 회전하였습니다. 자전거로 달린 거리는 몇 m입니까?

10 자동차 A와 B가 같은 장소에서 동시에 출발해서 같은 길을 달리고 있습니다. A는 B보다 한 시간당 15 km씩 빠르기 때문에 도중에 있는 다리에 B보다 15분 빨리 도착하였고, B가 그 다리에 도착했을 때, A는 22.5 km 앞에 달리고 있었습니다. 출발점에서 다리까지는 몇 km입니까?

11 어떤 문제의 답을 쓰는데 잘못하여 소수점을 오른쪽으로 한 칸 옮겨 찍었더니 바른 답과의 차가 22.23이 되었습니다. 바른 답은 얼마입니까?

12 유승이는 오전 10시에 자전거로 1시간에 12.8 km의 빠르기로 먼저 출발하였고, 한솔이는 오전 10시 24분에 같은 길을 자전거로 1시간에 16.8 km의 빠르기로 따라 갔습니다. 두 사람이 만나는 시각을 구하시오.

13 어떤 연못 주위를 동시에 같은 장소에서 A와 B는 같은 방향으로, C는 반대 방향으로 걷기 시작했습니다. A와 C는 4.5분마다 서로 만나고, B와 C는 5.5분마다 서로 만났습니다. A는 B를 몇 분 몇 초마다 따라잡았습니까? (단, A, B, C의 속도는 각각 일정합니다.)

14 지금부터 4년 후에는 어머니의 연세가 영수의 나이의 2.5배가 되고, 14년 후에는 아버지의 연세가 어머니의 연세의 1.1배가 됩니다. 현재 영수의 나이가 12살일 때, 아버지의 연세는 몇 세입니까?

15 가영이네 학교 학생 수는 작년에 남녀를 합하여 550명이었습니다. 올해에 남학생은 9 %가 줄고, 여학생은 18 %가 늘어 568명이 되었습니다. 올해의 여학생 수는 몇 명입니까?

16 숫자 1, 2, 3, 4, 5를 한 번씩 사용하여 소수 한 자리 수와 소수 두 자리 수를 만들었습니다. 그 곱을 가장 크게 했을 때, 가장 큰 곱은 얼마입니까?

17 다음과 같은 규칙으로 수를 더해갈 때 계산 결과는 얼마입니까?

$$9+6.3+4.41+3.087+\cdots\cdots$$

18 다음 식에 알맞은 숫자 □와 △를 (□, △)로 나타낼 때 (□, △)의 쌍은 모두 몇 개입니까?

$$43.□4>8△.46÷2$$

1 가, 나, 다 세 수가 있습니다. 가와 나를 곱하면 0.63, 나와 다를 곱하면 0.99, 가와 다를 곱하면 0.77이 됩니다. 세 수 가, 나, 다를 구하시오.

2 어느 반의 평균 키는 148.5 cm이고, 키가 가장 큰 학생의 키는 168 cm입니다. 키가 가장 큰 학생의 키에서 이 반의 학생들의 키를 각각 뺀 나머지를 모두 더하면 390 cm가 됩니다. 이 반의 학생 수를 구하시오.

3 동민이와 석기는 합해서 50000원을 가지고 있었습니다. 서점에서 동민이는 가지고 있는 돈의 10 %, 석기는 가지고 있는 돈의 15 %의 가격이 되는 책을 사서 집으로 돌아왔습니다. 그 후 두 사람은 집에서 가지고 있는 돈의 10 %의 돈을 받았기 때문에 두 사람이 가진 돈의 합은 처음보다 1600원이 적어졌습니다. 석기는 처음에 얼마를 가지고 있었습니까?

4 기차가 한 시간에 75.6 km를 가는 빠르기로 일직선으로 나 있는 선로를 달리고 있습니다. 기차가 역까지 2788 m 남은 지점에서 경적을 울린 후 17초 후에 경적을 한 번 더 울렸습니다. 역에 있는 사람이 이 경적을 듣는다면 처음 경적을 들은 지 몇 초 후에 다음 경적을 듣게 됩니까? (단, 소리는 1초 동안 340 m를 갑니다.)

5 넓이가 16.44 m²인 꽃밭을 ⑦, ⑭, ⑮, ⑯, ⑰, ⑱의 6개 부분으로 나누고 그 넓이를 재어 보니 ⑭의 넓이는 2.84 m²였습니다. 또한 ⑦ 부분의 넓이에서 ⑭ 부분의 넓이를 뺀 차는 ⑭ 부분에서 ⑮ 부분을 뺀 차와 같습니다. ⑯, ⑰, ⑱의 넓이가 모두 ⑮의 넓이와 같을 때, ⑦의 넓이를 구하시오.

6 오른쪽 표는 A부터 I까지 9개의 수가 배열된 것으로, 다음의 3가지 조건을 만족시키고 있습니다. 수 I의 값을 구하시오.

A	B	C
D	E	F
G	H	I

① 가로 3개의 수의 합, 세로 3개의 수의 합은 모두 같습니다.
② A, B, D, E 4개의 수의 평균은 9.8775입니다.
③ C, F, G, H 4개의 수의 합은 22.56입니다.

7 길이가 같은 2개의 막대로 A, B 두 곳의 연못의 깊이를 재었습니다. A에서는 막대가 0.6만큼 물 속에 들어가고, B에서는 0.75만큼 물 속에 들어가며, 수면 위로 나온 막대의 길이의 차는 45 cm 였습니다. A에서의 연못의 깊이는 몇 cm 입니까?

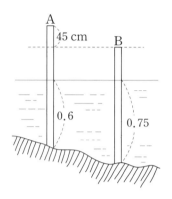

8 어떤 사람이 1000만 원을 A은행과 B은행에 나누어 1년간 예금하였습니다. 이자는 A은행이 예금액의 6 %, B은행이 예금액의 4 %이고, A은행의 이자가 B은행의 이자보다 25만 원이 많았습니다. 두 은행으로부터 받은 이자는 모두 얼마입니까?

9 A, B, C, D, E 5명이 수학 시험을 보았습니다. 그 결과 C, D, E 3명의 점수는 각각 66점, 78점, 87점이었습니다. 그리고, 5명 전원의 평균 점수는 78.2점이었고, A, C, D, E 4명의 평균 점수는 B, C, D, E 4명의 평균 점수보다 8.5점 높았습니다. A와 B의 점수를 각각 구하시오.

10 웅이는 똑같은 상품 600개를 사 와서 사 온 값에 20 %의 이익을 붙여 정가를 정했습니다. 정가대로 250개를 팔았지만 팔리지 않은 것은 정가의 10 %를 할인하여 몇 개를 판 후, 나머지는 정가의 20 %를 할인하여 모두 팔았습니다. 그 결과 사 온 값의 11.5 %의 이익을 얻었습니다. 정가의 20 %를 할인하여 판 상품의 개수는 몇 개입니까?

11 기차가 한 시간에 61.2 km를 가는 빠르기로 일직선으로 나 있는 선로를 달리고 있습니다. 기차가 건널목까지 2550 m 남은 지점에서 경적을 울린 후 10초 후에 경적을 한 번 더 울렸습니다. 건널목에 있는 사람이 이 경적을 듣는다면 처음 들은지 몇 초 후에 다음 경적을 듣게 됩니까? (단, 소리는 1초 동안 340 m를 갑니다.)

12 과일 가게에 현재 과일이 몇 개 있습니다. 매일 4000개의 과일을 더 가져오면 매일 일정한 개수로 30일 동안 팔 수 있는데, 하루 판매량을 25 % 늘리면 20일 동안 밖에 팔 수 없다고 합니다. 하루 판매량이 25 %가 늘어도 30일 동안 판매를 계속하기 위해서는 매일 가져오는 과일의 개수를 몇 개로 하여야 합니까?

13 갑은 한 시간에 8 km를 가는 빠르기로 동쪽에서 서쪽을 향하여 가고, 을은 한 시간에 6 km를 가는 빠르기로 서쪽에서 동쪽을 향하여 가고 있습니다. 을은 갑보다 2.5시간 빨리 출발하였고, 두 사람이 동서 양쪽의 중간에서 동쪽으로 3.5 km 떨어진 곳에서 서로 만났다면, 동서 양쪽 사이의 거리를 구하시오.

14 바다 위의 한 배가 해안의 절벽을 향해 진행하면서 고동을 울렸습니다. 배 위에 있던 사람이 해안으로부터 반사해 온 고동 소리를 8.4초 후에 들었습니다. 고동 소리를 들은 곳은 해안에서 몇 km 떨어진 지점입니까? (단, 배는 1시간에 36 km, 소리는 1초 동안 340 m를 가는 빠르기입니다.)

15 효근이와 석기는 동물원에서 만나기로 약속을 하고 각자의 집에서 동물원으로 향했습니다. 효근이는 석기보다 늦게 출발했지만 효근이는 한 시간에 6.4 km를 가는 빠르기이고, 석기는 한 시간에 4 km를 가는 빠르기이므로 석기가 걸린 시간의 0.75배 시간만에 석기를 따라 잡았습니다. 효근이는 석기보다 몇 분 늦게 집에서 출발했습니까?

16 A, B 각 팀이 한 바퀴가 400 m인 트랙을 4명이 각각 1바퀴씩 도는 이어달리기를 하였습니다. A팀 전원은 100 m를 14.5초로 달리고, B팀 중 3명은 100 m를 각각 13.5초, 14초, 14.5초로 달립니다. 양 팀 모두 동시에 출발한 후 결승점에서 배턴 터치를 하여 양 팀이 동시에 결승점을 통과하였습니다. 그래서 이번에는 출발, 결승점의 전후 20 m까지 배턴을 주고 받을 수 있게 하였습니다. B팀은 달리는 시간을 가능한한 줄이기 위해, 순번을 달리하였다면 B팀은 달리는 시간을 몇 초 줄일 수 있습니까? (단, 배턴 터치의 시간은 생각하지 않습니다.)

배턴 터치 존

(출발, 결승점)

17 1보다 큰 4개의 소수 A, B, C, D가 있습니다. A<B<C<D이고, A+B, B+C, C+D, A+C, B+D, A+D의 6가지 경우의 총합 712.8이며, A+D가 B+C보다 큽니다. 또, 6가지 경우를 작은 쪽부터 차례로 나열하면 4씩 커집니다. 이때 D의 값을 구하시오.

18 개미 ㉮는 ㉠을 출발하여 ㉡쪽으로, 개미 ㉯는 ㉡을 출발하여 ㉠쪽으로 동시에 출발하여 일정한 빠르기로 ㉠지점과 ㉡지점을 왔다갔다 하고 있습니다. 한 시간 동안에 개미 ㉮는 4.2 m씩, 개미 ㉯는 5.4 m씩 가는 빠르기로 움직이고 두 개미가 3번을 만날 때까지 4시간 30분이 걸렸다면 ㉠ 지점과 ㉡ 지점 사이의 거리는 몇 m입니까? (단, 개미의 몸 길이는 생각하지 않습니다.)

종이 쪽지의 숫자

용희의 형은 책상에 앉아 숫자들의 규칙을 생각하느라 밤을 새우기 일쑤였습니다. 형이 외출한 사이 용희는 형이 남긴 종이 쪽지에서 다음과 같은 수열을 보았습니다. 이 수열에서 다음에 오는 수는 과연 무엇이겠습니까?

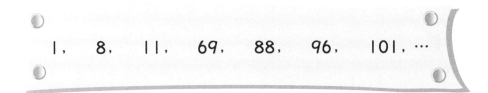

$$1, \quad 8, \quad 11, \quad 69, \quad 88, \quad 96, \quad 101, \cdots$$

111

풀이 주어진 숫자를 180°만큼 돌렸을 때 차례로 커지는 숫자와 같고, 끝은 수를 거꾸로 나열한 것임을 알 수 있습니다.

II 도형

APPLICATION

응 용 왕 수 학

1 입체도형

오른쪽 그림과 같은 도형을 입체도형이라고 합니다.

2 각기둥

오른쪽 그림과 같이 위와 아래에 있는 면이 서로 평행하고 합동인 다각형으로 이루어진 입체도형을 각기둥이라고 합니다.

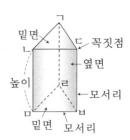

- 오른쪽 그림의 면 ㄱㄴㄷ과 면 ㄹㅁㅂ과 같이 서로 평행한 두 면을 밑면이라고 합니다.
- 오른쪽 그림과 같이 밑면에 수직인 면을 옆면이라고 합니다.
- 면과 면이 만나는 선을 모서리라고 하고, 모서리와 모서리가 만나는 점을 꼭짓점이라고 하며, 두 밑면 사이의 거리를 높이라고 합니다.

3 각뿔

오른쪽 그림과 같이 밑면이 다각형이고, 옆면이 삼각형인 도형을 각뿔이라고 합니다.

- 오른쪽 그림의 사각뿔에서 면 ㄴㄷㄹㅁ을 밑면이라고 하고, 옆으로 둘러싸인 면을 옆면이라고 합니다.
- 면과 면이 만나는 선을 모서리라 하고, 모서리와 모서리가 만나는 점을 꼭짓점이라고 합니다.
- 옆면을 이루는 모든 삼각형의 공통인 꼭짓점을 각뿔의 꼭짓점이라고 합니다.
- 각뿔의 꼭짓점에서 밑면에 수직인 선분의 길이를 높이라고 합니다.

4 전개도

입체도형의 모서리를 잘라서 펼쳐 놓은 그림을 그 입체도형의 전개도라 합니다.

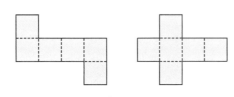

(사각기둥의 전개도)　　　　　　　　(사각뿔의 전개도)

각기둥에는 면의 수와 꼭짓점의 수, 모서리의 수에 일정한 관계가 있습니다. 표를 보고 빈 곳에 알맞게 써넣으시오.

각기둥	면의 수	꼭짓점의 수	모서리의 수	밑면의 모양	옆면의 모양
삼각기둥	5	6	9	삼각형	직사각형
사각기둥	6	8	12	사각형	직사각형
팔각기둥	□	□	□	□	□
■각기둥	■+□	■×□	■×□	■각형	직사각형

풀이

(면의 수)＝(한 밑면의 변의 수)＋□

(꼭짓점의 수)＝(한 밑면의 변의 수)×□

(모서리의 수)＝(한 밑면의 변의 수)×□

EXERCISE 1

1 다음 전개도로 만들 수 있는 입체도형의 이름을 쓰시오.

(1) 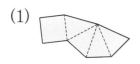　(2) 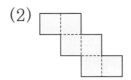　(3) 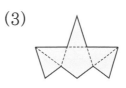　(4)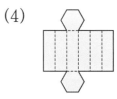

2 물음에 답하시오.

(1) 꼭짓점의 수가 21개인 각뿔은 무엇입니까?

(2) 꼭짓점의 수와 모서리의 수의 합이 40개인 각기둥은 무엇입니까?

(3) 모서리의 수, 면의 수, 꼭짓점의 수의 합이 42개인 각뿔은 무엇입니까?

[그림 1]은 서로 마주 보는 두 면의 곱이 12가 되도록 12의 약수를 적은 정육면체의 전개도이고, [그림 2]는 이 정육면체를 7개 붙인 입체도형입니다. 물음에 답하시오.

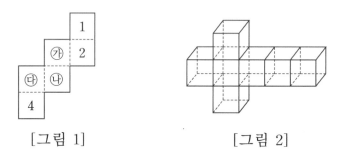

[그림 1]　　　　　　[그림 2]

(1) [그림 1]의 ㉮, ㉯, ㉰에 알맞은 수는 얼마입니까?

(2) [그림 2]의 입체도형에서 겉표면에 적힌 수의 합이 가장 클 때, 그 합은 얼마입니까?

풀이

(1) 전개도를 접어 정육면체를 만들었을 때, 서로 마주 보는 면은 1과 ☐, 2와 ☐,

4와 ☐이므로 곱이 12가 되기 위해서는 ㉮는 ☐, ㉯는 ☐, ㉰는 ☐입니다.

(2) 합이 크기 위해서는 겹쳐지는 부분의 수가 작아야 합니다.

$(1+2+3+4+6+12) \times \boxed{} - (3+4) \times \boxed{} - (1 \times \boxed{}) - (2+6) = \boxed{}$

답 (1) ㉮ : ☐, ㉯ : ☐, ㉰ : ☐　(2) ☐

EXERCISE 2

1 다음 그림은 정육면체의 전개도입니다. 이 전개도로 정육면체를 만들 때, 선분 ㄴㅈ과 수직이 되는 선분을 모두 쓰시오.

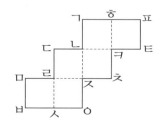

1 오른쪽 전개도로 만든 입체도형을 모두 고르시오.

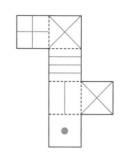

①   ②   ③   ④   ⑤

2 오른쪽 직육면체의 겨냥도에서 보이는 세 면의 넓이가 각각 $108 \, cm^2$, $126 \, cm^2$, $168 \, cm^2$일 때, 모든 모서리의 길이의 합을 구하시오.

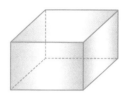

3 오른쪽 입체도형은 정육면체를 3개의 꼭짓점을 지나는 평면으로 잘랐을 때 생기는 모양입니다. 이 입체도형의 전개도로 바른 것을 모두 고르시오.

① 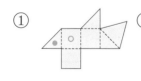 ② 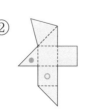 ③ 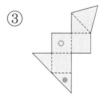 ④ 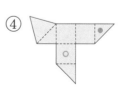 ⑤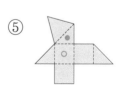

4 다음 입체도형은 모든 면이 정삼각형으로 이루어져 있습니다. 전개도가 오른쪽과 같을 때 입체도형에서 색칠된 부분을 전개도에 모두 나타내어 보시오.

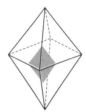 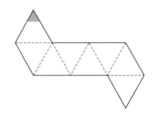

5 모서리의 길이가 2 cm로 모두 같은 삼각기둥 여러 개를 서로 붙여 밑면이 정삼각형인 큰 삼각기둥을 만들려고 합니다. 새로 만든 입체도형의 모서리의 길이의 합이 132 cm가 되게 하려면 작은 삼각기둥을 최소한 몇 개를 붙여야 합니까?

6 오른쪽 그림과 같이 정육면체의 마주 보는 두 면에 반대 방향으로 흰색 화살표와 검은색 화살표가 그려져 있습니다. 다음 각 전개도에 알맞은 화살표를 방향에 맞게 그려 넣으시오.

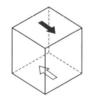

(1) 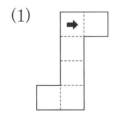　　(2) 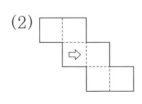　　(3) 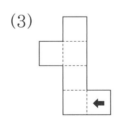　　(4)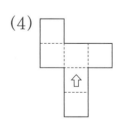

7 오른쪽 전개도로 만들 수 있는 입체도형에 대하여 물음에 답하시오.

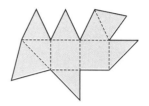

(1) 꼭짓점의 수는 몇 개입니까?

(2) 모서리의 수는 몇 개입니까?

8 입체도형 (가)와 (나)는 모두 각기둥입니다. 다음 설명을 읽고, 각 입체도형의 이름을 쓰시오.

- (가)의 꼭짓점의 수와 (나)의 모서리의 수의 차는 8개입니다.
- (가)와 (나)의 모서리의 수의 합은 42개입니다.

9 모든 모서리의 길이가 같은 삼각뿔에서 오른쪽과 같이 네 모서리의 중점을 연결하여 사각형 EFGH를 만들었습니다. 이 사각형의 둘레의 길이가 20 cm일 때, 삼각뿔의 모든 모서리의 길이의 합을 구하시오.

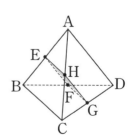

10 주사위에서 마주 보는 두 면의 수의 합은 7입니다. 다음 중 주사위의 전개도로 알맞은 것을 모두 고르시오.

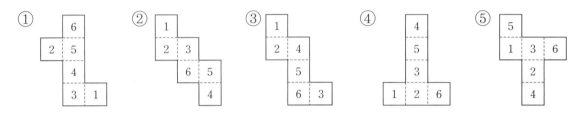

11 오른쪽 그림은 6개의 면에 A, B, C, D, E, F가 적힌 정육면체를 여러 방향에서 본 것입니다. 다음 각 전개도의 색칠된 면에 알맞은 문자를 방향을 생각하여 써넣으시오.

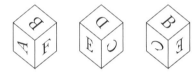

12 밑면이 정사각형이고, 옆면이 모두 정삼각형인 사각뿔에서 각 모서리의 삼등분 지점에 점을 표시하였습니다. 각각의 면 위에 꼭짓점을 제외한 모든 점들 중 네 점을 이어 직사각형을 그리려고 합니다. 모두 몇 개의 직사각형을 그릴 수 있습니까?

13 면의 수, 모서리의 수, 꼭짓점의 수의 합이 38개인 각뿔이 있습니다. 이 각뿔과 밑면의 모양이 같은 각기둥의 면의 수, 모서리의 수, 꼭짓점의 수의 합은 얼마입니까?

14 밑면은 한 변의 길이가 8 cm인 정오각형이고 높이가 12 cm인 오각기둥이 있습니다. 이 오각기둥의 전개도를 그릴 때, 둘레가 가장 긴 전개도와 둘레가 가장 짧은 전개도의 둘레의 차는 몇 cm입니까?

15 오른쪽 정육면체에서 삼각뿔 B－AFC와 삼각뿔 H－DEG를 잘라내면 남은 입체도형은 어떤 도형 몇 개로 둘러싸인 도형이 됩니까?

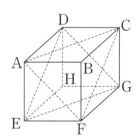

16 오른쪽 그림에 직사각형 한 개를 그려 넣어 팔각기둥의 전개도를 완성하려고 합니다. 직사각형을 그려 넣는 방법은 모두 몇 가지입니까?

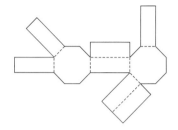

17 오른쪽 직육면체를 보고 물음에 답하시오.

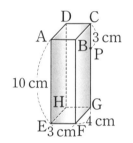

(1) 직육면체를 2개의 입체도형으로 나누었을 때, 그 단면은 여러 가지의 다각형이 됩니다. 이때, 단면의 내각의 합이 가장 크게 되도록 잘랐을 때 내각의 합을 구하시오.

(2) 직육면체를 점 P와 점 E를 지나가도록 자르되, 단면의 둘레의 길이가 가장 짧도록 잘랐을 때, 그 단면은 모서리 BF 위에서 점 B로부터 몇 cm 떨어진 곳을 지나갑니까?

18 [그림 1]과 같은 종이 2장을 사용하여 [그림 2]와 같은 입체도형을 만들었습니다. 모서리 AB의 길이를 구하시오.

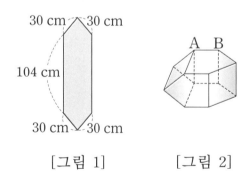

[그림 1]   [그림 2]

1 정육면체의 꼭짓점에 1부터 8까지의 수를 각각 썼을 때, 네 꼭짓점에 있는 수 중 가장 큰 수를 그 면의 수로 정합니다. 예를 들면 [그림 1]의 정육면체에서 윗면의 수는 5, 오른쪽 옆면의 수는 8입니다. [그림 2]에서 (   ) 안에 수를 써넣어 각 면의 수의 합을 구할 때, 나올 수 있는 합은 모두 몇 가지 경우가 있습니까?

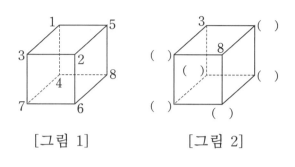

[그림 1]　　　　[그림 2]

2 오른쪽 그림과 같이 각각의 정사각형에 점이 찍혀 있는 종이가 있습니다. 선을 따라 잘라 마주 보는 두 눈의 합이 7인 정육면체를 만들려고 할 때, 전개도에 해당하는 부분에 색칠해 보시오.

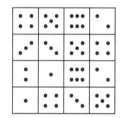

3 오른쪽 그림과 같이 크기가 같은 정육면체 4개로 만들어진 입체도형이 있습니다. 이 입체도형을 여러 개 사용해서 정육면체를 만들려고 합니다. 입체도형은 최소한 몇 개가 필요하겠습니까?

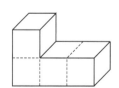

4 오른쪽 그림은 큰 직육면체에서 같은 크기의 작은 직육면체 2개를 잘라낸 입체도형입니다. 입체도형의 모서리의 길이의 합은 몇 cm입니까?

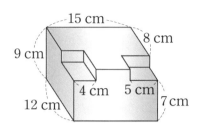

5 마주 보는 두 눈의 합이 7인 주사위가 오른쪽 그림과 같이 A, B 두 종류 있습니다. 다음 그림은 각각 어느 주사위를 나타낸 것인지 알아보시오.

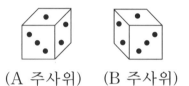

(A 주사위)　(B 주사위)

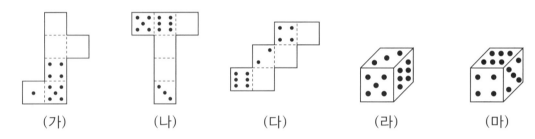

(가)　(나)　(다)　(라)　(마)

6 정육면체를 [그림 1]에서 나타낸 굵은 선을 따라 잘라서 펼치면 [그림 2]와 같은 전개도가 생깁니다. 정육면체를 [그림 3]에서 나타낸 굵은 선을 따라 잘라서 펼쳤을 때 생기는 전개도를 완성하고, 각각의 꼭짓점을 나타내어 보시오.

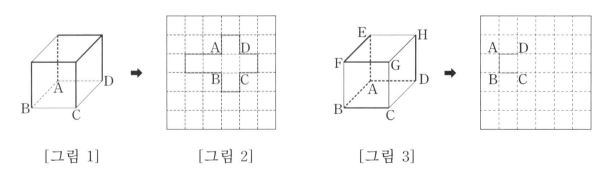

[그림 1]　[그림 2]　[그림 3]

7 오른쪽 그림과 같은 각기둥이 있습니다. 이 각기둥을 점 A, B, C를 지나는 평면으로 잘랐을 때, 겉면과 단면이 만나서 생긴 선분을 전개도에 그려 넣으시오.

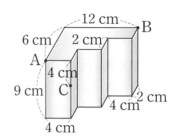

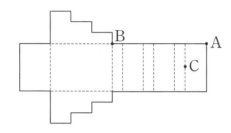

8 밑면이 정사각형인 사각뿔의 서로 다른 전개도를 모두 찾으려고 합니다. 옆면이 모두 떨어져 있는 경우와 옆면이 모두 한쪽에 붙어 있는 경우는 아래와 같습니다. 아래의 전개도를 제외한 나머지 전개도는 몇 가지가 더 있습니까? (단, 도형을 돌리거나 뒤집기하여 같은 모양은 같은 것으로 합니다.)

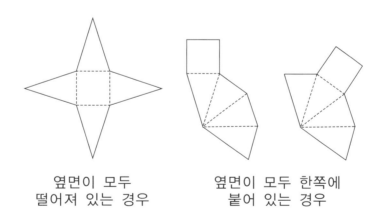

옆면이 모두
떨어져 있는 경우

옆면이 모두 한쪽에
붙어 있는 경우

9 길이가 20 cm인 막대와 그 막대를 연결하는 데 사용되는 찰흙 구슬이 있습니다. 막대와 찰흙 구슬을 오른쪽 그림과 같이 연결해 나가 한 모서리가 1 m인 정육면체를 만들려고 합니다. 막대와 찰흙 구슬은 각각 몇 개씩 필요합니까?

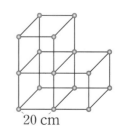

20 cm

APPLICATION

10 전개도가 다음과 같은 주사위 2개를 닿는 면의 눈의 합이 7이 되도록 붙여 놓았습니다. 위에서 보이는 두 면에 눈을 그려 넣을 때 수와 방향을 모두 고려하여 그려 넣으시오.

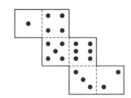

(위)

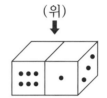

11 오각기둥과 오각기둥의 전개도를 보고 물음에 답하시오.

(1) 오각기둥의 전개도를 접었을 때 오각기둥의 점 B가 되는 점을 전개도에서 모두 찾아 기호를 쓰시오.

(2) 오각기둥의 모든 모서리의 길이의 합과 전개도의 둘레의 길이의 차는 몇 cm입니까?

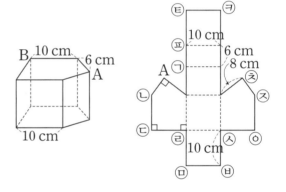

12 정육면체의 서로 다른 전개도를 모두 찾으려고 합니다. 아래의 전개도를 제외한 나머지 전개도는 몇 가지가 더 있습니까? (단, 뒤집거나 돌려서 포개지는 것은 모두 같은 것으로 봅니다.)

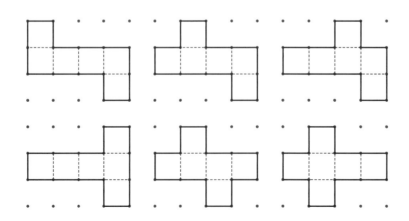

13 ㉮ 지점에서 ㉯ 지점까지 선분을 따라 가는 가장 가까운 길은 모두 몇 가지입니까?

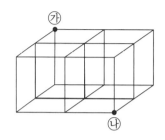

14 한 변의 길이가 10 cm인 정사각형 6개와 정삼각형 8개를 모두 사용하여 한 개의 입체도형을 만들었습니다. 만든 입체도형의 꼭짓점의 수와 모서리의 수의 합은 얼마입니까?

15 아래 그림과 같이 직육면체의 모서리에서 작은 직육면체를 도려내었습니다. 작은 직육면체의 각 모서리의 길이는 원래 직육면체의 각 모서리의 길이의 각각 $\frac{1}{4}$입니다. 이때, 그림에서 도려낸 작은 직육면체의 세 모서리 ㄱ, ㄴ, ㄷ의 길이의 합은 몇 cm입니까? (단, 보이는 세 면에서 ⬭ 부분, ⊕ 부분, ⊜ 부분의 넓이는 각각 945 cm², 1155 cm², 1485 cm²입니다.)

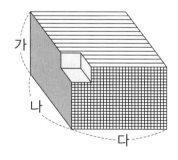

16 오른쪽과 같이 밑면이 정사각형인 직육면체를 밑면에 수직이거나 평행한 3개의 평면으로 잘라 몇 개의 합동인 직육면체로 나누려고 합니다. 자르는 방법에 따라 만들어진 직육면체의 개수와 그 때의 직육면체의 한 개의 꼭짓점에 모이는 세 모서리의 길이의 합을 순서쌍 (□개, △ cm)로 모두 나타내시오.

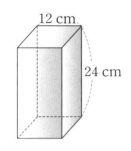

17 오른쪽은 높이가 16 cm, 모서리 ㅇㄱ의 길이가 20 cm인 정오각뿔입니다. 이때, 개미 한 마리가 그림과 같이 점 ㄱ을 출발하여 옆면의 화살표를 따라 같은 기울기로 올라간다고 합니다. 만약 개미가 모서리 ㅇㄴ을 지날 때 밑면으로부터 높이가 4 cm인 점 ㅂ을 지난다고 하면 오각뿔을 한 바퀴 돌아 모서리 ㅇㄱ을 지날 때, 개미는 밑면으로부터 몇 cm의 높이를 지나겠습니까? (단, 반올림하여 자연수로 나타내시오.)

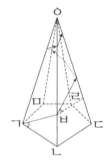

18 오른쪽 그림과 같은 정육면체가 있습니다. 꼭짓점 ㉠에서 출발하여 모서리를 따라 다시 꼭짓점 ㉠으로 돌아오는 서로 다른 길은 모두 몇 가지입니까? (단, 한 번 지나간 모서리는 다시 지날 수 없습니다.)

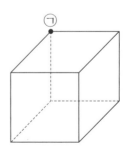

1 여러 가지 모양 만들고 규칙 찾기

① 각 층의 쌍기나무가 엇갈려 쌓여 있습니다.

② 삼각형 모양입니다.

③ 한 층씩 올라가면서 쌍기나무의 개수가 1개씩 줄어듭니다.

2 규칙을 찾아 다음에 놓이는 모양 알아보기

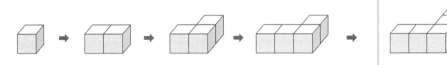

가로와 세로에 놓인 개수를 한 개씩 늘려나갑니다.

3 위에서 본 모양을 보고 쌍기나무의 개수를 알아보기

위에서 본 모양

• ①번 자리에 놓인 쌍기나무 … 2개

• ②번 자리에 놓인 쌍기나무 … 1개

• ③번 자리에 놓인 쌍기나무 … 3개

• ④번 자리에 놓인 쌍기나무 … 1개

➡ 모두 7개의 쌍기나무가 사용되었습니다.

4 각 층에 사용된 쌍기나무의 개수로 알아보기

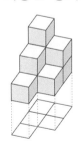

← 3층
← 2층
← 1층

• 1층에 놓인 쌍기나무 … 5개

• 2층에 놓인 쌍기나무 … 3개

• 3층에 놓인 쌍기나무 … 1개

➡ 모두 9개의 쌍기나무가 사용되었습니다.

5 쌍기나무로 쌓은 모양을 위, 앞, 옆에서 본 모양 그려 보기

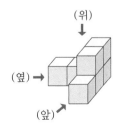 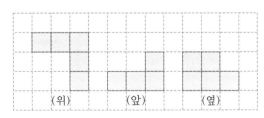

(위)

(옆) →

(앞)

(위)　(앞)　(옆)

그림과 같이 쌓기나무를 규칙적으로 놓아갈 때, 10째 번에 놓이는 쌓기나무는 몇 개입니까?

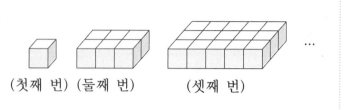

(첫째 번) (둘째 번)　(셋째 번)　…

풀이

가로의 개수 : 1　3　5　7 …
　　　　　　　 +2　+2　+2

세로의 개수 : 1　2　3　4 …
　　　　　　　 +1　+1　+1

따라서 10째 번의 가로에는 $1+2\times\boxed{}=\boxed{}$ (개), 세로에는 $\boxed{}$ 개의 쌓기나무가

놓이므로 총 개수는 $\boxed{}\times\boxed{}=\boxed{}$ (개)입니다.

답 $\boxed{}$ 개

EXERCISE 1

그림과 같이 쌓기나무를 규칙적으로 늘어놓을 때, 물음에 답하시오. (1~3)

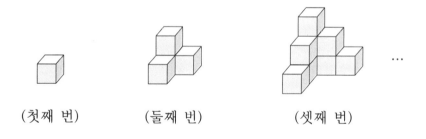

(첫째 번)　　　(둘째 번)　　　(셋째 번)

1 넷째 번에 놓이는 쌓기나무는 몇 개입니까?

2 10째 번에 놓이는 쌓기나무는 몇 개입니까?

3 쌓기나무 225개로는 몇째 번에 놓이는 모양을 만들 수 있습니까?

한 모서리가 1 cm인 정육면체 모양의 쌓기나무 11개를 사용하여 여러 가지 모양을 만들려고 합니다. 나머지 3개를 가지고 오른쪽 도형 위에 쌓을 때, 몇 가지의 입체도형을 만들 수 있습니까? (단, 쌓을 때 면끼리는 완전하게 포개어 지도록 합니다.)

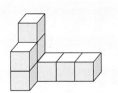

풀이

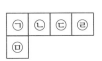

각 칸에 3개씩 쌓을 때 : ㉠, ㉡, ㉢, ㉣, ㉤ (☐ 가지)

각 칸에 2개, 1개씩 쌓을 때 : 5×4= ☐ (가지)

각 칸에 1개씩 쌓을 때 : 5×4÷2= ☐ (가지)

따라서 모두 ☐ + ☐ + ☐ = ☐ (가지)입니다.   **답** ☐ 가지

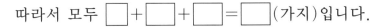

EXERCISE 2

1. 왼쪽 그림은 쌓기나무 10개로 만든 모양입니다. 위, 앞, 옆에서 본 모양을 각각 그려보시오.

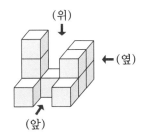

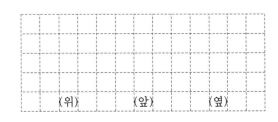

2. 그림에서 ☐ 안의 숫자는 그 곳에 쌓아올릴 쌓기나무의 개수입니다. 완성된 모양의 앞, 옆에서 본 모양을 그려 보시오.

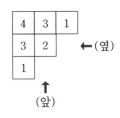

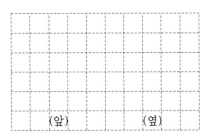

1 오른쪽 그림과 같은 방법으로 판 위에 정육면체 모양의 쌓기나무를 10층까지 쌓은 후 판에 닿는 부분을 제외한 모든 겉면에 파란색 페인트를 칠하였습니다. 한 면도 파란색 페인트가 칠해지지 않은 쌓기나무는 몇 개입니까?

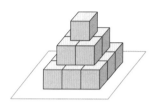

2 한 모서리의 길이가 1 cm인 작은 정육면체를 쌓아 오른쪽 그림과 같이 큰 정육면체를 만들었습니다. 큰 정육면체에서 작은 정육면체의 면을 따라 크고 작은 직육면체로 나눌 때, 크고 작은 직육면체는 몇 개 만들 수 있습니까?

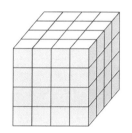

3 위, 앞, 옆에서 본 모양이 다음과 같도록 쌓기나무를 쌓을 때, 쌓기나무를 최대로 사용한 개수와 최소로 사용한 개수의 차를 구하시오.

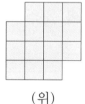

(위)

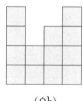

(앞)

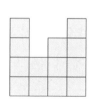

(오른쪽 옆)

4 오른쪽 그림과 같이 정육면체의 모든 겉면에 색이 칠해져 있습니다. 이 정육면체의 가로, 세로, 높이를 각각 같은 횟수로 잘라 작은 정육면체를 만들 때, 한 면도 색이 칠해지지 않은 정육면체를 216개 만들려면 정육면체를 몇 번 잘라야 합니까?

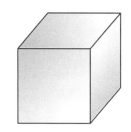

5 한 모서리의 길이가 5 cm인 정육면체 91개를 오른쪽 그림과 같이 쌓아 놓고 그 겉면에 페인트를 칠하였습니다. 페인트가 마른 후 쌓은 모양을 모두 분리하였을 때 페인트가 칠해지지 않은 부분의 넓이는 페인트가 칠해진 부분의 넓이의 몇 배입니까? (단, 입체도형에서 바닥에 닿은 면은 페인트를 칠하지 않았습니다.)

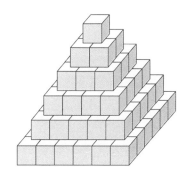

6 쌓기나무 125개를 사용하여 정육면체를 만든 후 그림에서 ㉠의 쌓기나무를 들어내도 전체 겉넓이의 변화는 없습니다. 이와 같은 방법으로 전체 겉넓이의 변화가 없도록 쌓기나무를 차례로 들어낼 때, 최대 몇 개까지 들어낼 수 있습니까?

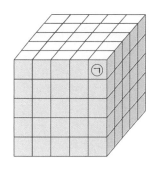

7 한 모서리의 길이가 1 cm인 투명한 정육면체와 검은색 정육면체 125개를 사용하여 왼쪽 그림과 같이 한 모서리에 5개씩 쌓은 후 각각 앞과 옆에서 본 그림입니다. 125개의 정육면체 중 검은색 정육면체는 최대 몇 개 최소 몇 개입니까?

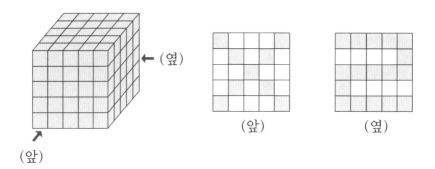

8 쌓기나무를 오른쪽 그림처럼 쌓아갈 때, 쌓기나무 2000개로는 최대 몇 층까지 쌓을 수 있습니까?

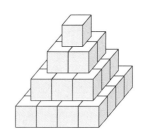

9 오른쪽 그림과 같이 한 모서리의 길이가 12 cm인 작은 정육면체 64개를 쌓아서 큰 정육면체를 만들었습니다. 큰 정육면체의 6개의 면에 파란색 페인트를 칠한 후 큰 정육면체를 분해하여 각각의 작은 정육면체로 만들었습니다. 작은 정육면체에서 색칠되지 않은 부분을 노란색 페인트로 칠하려고 합니다. 100 cm²마다 5 mL의 페인트가 사용된다면 노란색 페인트는 몇 L 필요합니까?

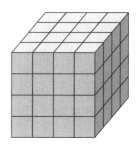

10 오른쪽 그림과 같은 방법으로 쌓기나무를 20층까지 쌓은 후 모든 겉면에 페인트를 칠하였습니다. 쌓기나무의 한 면을 칠하는 데 3 mL의 페인트가 사용된다면 페인트는 모두 몇 L 필요합니까? (단, 바닥에 닿은 면은 칠하지 않습니다.)

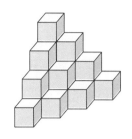

11 오른쪽 그림은 크기가 같은 쌓기나무를 쌓아 놓고 위와 앞에서 본 모양을 나타낸 것입니다. 쌓기나무는 최대 몇 개, 최소 몇 개를 사용한 것입니까?

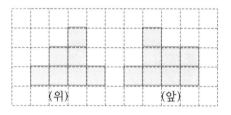

(위)　　(앞)

12 한 모서리의 길이가 5 cm인 노란색 정육면체 75개와 파란색 정육면체 50개를 사용하여 오른쪽 그림과 같은 정육면체를 만들었습니다. 겉면에 나타난 파란색 면의 최대 넓이를 구하시오.

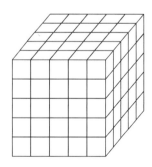

13 오른쪽 그림 위에 써 있는 수만큼 쌓기나무를 쌓아 서로 떨어지지 않게 붙여 놓은 후 바닥을 포함한 모든 겉면에 페인트를 칠하였습니다. 페인트가 칠해진 쌓기나무의 면은 모두 몇 개입니까?

1	3	4	2
	2	2	3
		1	2
			1

14 오른쪽 그림과 같이 쌓기나무를 쌓은 후 바닥에 닿는 면을 포함하여 겉면에 페인트를 칠하려고 합니다. 페인트를 칠해야 할 면은 모두 몇 개입니까?

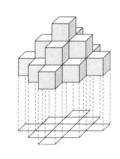

15 정육면체 모양의 쌓기나무를 쌓아 오른쪽과 같은 정육면체를 만든 후 바닥과 맞닿는 면을 제외한 5개의 면에 색을 칠하였습니다. 이때, 한 면도 색칠되지 않은 쌓기나무의 개수와 한 면에만 색칠된 쌓기나무의 개수의 차는 몇 개입니까?

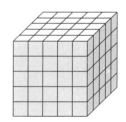

16 한 변이 10 cm인 정사각형 모양의 철판을 그림과 같이 색칠한 부분을 오린 후, 남은 부분을 이용하여 뚜껑이 없는 직육면체 모양의 상자를 만들려고 합니다. 부피가 1 cm³짜리 쌓기나무를 상자의 높이와 같도록 담는다면, 최대한 몇 개를 담을 수 있습니까?

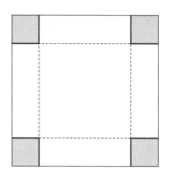

17 쌓기나무를 오른쪽과 같은 규칙으로 책상 위에 20층까지 쌓으려고 합니다. 쌓은 모양을 여러 방향에서 볼 때, 어느 한 면도 보이지 않는 쌓기나무는 모두 몇 개입니까?

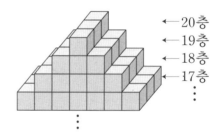

18 쌓기나무를 다음과 같은 규칙으로 쌓을 때, 10번째에는 몇 개의 쌓기나무가 필요합니까?

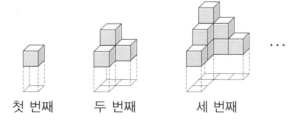

첫 번째   두 번째   세 번째

1 오른쪽 그림에서 □ 안의 숫자는 그 곳에 쌓아올린 쌓기나무의 개수입니다. 쌓기나무 한 개의 부피가 $8 \, cm^3$ 라고 할 때, 쌓기나무로 쌓은 모양의 겉넓이는 몇 cm^2 입니까?

		3		
3	2	3	2	
2	1	1	2	1

2 한 모서리의 길이가 $5 \, cm$ 인 정육면체 42개를 오른쪽 그림과 같이 쌓았습니다. 이 입체도형의 겉넓이를 구하시오.

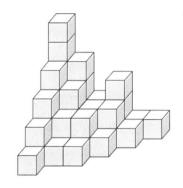

3 마주 보는 면의 눈의 수의 합이 7인 주사위가 있습니다. 이 주사위를 아래의 그림과 같이 규칙적으로 쌓아갈 때, 물음에 답하시오.

(첫째 번)   (둘째 번)   (셋째 번)   ···

(1) 15째 번에 놓일 모양을 만들려면 주사위는 모두 몇 개 필요합니까?

(2) 볼 수 있는 눈의 수의 합이 가장 크도록 15층까지 쌓았을 때, 눈의 수의 합은 얼마입니까?

4 한 모서리의 길이가 10 cm이고 안에 공이 들어 있는 정육면체와 공이 들어 있지 않은 정육면체가 여러 개 있습니다. [그림 1]은 2종류의 정육면체 27개를 사용하여 한 모서리의 길이가 30 cm인 정육면체를 만들 때, 27개의 정육면체 중에서 공이 들어 있는 정육면체가 몇 개인가를 알아본 것입니다. ● 표가 있으면 그 줄에는 공이 들어 있다는 것을 나타내고, 3개의 면에 ● 표가 있을 때, 공이 들어 있는 정육면체는 1개 있습니다. [그림 2]와 같이 한 모서리의 길이가 50 cm인 정육면체를 만들었을 때 공이 들어 있는 정육면체는 몇 개 있습니까?

[그림 1]

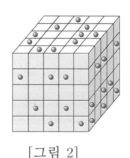

[그림 2]

5 한 모서리의 길이가 4 cm인 정육면체를 사용해서 큰 정육면체를 만들었습니다. 오른쪽 그림에서 ㉮는 (1, 1, 1), ㉯는 (3, 2, 2)로 위치를 나타냅니다. 물음에 답하시오.

(1) (◗, ■, ▲)에서 ◗, ■, ▲ 세 수의 합이 5 이하인 정육면체의 부피의 합을 구하시오.

(2) 큰 정육면체에서 (홀수, 홀수, 홀수)로 나타나는 작은 정육면체를 모두 빼내었을 때, 남은 부분의 겉넓이를 구하시오. (단, 빼내고 남은 작은 정육면체의 위치는 변하지 않습니다.)

6 [그림 1]은 한 모서리의 길이가 1 cm인 작은 정육면체를 쌓아서 한 모서리의
 길이가 8 cm인 정육면체를 만든 것입니다. 물음에 답하시오.

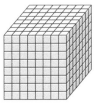
[그림 1]

[그림 2]

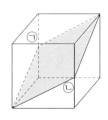
[그림 3]

(1) [그림 1]의 정육면체를 [그림 2]와 같이 색칠한 면으로 잘랐을 때, 잘려진
 작은 정육면체는 모두 몇 개입니까?

(2) [그림 1]의 정육면체를 [그림 3]과 같이 색칠한 면으로 잘랐을 때, 잘려진
 작은 정육면체는 모두 몇 개입니까? (단, ㉠과 ㉡은 각각 모서리의 중점
 입니다.)

7 그림과 같이 한 모서리의 길이가 4 cm인 정육면체 모양의 그릇이 있습니다.
 책상 위에 [그림 1], [그림 2], [그림 3]과 같이 빈틈없이 그릇을 쌓은 후 가장
 위의 그릇에 10 L의 물을 모두 부을 때, 책상 위로 물이 넘치지 않도록 하려
 면 그릇을 적어도 몇 층까지 쌓아야 합니까? (단, 1 mL=1 cm³이고 그릇의
 두께는 생각하지 않습니다.)

[그림 1]

[그림 2]

[그림 3]

8 오른쪽 그림의 입체도형은 한 모서리의 길이가 50 cm인 정육면체이고, 각각의 면에는 그림과 같이 각 모서리를 10 cm마다 5등분 하였습니다. 색칠한 부분을 화살표 방향으로 각각 반대측까지 구멍을 뚫어 놓았을 때, 남아 있는 입체도형의 부피는 몇 cm³ 입니까?

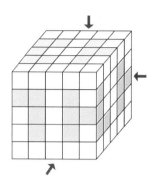

9 위, 앞, 옆에서 본 모양이 각각 다음과 같이 되도록 쌓기나무로 쌓으려고 합니다. 쌓기나무는 최소 몇 개, 최대 몇 개가 필요합니까?

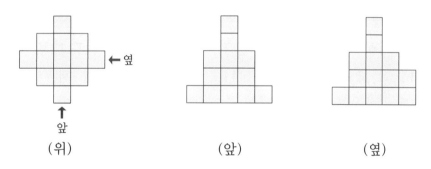

(위) (앞) (옆)

10 □ 안의 수는 각 자리에 쌓아 올릴 쌓기나무의 개수를 나타낸 것입니다. 규칙에 따라 쌓기나무의 개수가 늘어날 때, 10째 번 모양에 필요한 쌓기나무는 몇 개입니까?

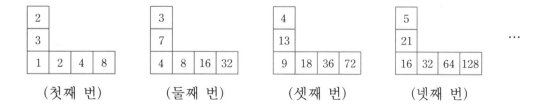

(첫째 번) (둘째 번) (셋째 번) (넷째 번)

11 오른쪽 그림과 같이 정육면체 모양의 쌓기나무 96 개를 빈틈없이 쌓아 놓고 바깥쪽의 모든 면을 색칠 하였습니다. 쌓기나무를 하나씩 모두 떼어 놓았을 때, 한 면에 색칠된 쌓기나무의 수를 ㉠개, 두 면에 색칠된 쌓기나무의 수를 ㉡개라 할 때 ㉠과 ㉡의 차 를 구하시오. (단, 바닥면은 칠하지 않습니다.)

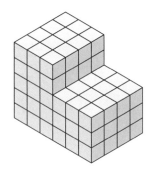

12 다음 그림은 쌓기나무를 쌓아 만든 직육면체로 겉넓이는 1656 cm²입니다. 이 직육면체에서 ㉮, ㉯, ㉰의 쌓기나무의 위치를 나타내면 다음과 같습니다. ㉮는 (1, 1, 1), ㉯는 (1, 1, 4), ㉰는 (5, 5, 1)일 때, (4, 2, 3)의 쌓기 나무와 앞뒤, 좌우, 상하에 있는 7개의 쌓기나무를 들어냈을 때, 직육면체 의 남아 있는 부분의 겉넓이는 몇 cm²입니까? (단, 7개의 쌓기나무를 들어 내어도 다른 쌓기나무의 위치는 변하지 않습니다.)

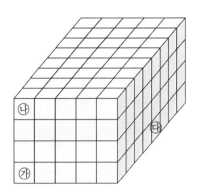

13 한 모서리의 길이가 1 cm인 쌓기나무를 여러 개 쌓아서 큰 정육면체를 만든 후 큰 정육면체의 6개의 면에 붉은색 페인트를 칠하였습니다. 한 면이 붉게 칠해진 쌓기나무의 개수가 두 면이 붉게 칠해진 쌓기나무의 개수의 3배였다면 쌓기나무를 몇 개 쌓은 것입니까?

14 다음과 같은 규칙으로 쌓기나무를 놓을 때, 15째 번 모양을 만들기 위해서는 쌓기나무가 몇 개 필요합니까?

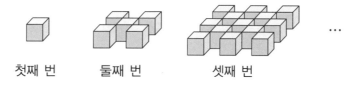

첫째 번　　　　둘째 번　　　　셋째 번

15 서로 마주 보는 두 면의 곱이 63이 되도록 63의 약수를 적어 놓은 정육면체가 있습니다. 이 정육면체 9개를 오른쪽과 같이 책상 위에 쌓으려고 합니다. 책상에 닿는 면을 제외한 모든 겉면에 적힌 수의 합이 가장 클 때, 그 합은 얼마입니까?

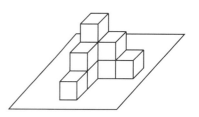

16 조건 에 맞게 쌓기나무를 쌓으려고 합니다. 쌓을 수 있는 모양은 모두 몇 가지입니까?

조건

- 15개의 쌓기나무를 모두 사용하여 만듭니다.
- 3층까지 쌓습니다.
- 1층과 3층 모양은 오른쪽과 같습니다.

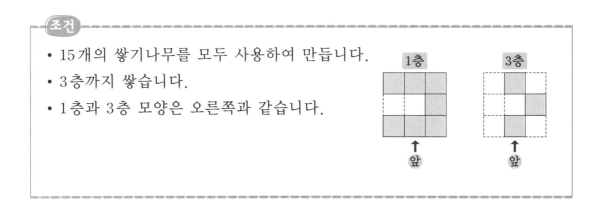

17 다음 조건 을 모두 만족하는 모양은 몇 가지 만들 수 있습니까?

조건

- 쌓기나무를 9개 이용하여 쌓은 모양입니다.
- 뒤집거나 돌려서 모양이 같으면 같은 모양입니다.
- 위에서 본 그림은 오른쪽과 같습니다.

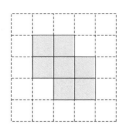

18 오른쪽 그림과 같이 한 모서리가 10 cm인 정육면체 64개를 쌓아 놓은 후 색칠된 정육면체 ㉮와 ㉯을 **빼내었**습니다. 남은 입체도형에서 찾을 수 있는 크고 작은 정육면체는 모두 몇 개입니까?

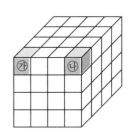

Ⅲ 측정

APPLICATION

응 용 왕 수 학

1 원주와 원주율 알아보기

(1) 원의 둘레의 길이를 원주라고 합니다.

(2) 원에서 원주와 지름의 길이의 비는 일정합니다. 이 비율을 원주율이라고 합니다.

$$(원주율)=(원주)\div(지름)$$

(3) 원주율을 수학적으로 계산하면 3.14159… 인데, 보통 반올림하여 3.14, 3.1, 3 등으로 사용합니다.

2 원주 구하기

$$(원주)=(지름)\times(원주율)=(반지름)\times2\times(원주율)$$

3 원의 넓이 구하기

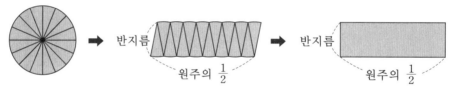

이와 같이 원을 한없이 잘게 잘라 붙이면, 원의 넓이는 직사각형의 넓이와 같아집니다.

$$(원의\ 넓이)=\left(원주의\ \frac{1}{2}\right)\times(반지름)$$

$$=(지름)\times(원주율)\times\frac{1}{2}\times(반지름)$$

$$=(반지름)\times(반지름)\times(원주율)$$

4 부채꼴의 넓이 구하기

(1) 부채꼴과 중심각
 • 원의 중심에서 원의 둘레까지 선분을 그어 원을 나눌 때, 나누어진 각각의 부분을 부채꼴이라고 합니다.
 • 원의 중심에서 그은 두 선분이 이루는 각을 부채꼴의 중심각이라고 합니다.

(2) $(부채꼴의\ 넓이)=(원의\ 넓이)\times\dfrac{(중심각의\ 크기)}{360}$

오른쪽 도형에서 색칠한 부분의 넓이를 여러 가지 방법으로 구하시오. (원주율 : 3.14)

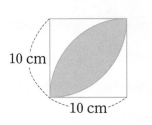

풀이

풀이 1) 부채꼴의 넓이에서 삼각형의 넓이를 뺀 후 2배 해 줍니다.

$$\left(10 \times 10 \times \boxed{} \times \frac{90}{360} - 10 \times 10 \div 2\right) \times 2 = \boxed{} \, (\text{cm}^2)$$

풀이 2) 정사각형의 넓이에서 부채꼴에서 색칠되지 않은 부분의 넓이의 2배를 빼 줍니다.

$$10 \times 10 - \left(10 \times 10 - 10 \times 10 \times \boxed{} \times \frac{90}{360}\right) \times 2 = \boxed{} \, (\text{cm}^2)$$

풀이 3) 부채꼴의 넓이의 2배에서 정사각형의 넓이를 빼 줍니다.

$$10 \times 10 \times \boxed{} \times \frac{90}{360} \times 2 - 10 \times 10 = \boxed{} \, (\text{cm}^2) \qquad \boxed{답} \; \boxed{} \, \text{cm}^2$$

EXERCISE 1

1 색칠한 부분의 넓이를 구하시오. (원주율 : 3.14)

(1)

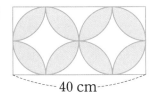

(2)

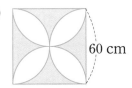

2 색칠한 부분의 넓이를 구하시오. (원주율 : 3)

(1)

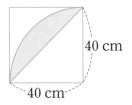

(2)

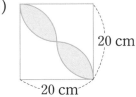

오른쪽 도형에서 색칠한 부분의 넓이를 구하시오.

(원주율 : 3.14)

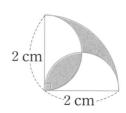

2 cm

2 cm

풀이

(색칠한 부분의 넓이)

$=\left(반지름이 \ 2 \ cm인 \ 원의 \ \dfrac{1}{\Box}\right)$

$-\left(밑변과 \ 높이가 \ 각각 \ \Box \ cm인 \ 직각삼각형\right)$

$=2\times2\times3.14\times\dfrac{1}{\Box}-2\times\Box\div2=\Box-\Box=\Box \ (cm^2)$

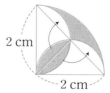

2 cm

2 cm

답 $\Box$ cm^2

EXERCISE 2

1 오른쪽 도형에서 색칠한 부분의 넓이를 구하시오.

(원주율 : 3.14)

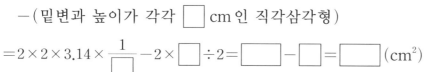

45°

10 cm

2 오른쪽 도형은 2개의 정사각형과 1개의 원으로 만든 것입니다. 색칠한 부분의 넓이를 구하시오.

(원주율 : 3.1)

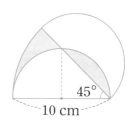

10 cm

3 오른쪽과 같이 가로가 12 cm, 세로가 6 cm인 직사각형 안에 반지름이 3 cm인 원이 2개 들어 있습니다. 이때, 색칠한 부분의 넓이는 몇 cm^2입니까?

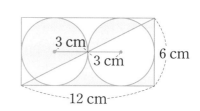

3 cm

3 cm

6 cm

12 cm

왕 문제

	전국 경시 예상 등위			
APPLICATION	대상권	금상권	은상권	동상권
	17/18	16/18	15/18	14/18

1 오른쪽 그림과 같이 지름이 10 cm인 원의 안쪽에 가로 8 cm, 세로 6 cm인 직사각형을 그린 후, 각 변을 지름으로 하는 반원을 그려 놓았습니다. 색칠한 부분의 넓이를 구하시오. (원주율 : 3.14)

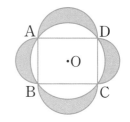

2 오른쪽 그림과 같은 직사각형과 반원이 있습니다. 그림에서 색칠한 (가)의 넓이와 (나)의 넓이가 같을 때 변 BC의 길이를 구하시오. (원주율 : 3)

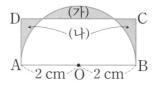

3 오른쪽 그림은 한 변의 길이가 10 cm인 정사각형입니다. 물음에 답하시오. (원주율 : 3.14)

(1) 색칠한 부분의 둘레의 길이는 몇 cm입니까?

(2) 색칠한 부분의 넓이는 몇 cm²입니까?

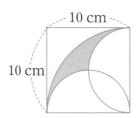

4 오른쪽 그림과 같이 지름이 40 cm인 원 안에 정사각
   형 ABCD가 그려져 있습니다. 원 안의 곡선은 각각
   점 A와 점 C를 중심으로 하는 원의 일부분입니다.
   이 때, 색칠한 부분의 넓이를 구하시오. (원주율 : 3.14)

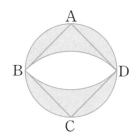

5 오른쪽 정사각형에서 색칠한 부분의 넓이를 구하시오.
   (원주율 : 3.14)

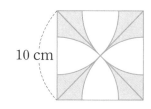

10 cm

6 오른쪽 그림은 반지름이 18 cm인 반원을 6등분 한
   후 각 점을 선분으로 이어 놓은 것입니다. 반원의
   넓이와 다각형 ABCDEFG의 넓이의 비를 가장 간단
   한 자연수의 비로 나타내시오. (원주율 : 3.14)

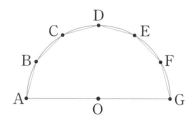

7 오른쪽과 같이 지름이 20 cm인 원 O의 원주를 12 등분 한 후 몇 개의 점들을 연결하였습니다. 색칠한 부분의 넓이를 구하시오. (원주율 : 3.1)

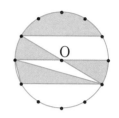

8 오른쪽 그림에서 곡선 위의 각 점은 반원을 6등분 한 것입니다. 각 ㉠의 크기를 구하시오.

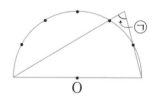

9 오른쪽 그림은 직사각형과 반원을 겹쳐 놓은 것입니다. 색칠한 부분의 넓이를 구하시오.

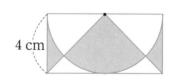

4 cm

10 오른쪽 그림은 직사각형 ㄱㄴㄷㄹ과 각각 직사각형의 가로, 세로를 반지름으로 하는 원의 일부를 그린 것입니다. 색칠한 부분의 넓이를 구하시오.

(원주율 : 3.14)

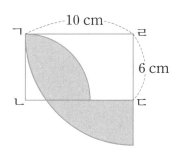

11 오른쪽 그림과 같이 한 변의 길이가 20 cm인 정육각형 안에 정삼각형이 있고, 정삼각형 안에 원이 그려져 있습니다. 이 원의 넓이는 몇 cm^2입니까? (원주율 : 3.14)

12 오른쪽 그림과 같이 넓은 풀밭 위에 직사각형 모양의 밭을 만들었습니다. 점 E는 변 BC의 중점이고, 선분 BF의 길이와 선분 FC의 길이의 비는 2 : 1입니다. 점 E와 점 F에 말뚝을 박고, 각각 18 m인 끈으로 ㉮, ㉯의 소를 매어 놓았습니다. ㉮, ㉯소가 풀을 뜯을 수 있는 풀밭의 넓이의 차를 구하시오. (단, 원주율은 3.14이고 밭 둘레에 울타리가 쳐져 밭 안으로는 들어갈 수 없습니다.)

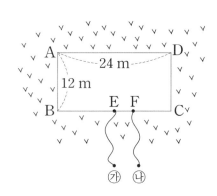

13 오른쪽 그림에서 부채꼴 ABC의 중심각은 150°이고, 선분 BC는 60 cm, 사각형 ABCD는 사다리꼴입니다. 물음에 답하시오.

(원주율 : 3.14)

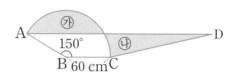

(1) 부채꼴 ABC의 넓이는 몇 cm²입니까?

(2) ㉮, ㉯의 넓이가 같을 때, 선분 AD의 길이는 몇 cm입니까?

14 오른쪽 그림과 같이 반지름이 9 cm인 원에 직선 가와 나를 평행하게 그어 놓았습니다. 색칠한 부분의 넓이를 구하시오.

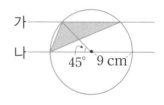

15 오른쪽 그림에서 ㉮ 부분과 ㉯ 부분의 넓이가 같을 때, 각 ㉠의 크기를 구하시오. (원주율 : 3)

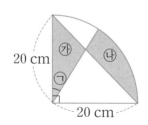

16 오른쪽 그림은 한 변의 길이가 10 cm인 정사각형과 정삼각형, 그리고 반지름이 10 cm인 부채꼴로 만든 도형입니다. 물음에 답하시오. (원주율 : 3.14)

(1) ㉠과 ㉡의 넓이의 합을 구하시오.

(2) ㉡과 ㉢의 넓이의 차를 구하시오.

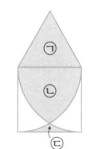

17 오른쪽 그림과 같이 지름이 24 cm인 원과 지름을 한 변으로 하는 정삼각형이 2개 있습니다. 색칠한 부분의 넓이를 구하시오. (원주율 : 3)

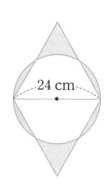

18 오른쪽 그림과 같이 직사각형 ㄱㄴㄷㄹ 안에 크고 작은 2개의 원을 그렸을 때, 색칠한 부분의 넓이를 구하시오. (원주율 : 3.14)

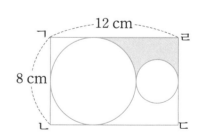

1 오른쪽 그림에서 선분 AB는 작은 원의 지름으로 길이는 10 cm 입니다. 큰 원의 중심이 작은 원의 원주 위에 있을 때, 색칠한 부분의 넓이를 구하시오.

(원주율 : 3.14)

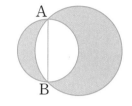

2 오른쪽 그림과 같이 지면 위에 건물이 2개 있고 건물의 A 지점과 B 지점을 철사로 연결하였습니다. 강아지는 9 m의 줄에 연결되어 있고, 철사와 줄 끝을 연결한 고리는 A와 B 사이를 자유롭게 움직일 수 있습니다. 강아지가 움직일 수 있는 범위의 넓이를 구하시오. (단, 원주율은 3으로 계산하고 건물 안으로 강아지는 들어갈 수 없습니다.)

3 오른쪽 그림과 같이 크기가 같은 9개의 큰 원과 크기가 같은 4개의 작은 원이 서로 붙어 있습니다. 4개의 큰 원의 중심을 연결하여 정사각형을 그렸더니 한 변의 길이가 24 cm 였습니다. 큰 원 1개와 작은 원 1개의 원주의 합은 몇 cm 입니까? (원주율 : 3.14)

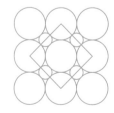

4 원에 5개의 지름을 그림과 같이 그었습니다. 색칠한 5개의 부채꼴의 둘레의 길이의 합이 78.84 cm일 때, 물음에 답하시오. (원주율 : 3.14)

(1) 원의 반지름은 몇 cm입니까?

(2) 5개의 부채꼴의 넓이의 합을 구하시오.

5 반지름이 6 cm인 원이 있습니다. 원주를 그림과 같이 12등분 하여 그 중에서 세 점을 A, B, C로 하였습니다. 이때, 색칠한 부분의 넓이를 구하시오.

(원주율 : 3.14)

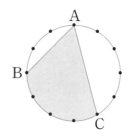

6 오른쪽 그림은 반지름이 10 cm인 두 반원을 지름이 일직선이 되게 그린 후 2개의 선분을 그은 것입니다. 색칠한 부분의 넓이를 구하시오. (원주율 : 3)

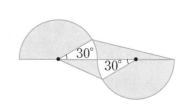

7 오른쪽 그림은 선분 AO를 각각 반지름과 지름으로 하는 두 반원을 그린 것입니다. 점 C는 호 AB의 중점이고, 점 D는 호 AO의 중점입니다. 색칠한 부분의 넓이를 구하시오. (원주율 : 3.14)

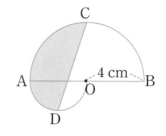

8 반지름이 10 cm, 중심각의 크기가 45°인 부채꼴과 중심각의 크기가 90°인 부채꼴이 오른쪽 그림과 같이 겹쳐져 있을 때, 색칠한 부분의 넓이를 구하시오.

(원주율 : 3.14)

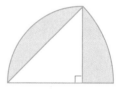

9 오른쪽 그림과 같이 정사각형 안에 반원과 $\frac{1}{4}$ 원을 그렸더니 가의 넓이는 25.6 cm², 나의 넓이는 6.3 cm²가 되었습니다. 색칠한 부분의 넓이를 구하시오.

(원주율 : 3.14)

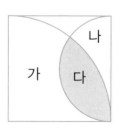

APPLICATION

10 반지름이 8 cm이고, 중심이 점 O인 반원을 그림과 같이 선분 AB의 연장선 위의 점 P를 중심으로 하여 15° 회전시켰습니다. 색칠한 부분의 넓이를 구하시오. (원주율 : 3.14)

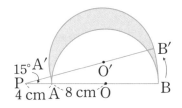

11 ㉮, ㉯와 같은 직사각형과 원 모양의 종이가 있습니다. 직사각형의 2개의 대각선이 만나는 점과 원의 중심을 겹쳐 그린 그림은 ㉰입니다. ㉰의 넓이를 구하시오. (원주율 : 3.14)

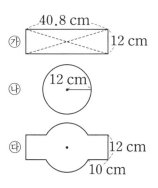

12 반지름이 각각 10 cm, 20 cm인 똑같은 중심을 가진 2개의 원이 있습니다. 2개의 원의 6등분 점을 각각 A, B, C, D, E, F, G, H, I, J, K, L이라고 합니다. 점 B와 J, 점 D와 L을 그림과 같이 연결하였을 때, 물음에 답하시오. (원주율 : 3.14)

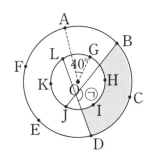

(1) 각 ㉠의 크기는 얼마입니까?

(2) 색칠한 부분의 넓이를 구하시오.

13 넓은 목장의 가운데에 한 변이 4 m인 정사각형 모양의 연못이 있고, 연못의 가장자리에는 울타리가 있습니다. 오른쪽 그림과 같이 연못 근처 A 지점에 말뚝을 박아 12 m의 줄로 소를 매어 놓았습니다. 이 소가 풀을 뜯을 수 있는 부분의 넓이를 구하시오. (단, 원주율은 3이고 한 변의 길이가 4 m인 정삼각형의 높이를 3.5 m로 계산합니다.)

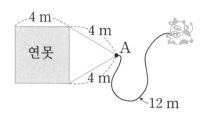

14 그림과 같은 사다리꼴 ABCD가 있습니다. 곡선 BP, PQ, QD는 각각 점 E, C, F를 중심으로 하고, 반지름이 각각 16 cm, 49 cm, 16 cm인 원의 일부입니다. 각 ECF의 크기가 45°일 때, 물음에 답하시오. (원주율 : 3)

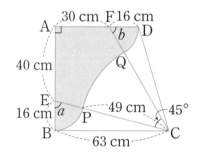

(1) 각 a와 b의 크기의 합은 몇 도입니까?

(2) 색칠한 부분의 넓이를 구하시오.

15 오른쪽 그림은 한 모서리의 길이가 30 cm인 정육면체 모양의 상자에 개미를 묶어 놓은 것입니다. 실 끝에 붙은 고리 P는 굵은 선 부분을 자유롭게 움직일 수 있습니다. 실의 길이가 10 cm일 때, 개미가 움직일 수 있는 부분의 넓이를 구하시오. (단, 원주율은 3.1이고 개미는 상자의 면 위를 기어다닙니다.)

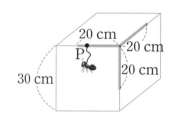

16 그림은 점 O를 중심으로 하는 반원이고, 큰 반원과 작은 반원의 반지름의 길이의 비는 3 : 2이며, 큰 반원의 넓이는 90 cm²입니다. 호 AB와 호 CD의 길이가 같을 때, 색칠한 부분의 넓이를 구하시오.

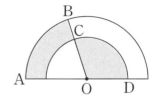

17 오른쪽 그림과 같이 정사각형의 4개의 꼭짓점을 지나는 큰 원과 변 ㄷㄹ을 지름으로 하는 작은 원을 그렸습니다. 정사각형 ㄱㄴㄷㄹ의 넓이가 200 cm²일 때, 색칠한 부분의 넓이를 구하시오.

(원주율 : 3.14)

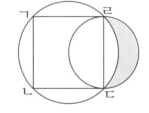

18 오른쪽 그림은 직각삼각형 2개와 각각의 변을 지름으로 하는 반원을 그려 놓은 것입니다. 색칠한 부분의 넓이의 합을 구하시오.

(원주율 : 3)

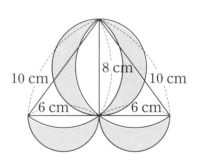

1 점의 이동

점이 이동하면 직선이 되는 경우와 원의 일부가 되는 경우가 있습니다.

(1) 평행이동한 도형 위의 점

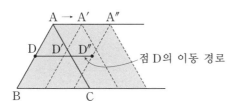

(2) 회전이동한 도형 위의 점

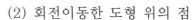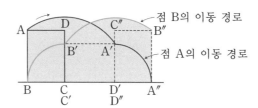

2 도형에서 점의 이동과 넓이의 변화

점 P가 꼭짓점 B → C → D → A로 이동할 때 삼각형 ABP의 넓이의 변화

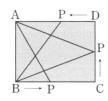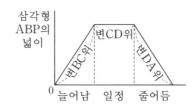

3 꼭짓점이 지나간 길이

정삼각형 ABC의 꼭짓점 A가 1바퀴 움직인 거리
➡ 중심각이 120°인 부채꼴 2개가 생깁니다.

$$3 \times 2 \times 3.14 \times \frac{240}{360} = 12.56 \, (\text{cm})$$

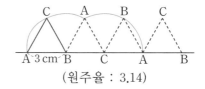

(원주율 : 3.14)

4 원의 중심이 지나간 길이

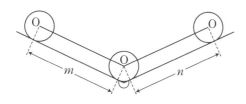

$$(\text{움직인 길이}) = m + n$$

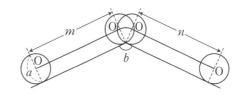

(원주율 : 3.14)

$$(\text{움직인 길이}) = m + n + a \times 3.14 \times \frac{(180 - b)}{360}$$

사다리꼴 ABCD 위를 점 P는 점 C를 출발하여 점 D를 지나 점 A까지 매초 2 cm의 속력으로 움직입니다. 삼각형 PBC의 넓이가 가장 크게 되는 것은 점 P가 점 C를 출발한 지 몇 초부터 몇 초까지입니까?

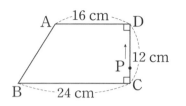

풀이

삼각형 PBC의 넓이가 가장 크게 되는 때는 점 P가 점 D에 도착한 후 점 A에 도착할 때까지입니다.

(점 P가 점 D에 도착하는 데 걸린 시간)$=12\div$ ▢ $=$ ▢ (초)

(점 P가 점 A에 도착하는 데 걸린 시간)$=28\div$ ▢ $=$ ▢ (초)

따라서 삼각형 PBC의 넓이가 가장 크게 되는 것은 점 P가 점 C를 출발한 지 ▢초부터 ▢초까지입니다.

답 ▢초부터 ▢초까지

EXERCISE 1

1 오른쪽 그림과 같이 한 변의 길이가 12 cm인 정삼각형 ABC가 있습니다. 점 P, Q, R이 각각 꼭짓점 A, B, C를 동시에 출발하여 화살표 방향으로 삼각형의 변 위를 움직입니다. 점 P, Q, R의 속력은 각각 매초 1 cm, 2 cm, 3 cm입니다. 물음에 답하시오.

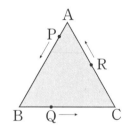

(1) 점 P와 점 R이 두 번째 만나는 것은 세 점이 출발하고 나서 몇 초 후입니까?

(2) 세 점 P, Q, R이 두 번째 만나는 것은 세 점이 출발하고 나서 몇 초 후입니까?

오른쪽 그림과 같은 삼각형 ABC를 직선 위에서 화살표 방향으로 1바퀴 굴렸을 때, 점 B가 움직인 거리는 몇 cm 입니까? (원주율 : 3)

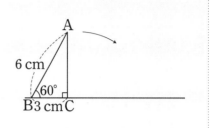

풀이

점 B는 오른쪽 그림과 같이 움직입니다.

(각 ㉮)＝180°－30°＝□°이므로

$$\square \times 2 \times 3 \times \frac{\square}{360} + \square \times 2 \times 3 \times \frac{\square}{360} = \square \text{(cm)}$$

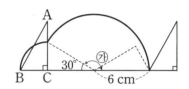

답 □ cm

EXERCISE 2

1. 오른쪽 그림과 같이 반지름이 5 cm인 반원을 1바퀴 굴렸습니다. 점 O가 움직인 거리는 몇 cm 입니까? (원주율 : 3.1)

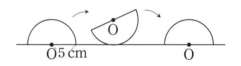

2. 오른쪽 그림과 같이 한 변의 길이가 3 cm인 정삼각형과 사다리꼴 ABCD가 있습니다. 정삼각형이 ㉠의 위치에서 사다리꼴의 변 AB, BC, CD를 따라 ㉡의 위치까지 화살표 방향으로 굴러갔습니다. 정삼각형의 꼭짓점 P가 움직인 거리를 구하시오. (원주율 : 3.14)

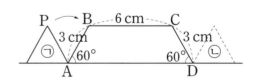

1 오른쪽 그림과 같은 직사각형 ABCD에서 점 P는 점 B를 출발하여 매초 2 cm의 속력으로 변 BC 위를 왕복하고, 점 Q는 점 P와 동시에 매초 3 cm의 속력으로 점 D를 출발하여 변 AD 위를 왕복합니다. 물음에 답하시오.

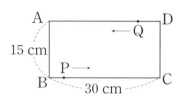

(1) 점 P가 점 B를 출발하고 나서 28초 후의 삼각형 BPQ의 넓이를 구하시오.

(2) 삼각형 BPQ가 처음으로 직각삼각형이 되는 것은 출발한 지 몇 초 후이고, 이때의 삼각형 BPQ의 넓이는 몇 cm²입니까?

2 한 변의 길이가 각각 80 cm, 50 cm인 정사각형을 오른쪽 그림과 같이 붙여 놓았습니다. 점 ㅁ은 1초에 2 cm씩 변 ㄱㄴ 위를 점 ㄱ에서 점 ㄴ으로, 점 ㅂ은 1초에 1 cm씩 변 ㄷㄹ 위를 점 ㄷ에서 점 ㄹ로 동시에 출발하였습니다. 이때, 삼각형 ㅂㅁㄴ이 변 ㅁㄴ을 밑변으로 하는 이등변삼각형이 되는 것은 출발한 지 몇 초 후입니까?

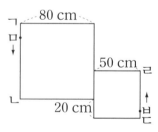

3 오른쪽 그림과 같이 지름이 10 cm인 반원과 한 변의 길이가 10 cm인 정사각형으로 만들어진 도형이 있습니다. 지름이 2 cm인 원이 이 도형의 안쪽 둘레를 따라 처음의 위치까지 1바퀴 움직였을 때, 원의 중심이 움직인 거리는 얼마입니까? (원주율 : 3.14)

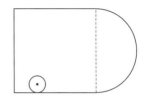

4 오른쪽 그림과 같이 가로가 8 cm, 세로가 4 cm인 직사각형 안에 한 변의 길이가 2 cm인 정삼각형 ABC가 있습니다. 이 정삼각형이 직사각형의 변을 따라 ㉠의 위치에서 ㉡의 위치까지 화살표 방향으로 굴러갈 때, 꼭짓점 A가 움직인 거리를 구하시오. (원주율 : 3)

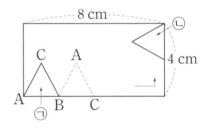

5 오른쪽 그림과 같은 도형의 둘레를 따라 반지름이 2 cm인 원이 처음의 위치까지 한 바퀴 돌 때, 원의 중심 O가 움직인 거리를 구하시오.

(원주율 : 3.14)

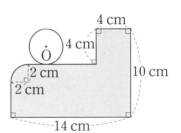

6 오른쪽 그림의 사각형 ABCD는 사다리꼴입니다. 점 P는 사다리꼴의 변 위를 매초 3 cm의 속력으로 점 B를 출발하여 점 A, D를 지나 점 C까지 움직입니다. 물음에 답하시오.

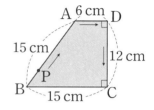

(1) 점 B를 출발하고 나서 6초 후에, 점 P는 어느 변 위에 있습니까?

(2) 점 P가 변 CD 위에 있을 때, 삼각형 PBC의 넓이는 사각형 ABCD의 넓이의 반이 되었습니다. 점 P가 점 B를 출발하고 나서 몇 초 후입니까?

7 오른쪽 그림에서 사각형 ABCD는 직사각형입니다. 점 P는 점 A를 출발해 직사각형의 변 위를 점 B, C, D의 순서로 점 D까지 매초 1 cm의 속력으로 움직입니다. 물음에 답하시오.

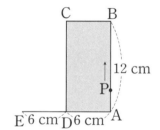

(1) 삼각형 APE가 처음으로 직각이등변삼각형이 되는 것은 점 P가 점 A를 출발한 지 몇 초 후입니까?

(2) 점 P가 점 C에 도착했을 때, 점 Q가 매초 2 cm의 속력으로 점 A를 출발하여 변 AB 위에서 점 B를 향해 움직입니다.
   ① 사각형 AQPE가 사다리꼴이 되는 것은 점 Q가 점 A를 출발한 지 몇 초 후입니까?
   ② 각 QPD의 크기가 45°가 될 때, 사각형 AQPE의 넓이는 얼마입니까?

8 오른쪽 그림은 반지름이 6 cm인 ㉮, ㉯, ㉰ 3개의 원을 한 줄로 놓은 것입니다. 원 ㉯와 ㉰를 고정시킨 후 원 ㉮를 화살표 방향으로 움직여서 원 ㉯와 ㉰를 지나 처음의 위치에 오도록 하였을 때 원 ㉮의 중심이 움직인 길이를 구하시오.

(원주율 : 3)

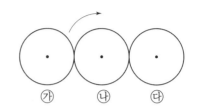

9 오른쪽 그림과 같이 한 변의 길이가 20 cm인 정사각형과 반지름이 10 cm이고, 호의 길이가 20 cm인 부채꼴이 있습니다. 그림의 위치에서 부채꼴이 정사각형의 변을 따라 미끄러지지 않도록 원래의 위치까지 한 바퀴 돌 때, 중심 O가 움직인 거리를 구하시오. (원주율 : 3.14)

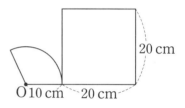

10 오른쪽 그림과 같이 점 O를 중심으로 두 개의 원이 있습니다. 점 A, B, O는 하나의 직선 위에 있고, 점 P는 점 A를, 점 Q는 점 B를 동시에 출발하여 각각 일정한 속도로 시계 방향으로 돌고 있습니다. 점 P는 한 바퀴 도는 데 16분이 걸리고, 점 Q는 한 바퀴 도는 데 10분이 걸린다고 할 때, 점 P, Q, O가 처음으로 일직선에 놓이는 것은 출발한 지 몇 분 후입니까? (단, 점 Q는 점 O와 P 사이에 위치합니다.)

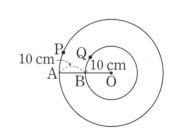

11 오른쪽 그림과 같이 한 변의 길이가 10 cm인 정사각형 안에 가로 6 cm, 세로 4 cm인 직사각형이 놓여 있습니다. 이 직사각형을 정사각형의 변을 따라 회전시켜 처음의 위치에 오도록 했을 때 점 ㉮가 움직인 길이를 구하시오.

(원주율 : 3)

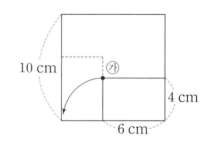

12 직사각형 ABCD에서 점 P는 매초 2 cm의 속력으로 점 A에서 점 D를 지나 점 C까지 움직이고, 점 Q는 점 P와 동시에 매초 3 cm의 속력으로 점 A에서 점 B를 지나 점 C까지 움직입니다. 물음에 답하시오.

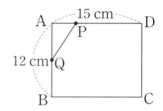

(1) 2초 후 삼각형 PQA의 넓이는 얼마입니까?

(2) 삼각형 PQA의 넓이가 60 cm²가 되는 것은 몇 초 후입니까?

(3) 사각형 PBQD가 평행사변형이 되는 것은 몇 초 후입니까?

(4) 삼각형 PQA의 넓이가 줄어들기 시작하는 것은 몇 초 후입니까?

13 그림과 같이 한 변의 길이가 3 cm인 정삼각형과 사다리꼴 ㄱㄴㄷㄹ이 직선 위에 있습니다. 정삼각형이 ㉠의 위치에서 사다리꼴의 변 ㄴㄱ, ㄱㄹ, ㄹㄷ을 따라 ㉡의 위치까지 화살표 방향으로 굴러갔습니다. 정삼각형의 꼭짓점 ㅁ이 움직인 거리를 구하시오. (원주율 : 3)

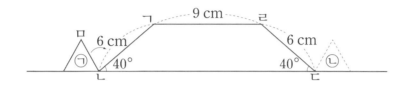

14 오른쪽 그림과 같은 사다리꼴 ABCD가 있습니다. 점 P는 매초 1 cm의 속력으로 점 B를 출발하여 점 C, D를 지나 점 A까지 나아갑니다. 오른쪽 그래프는 시간과 삼각형 ABP의 넓이의 관계를 나타낸 것입니다. 물음에 답하시오.

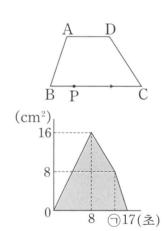

(1) 사다리꼴의 높이는 몇 cm입니까?

(2) ㉠에 알맞은 수는 무엇입니까?

15 오른쪽 도형에서 점 P는 선분 AB 위를 점 A를 출발하여 점 B까지 움직입니다. 점 P가 매초 0.5 cm의 빠르기로 움직일 때, 삼각형 CPD의 넓이가 38 cm²가 되는 때는 점 P가 점 A를 출발한지 몇 초 후인지 구하시오.

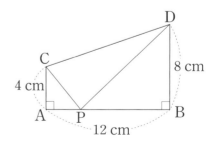

1 오른쪽 그림과 같이 두 변의 길이가 6 cm, 3 cm인 평행사변형 ABCD가 있습니다. 점 P는 매초 2 cm의 속력으로, 점 Q는 매초 5 cm의 속력으로 동시에 점 A를 출발하여, 평행사변형의 변 위를 A→B→C →D→A의 순서로 계속 돈다고 합니다. 물음에 답하시오.

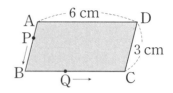

(1) 점 P, Q가 처음으로 만나는 것은 점 A를 출발한 지 몇 초 후입니까?

(2) 점 P, Q가 점 A를 출발한 지 2초 후에 점 A와 P, 점 A와 Q를 선분으로 연결하여 평행사변형을 3부분으로 나누면 각각의 도형의 넓이는 평행사변형의 넓이의 몇 분의 몇이 되겠습니까? 작은 것부터 순서대로 답하시오.

(3) 점 A와 P, 점 A와 Q를 연결한 선분에 의해 평행사변형의 넓이가 처음으로 똑같이 3등분 되는 것은 점 P, Q가 점 A를 출발한 지 몇 초 후입니까?

2 반지름이 12 cm인 원의 원주 위에 점 A가 있습니다. 점 A를 출발하여 원주 위를 오른쪽으로 도는 점 P가 있습니다. 점 P는 4분에 3바퀴 도는 빠르기로 10분 동안 움직이고 3분 멈춘 후, 다음에 3분에 2바퀴 도는 빠르기로 10분 동안 움직였습니다. 점 P가 마지막으로 점 A를 통과한 것은 처음에 점 A를 출발한 지 몇 분 몇 초 후입니까?

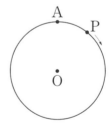

3 오른쪽 그림과 같이 점 P는 점 A를 출발하여 매초 1.2 cm씩 시계 방향으로 돌고 있고, 점 Q는 점 P가 출발한 지 5분 후에 점 A를 출발하여 매초 0.8 cm씩 시계 반대 방향으로 돌고 있습니다. 이때, 점 P와 점 Q를 이은 선분의 길이가 처음으로 120 cm가 되는 때는 점 Q가 출발한 지 몇 초 후입니까? (원주율 : 3.14)

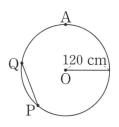

4 오른쪽 그림과 같이 한 변의 길이가 6 cm인 정육각형 안에 한 변의 길이가 3 cm인 정사각형 ㄱㄴㄷㄹ이 있습니다. 이 정사각형이 정육각형의 변을 따라 한 바퀴를 돌 때, 정사각형의 꼭짓점 ㄱ이 움직인 거리를 구하시오. (단, 원주율은 3으로 계산하고, 한 변의 길이가 3 cm인 정사각형의 대각선의 길이는 4.2 cm로 계산합니다.)

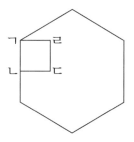

5 오른쪽 그림과 같은 도형의 둘레를 따라 반지름이 1 cm인 원이 굴러 처음 위치로 돌아올 때, 원의 중심 ㅇ이 움직인 거리를 구하시오.
(원주율 : 3.14)

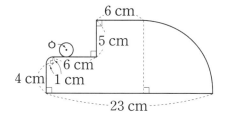

6 오른쪽 그림과 같이 점 O가 원의 중심이며 둘레의 길이가 120 cm인 원이 있습니다. 두 점 P, Q는 원 둘레의 한 점 A에서 동시에 출발하여 점 P는 매분 3 cm, 점 Q는 매분 5 cm의 속력으로 화살표 방향으로 원의 둘레를 돌고 있습니다. 각 ㉠이 처음으로 90°가 되었을 때 점 P는 계속 움직이고, 점 Q는 멈춘 뒤 20분 후에 다시 움직이기 시작했습니다. 점 Q가 점 P와 다시 만나는 것은 처음부터 몇 분 후입니까?

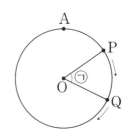

7 [그림 1]과 같이 3개의 정사각형을 나란하게 이어 붙여 만든 도형이 있습니다. 점 P는 점 A를 출발하여 매초 2 cm의 속력으로, A→B→C→D→E→F의 순서로 변 위를 점 F까지 이동합니다. [그림 2]의 그래프는 점 P가 점 A를 출발하고부터의 시간과 점 P가 이동하면서 그린 선과 선분 OA, OP로 둘러싸인 도형([그림 1]의 색칠한 부분)의 넓이와의 관계를 나타낸 것입니다. 물음에 답하시오.

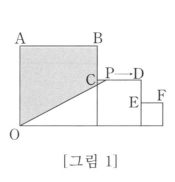

[그림 1]

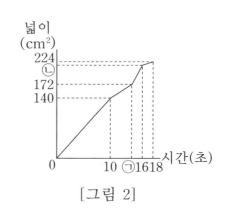

[그림 2]

(1) [그림 1]의 선분 AB, CD, EF의 길이는 각각 얼마입니까?

(2) [그림 2]의 ㉠, ㉡에 알맞은 수는 각각 무엇입니까?

(3) 점 P가 이동하면서 그린 선과 선분 OA, OP로 둘러싸인 도형의 넓이가 3개의 정사각형의 넓이의 합의 $\frac{2}{3}$가 되는 것은, 점 P가 점 A를 출발하고 나서 몇 초 후입니까?

8 한 변의 길이가 90 cm인 정삼각형 ABC의 변 BC 위에 점 B에서 63 cm 떨어진 곳에 점 D가 있습니다. 점 P는 변 AB 위를 점 A에서 점 B까지 매초 4 cm의 속력으로, 점 Q는 변 BC 위를 점 D에서 점 C까지 매초 1 cm의 속력으로 동시에 출발합니다. 물음에 답하시오.

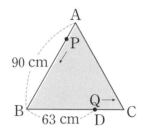

(1) 삼각형 PBQ가 정삼각형이 되는 것은 몇 초 후입니까?

(2) 삼각형 PBQ가 직각삼각형이 되는 것은 몇 초 후입니까?

9 오른쪽 그림과 같이 선분 AB를 지름으로 하는 원기둥이 있습니다. 두 개의 점 ㉮, ㉯가 각각 점 A, B를 동시에 출발하여 점 ㉮는 원기둥의 옆면을 따라 2바퀴를 최단 거리로 돌아서 점 C까지 움직이고, 점 ㉯는 원기둥의 옆면을 따라 한 바퀴를 최단 거리로 돌아서 점 D까지 움직입니다. 점 ㉮와 점 ㉯를 선분으로 이을 때 길

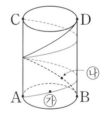

이가 밑면의 반지름과 같아지는 것은 출발한 지 몇 초 후인지 모두 구하시오. (단, 점 ㉮와 ㉯가 점 C, D에 도착하는 데 걸린 시간은 180초이고, 선분 AB와 CD는 평행합니다.)

10 오른쪽 그림과 같이 점 ㅇ을 중심으로 하고 원주가 각각 54 m, 24 m인 두 원이 있습니다. 점 ㄱ과 점 ㄴ이 오른쪽과 같은 위치에서 출발하여 두 점이 각각 두 원의 둘레를 따라 매분 3 m씩 시계 방향으로 움직입니다. 점 ㄱ과 점 ㄴ이 점 ㅇ을 중심으로 처음으로 일직선에 놓일 때는 출발한 지 몇 분 후입니까? (단, 점 ㅇ은 점 ㄱ과 점 ㄴ 사이에 위치합니다.)

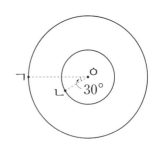

11 [그림 1]의 직사각형 ABCD에서 점 P는 변 AD 위를, 점 Q는 변 BC 위를 각각 일정한 빠르기로 왕복합니다. 두 점 P와 Q는 각각 A, B를 동시에 출발하며 점 Q가 점 P보다 빠릅니다. [그림 2]는 점 P와 Q가 출발한 뒤의 시간과 도형 ABQP의 넓이와의 관계를 그래프로 나타낸 것입니다. 물음에 답하시오.

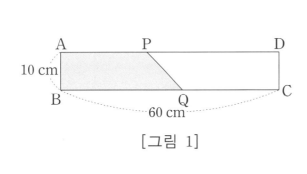

[그림 1]

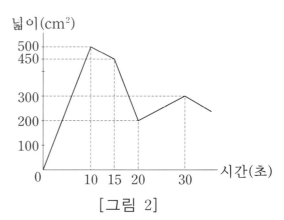

[그림 2]

(1) 점 P와 Q는 매초 몇 cm의 빠르기인지 구하시오.

(2) 도형 ABQP가 두 번째로 직사각형이 되는 때는 점 P와 Q가 출발하여 몇 초 뒤이며, 그 때의 넓이는 얼마인지 구하시오.

12 다음 〈그림 1〉과 같이 한 변의 길이가 40 cm인 정사각형 ㄱㄴㄷㄹ과 길이가 40 cm인 나무 막대 ㉮㉯가 있습니다. 나무 막대의 끝 두 점 ㉮와 ㉯가 각각 변 ㄱㄴ과 변 ㄴㄷ을 〈그림 2〉와 같이 떨어지지 않게 움직여 변 ㄴㄷ에 놓이도록 움직였습니다. 이때, 나무 막대의 중점 ㉰가 움직이며 생긴 선의 길이를 구하시오. (원주율 : 3.14)

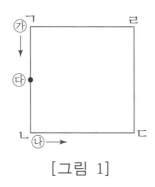

[그림 1]

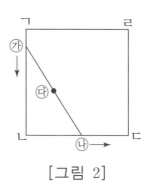

[그림 2]

13 오른쪽 그림과 같이 둘레의 길이가 28.8 cm인 사다리꼴 ABCD가 있습니다. 점 E는 변 AD 위에 있고 (선분 AE) : (선분 ED)=2 : 1입니다. 또한 (선분 AD) : (선분 BC)=1 : 2입니다. 지금 점 P는 점 A를 출발하여 A→B→C→D의 순서로 같은 속력으로 나아갑니다. 오른쪽 그래프는 시간과 삼각형 APE의 넓이의 관계를 나타낸 것입니다. 물음에 답하시오.

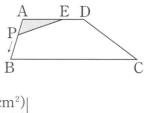

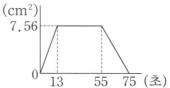

(1) 점 P는 매초 몇 cm의 빠르기로 움직입니까?

(2) 변 AD의 길이는 몇 cm입니까?

(3) 사다리꼴 ABCD의 높이와 넓이를 각각 구하시오.

1 도형의 이동

(1) 평행이동

변 AB와 변 A′B′의 길이와 변 AC와 변 A′C′의
길이는 각각 같으므로
선분 B′D의 길이는 $24-12=12(cm)$,
선분 DC의 길이는 $32-16=16(cm)$입니다.

$($색칠한 부분의 넓이$)=12 \times 16 \times \dfrac{1}{2}=96(cm^2)$

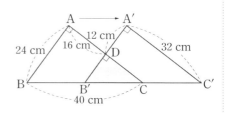

(2) 회전이동 → 부채꼴 모양으로 만들어 생각합니다.

(삼각형 AC′D′의 넓이)=(삼각형 ACD의 넓이)이므로
색칠한 부분의 넓이는 부채꼴 CAC′의 넓이와 같습니다.

$($색칠한 부분의 넓이$)=26 \times 26 \times 3.14 \times \dfrac{50}{360}$

$\qquad\qquad\qquad\qquad\quad =294\dfrac{73}{90}(cm^2)$

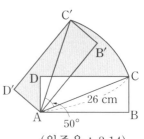

(원주율 : 3.14)

2 도형의 이동과 속력

도형이 이동하는 속력에 따라 도형의 모양을 파악하여 해결합니다.

예 밑변이 $18cm$이고 높이가 $12cm$인 직각삼각형과
한 변의 길이가 $10cm$인 정사각형이 오른쪽 그림과
같이 직선 위에 나란히 있습니다. 직각삼각형이 매
초 $1cm$의 속력으로 직선을 따라서 정사각형에 포
개어지면서 움직일 때, 두 도형이 겹쳐진 부분이 오
각형이 되는 것은 움직이기 시작한 지 몇 초와 몇 초 사이입니까?

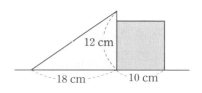

→ 겹쳐지는 부분이 오각형이 되는 것은 [그림 1]과 [그림 2] 사이입니다.

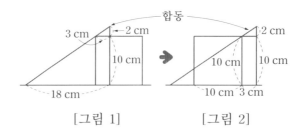

[그림 1]   [그림 2]

[그림 1]이 되는 것은 $12-10=2(cm)$, $10 \div 2=5$, $18 \div (1+5)=3(cm)$ → 3초,
[그림 2]의 색칠한 직각삼각형은 [그림 1]의 색칠한 직각삼각형과 합동이므로
$10+3=13(초)$입니다.
따라서 3초와 13초 사이입니다.

오른쪽 도형은 삼각형 ABC를 점 C를 중심으로 72° 회전시킨 것입니다. 색칠한 부분의 넓이를 구하시오.

(원주율 : 3.14)

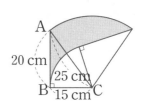

풀이

㉮ 부분을 ㉯ 부분으로 이동하여 생각합니다. 구하는 넓이는 반지름이 ☐ cm인 부채꼴 ACA′와 반지름이 ☐ cm인 부채꼴 PCQ의 넓이의 차와 같습니다.

$$(\boxed{} \times \boxed{} - \boxed{} \times \boxed{}) \times 3.14 \times \frac{\boxed{}}{360} = \boxed{} \ (\text{cm}^2)$$

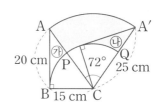

답 ☐ cm²

EXERCISE 1

1 오른쪽 그림과 같이 반지름이 1 cm인 원이 한 변의 길이가 5 cm인 정사각형의 변을 따라 미끄러지지 않게 처음의 위치까지 한 바퀴 움직입니다. 물음에 답하시오. (원주율 : 3.14)

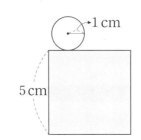

(1) 원의 중심이 움직인 거리는 몇 cm입니까?

(2) 원의 중심이 움직이면서 생긴 선과 정사각형의 둘레 사이의 넓이는 몇 cm²입니까?

2 오른쪽 그림은 선분 AB를 지름으로 하는 원을 점 B를 중심으로 45° 회전시킨 것을 나타낸 것입니다. 선분 AB의 길이가 18 cm일 때, 색칠한 부분의 넓이를 구하시오. (원주율 : 3.1)

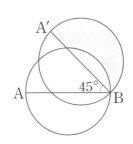

다음 그림과 같이 직선 ㄱㄴ 위에 사다리꼴 ㉮와 직사각형 ㉯가 있습니다. 사다리꼴 ㉮는 그림의 위치부터 직선 ㄱㄴ을 따라 1초에 2 cm씩 오른쪽으로 움직일 때 출발하여 8초 후에 사다리꼴과 직사각형이 겹쳐진 부분의 넓이를 구하시오.

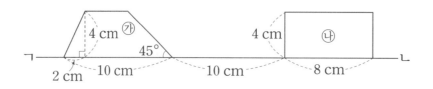

풀이

사다리꼴이 출발하여 8초 동안 오른쪽으로 □ cm를 움직였으므로 겹쳐진 부분은 오른쪽 그림과 같습니다.

(겹쳐진 부분의 넓이)

$= (\boxed{} + \boxed{}) \times \boxed{} \times \dfrac{1}{2} = \boxed{}$ (cm²)

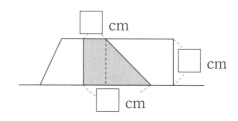

답 □ cm²

EXERCISE 2

1 오른쪽 그림과 같이 직각이등변삼각형 ABC와 DEF가 직선 위에 있습니다. 두 삼각형이 이 위치에서 매초 1 cm의 속력으로 각각 화살표 방향으로 동시에 이동하기 시작했습니다. 물음에 답하시오.

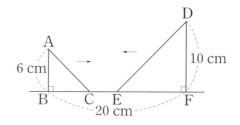

(1) 점 A가 변 DE 위에 올 때, 두 삼각형이 겹쳐진 부분의 넓이를 구하시오.

(2) 움직이기 시작하여 4초 후와 6초 후의 두 삼각형이 겹쳐진 부분의 넓이의 비를 가장 간단한 자연수의 비로 나타내시오.

왕 문제

1 오른쪽 그림의 색칠한 부분은 삼각형 ABC와 직사각형 DEFG가 겹쳐져 있는 부분입니다. 물음에 답하시오.

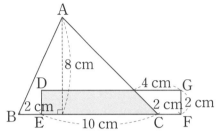

(1) 겹쳐져 있는 부분의 넓이는 몇 cm²입니까?

(2) 겹쳐져 있는 부분의 넓이가 삼각형 ABC의 넓이의 $\frac{1}{3}$이 되게 하려면, 삼각형 ABC를 왼쪽으로 몇 cm 이동시키면 됩니까?

2 그림과 같이 직사각형 ㄱㄴㄷㄹ과 사다리꼴 ㅁㅂㅅㅇ의 두 점 ㄷ, ㅂ을 맞붙여 놓았습니다. 사다리꼴은 고정되어 있고, 직사각형은 화살표 방향으로 1초에 2 cm씩 움직입니다. 두 도형의 겹쳐진 부분의 넓이가 사다리꼴의 넓이의 $\frac{1}{3}$이 되는 때는 직사각형이 움직이기 시작하여 몇 초 후인지 모두 구하시오.

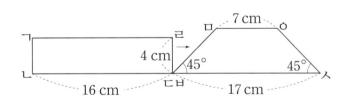

3 오른쪽 그림은 삼각형 ABC를 점 C를 중심으로
   회전시켜, 변 AC와 변 DE가 평행이 되었을 때의
   그림입니다. 물음에 답하시오. (원주율 : 3.14)

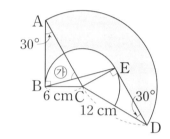

   (1) 각 ㉮의 크기를 구하시오.

   (2) 점 A가 점 D까지 움직인 거리를 구하시오.

   (3) 변 AB가 변 DE까지 움직였을 때의 색칠한 부분의 넓이를 구하시오.

4 오른쪽 [그림 1]은 대각선의 길이가 4 cm인 정
   사각형 ABCD와 점 A를 중심으로 하고 변 AB
   를 반지름으로 하는 원 A를 나타내고 있습니
   다. [그림 2]는 [그림 1]의 정사각형 ABCD를
   점 A를 중심으로 화살표 방향으로 45° 회전시
   킨 것을 나타내고 있습니다. 물음에 답하시오.

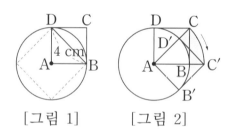

[그림 1]   [그림 2]

                                (원주율 : 3.14)

   (1) 원 A의 넓이를 구하시오.

   (2) 부채꼴 CAC′의 넓이를 구하시오.

   (3) [그림 2]의 색칠한 부분의 넓이를 구하시오.

5 오른쪽 그림과 같이 직각삼각형 ABC와 정사각형 DEFG가 있습니다. 직각삼각형 ABC를 꼭짓점 C를 중심으로 화살표 방향으로 45° 기울였을 때, 두 도형이 겹쳐진 부분의 넓이와 90° 기울였을 때, 두 도형이 겹쳐진 부분의 넓이의 차를 구하시오.

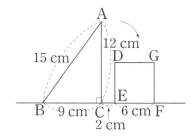

6 오른쪽 그림과 같이 직각이등변삼각형 ㄱㄴㄷ과 ㄹㅁㅂ이 직선 위에 있습니다. 두 삼각형을 지금 위치에서 동시에 매초 1cm씩 각각 화살표 방향으로 움직이기 시작했습니다. 움직이기 시작하여 4초 후와 6초 후의 두 삼각형이 겹쳐진 부분의 넓이의 차를 구하시오.

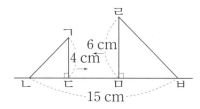

7 오른쪽 그림과 같이 반지름이 5 cm인 원 P와 원 Q가 직사각형 ABCD의 변을 따라 원 P는 직사각형의 바깥쪽을, 원 Q는 직사각형의 안쪽을 한 바퀴 굴렀습니다. 두 원이 지나간 부분의 넓이의 차를 구하시오.

(원주율 : 3.14)

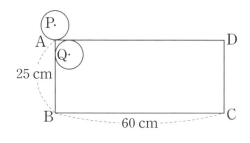

8 오른쪽 그림과 같이 선분 AC를 원의 중심 O를 중심으로, 화살표 방향으로 135° 회전시켰습니다. 선분 AC가 지나간 부분의 넓이를 구하시오. (단, 원주율은 3.1이고 선분 AO의 길이는 14 cm로 계산합니다.)

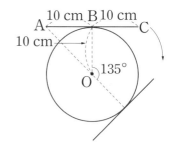

9 오른쪽 그림과 같이 반지름이 2 cm인 원이 삼각형의 변을 따라 바깥쪽을 미끄러지지 않게 한 바퀴 돌아 처음의 위치에 왔습니다. 원이 지나간 부분의 넓이는 몇 cm²입니까? (원주율 : 3.14)

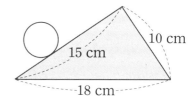

10 오른쪽 그림과 같이 반지름이 1 cm인 원이 사다리꼴의 변을 따라 바깥쪽을 미끄러지지 않게 한 바퀴 돌아 처음의 위치에 왔습니다. 원이 지나간 부분의 넓이를 구하시오.

(원주율 : 3.14)

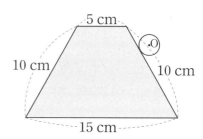

11 오른쪽 그림은 직각삼각형 ㄱㄴㄷ을 점 ㄱ을 중심으로 하여 30° 회전시킨 것입니다. 색칠한 부분의 넓이를 구하시오. (원주율 : 3)

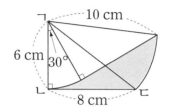

12 오른쪽 그림은 직사각형 ㄱㄴㄷㄹ을 꼭짓점 ㄷ을 중심으로 75° 회전시킨 것입니다. 호 ㄱㅅ의 길이가 23.55 cm 일 때, 색칠한 부분의 넓이를 구하시오.

(원주율 : 3.14)

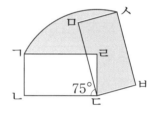

13 오른쪽 그림은 삼각형 ABC를 점 C를 중심으로 60° 회전시킨 것을 나타낸 것입니다. 색칠한 부분의 넓이는 몇 cm²입니까? (원주율 : 3.14)

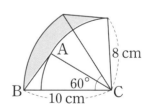

14 오른쪽 그림과 같이 점 ㅇ에 길이가 16 cm인 선분
    이 연결되어 있고, 선분의 끝은 반원의 중심과 직
    각으로 연결되어 있습니다. 반지름이 4 cm인 반원
    을 점 ㅇ을 중심으로 135° 회전시킬 때, 반원이 지나간 부분의 넓이를 구하
    시오. (원주율 : 3)

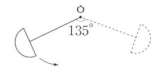

15 오른쪽 그림과 같이 직사각형과 반원으로 이루어진
    도형이 있습니다. 이 도형의 둘레를 따라 각각 안
    쪽과 바깥쪽으로 반지름이 4 cm인 두 원이 한 바
    퀴 굴렀습니다. 두 원이 지나간 부분의 넓이의 차
    를 구하시오. (원주율 : 3)

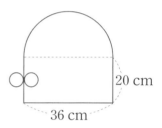

16 반지름의 길이가 1 cm인 원이 한 변의 길이가 5 cm인 정육각형의 둘레 위
    를 한 바퀴 돌 때, 원이 지나간 부분의 넓이를 구하시오. (원주율 : 3.14)

1 오른쪽 그림과 같이 도형 ABCDEF의 변을 따라 원판이 한 바퀴 돌았습니다. 원판의 중심이 도형의 둘레에 놓일 때, 원판이 지나간 부분의 넓이를 구하시오. (원주율 : 3.14)

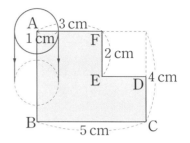

2 오른쪽 그림과 같은 직각삼각형 ABC가 있습니다. 꼭짓점 A를 중심으로 하여 이 삼각형을 1회전 시켰을 때, 변 BC가 지나간 부분의 넓이를 구하시오. (원주율 : 3)

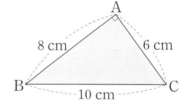

3 지름이 20 cm인 원을 오른쪽 그림의 점 A에서 점 F까지 미끄러지지 않도록 굴렸을 때, 원이 지나간 부분의 넓이를 구하시오. (원주율 : 3.14)

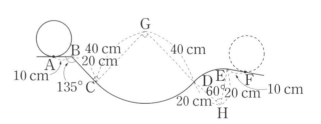

4 반지름의 길이가 6 cm 인 원 7 개를 그림과 같이 한 줄로 붙여 놓은 후, 그 주위를 반지름의 길이가 6 cm 인 원으로 한 바퀴 굴렸습니다. 원이 굴러가며 그린 자취 중 원의 중심이 지나는 길의 안쪽 부분의 넓이를 구하시오.

(원주율 : 3)

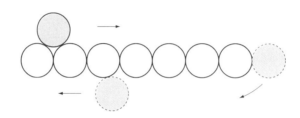

5 오른쪽 그림과 같이 지름이 2 cm 인 원이 ㉠에서 선분 ㄱㄴ, ㄴㄷ, ㄷㄹ을 따라 ㉡까지 움직입니다. 선분 ㄱㄴ, ㄴㄷ, ㄷㄹ의 길이가 각각 15 cm, 10 cm, 12 cm 일 때, 원이 지나간 부분의 넓이를 구하시오. (단, 각 ㄱ과 각 ㄹ의 크기는 90°이고, 원주율은 3입니다.)

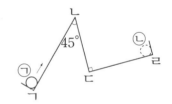

6 오른쪽 그림과 같은 도형의 둘레를 따라 반지름이 2 cm 인 원이 한 바퀴 돌았습니다. 원의 중심이 도형의 둘레에 놓일 때, 원이 지나간 부분의 넓이를 구하시오. (원주율 : 3.14)

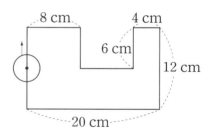

7 직사각형 ABCD를 직선 PQ 위를 미끄러지지 않도록 오른쪽으로 1바퀴 굴린 후 점 C를 중심으로 시계 방향으로 180° 회전시킵니다. 다음에 직사각형 ABCD를 직선 PQ에 닿으면서 미끄러지지 않도록 왼쪽으로 1바퀴 굴린 후 점 C를 중심으로 시계 방향으로 180° 회전시켜 처음의 위치로 돌아오게 합니다. 점 A가 그린 선으로 둘러싸인 부분의 넓이는 몇 cm²입니까? (원주율 : 3.1)

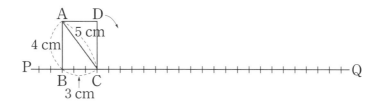

8 다음과 같이 직사각형 ABCD를 직선 가 위에 놓고 점 B를 중심으로 화살표 방향으로 90° 회전시켰습니다. 물음에 답하시오. (원주율 : 3)

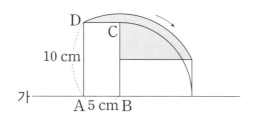

(1) 직사각형 ABCD의 한 대각선 BD를 한 변으로 하는 정사각형의 넓이를 구하시오.

(2) 색칠한 부분의 넓이를 구하시오.

9 〈그림 1〉과 같이 한 변의 길이가 12 cm인 큰 정사각형 ㄱㄴㄷㄹ과 한 변의 길이가 6 cm인 작은 정사각형 ㅁㅂㅅㅇ을 붙여 놓은 후 〈그림 2〉와 같이 큰 정사각형의 변을 따라 작은 정사각형을 시계 반대 방향으로 움직이려고 합니다. 점 ㅂ이 점 ㄴ에 오도록 작은 정사각형을 움직일 때 대각선 ㅇㅂ이 지나간 부분의 넓이를 구하시오. (원주율 : 3.14)

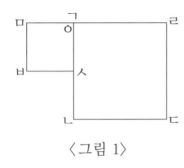
〈그림 1〉

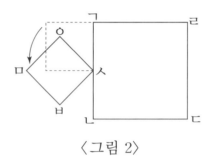
〈그림 2〉

10 [그림 1]과 같이 직선 위에 변 OA의 길이와 반지름 OB의 길이가 같은 정사각형과 부채꼴이 있습니다. 각각의 도형이 점 O를 중심으로 화살표 방향으로 움직이고, 부채꼴이 움직이는 속력은 정사각형이 움직이는 속력의 2배입니다. [그림 2]는 정사각형과 부채꼴이 겹쳐진 부분의 넓이와 시간의 관계를 나타낸 것입니다. 물음에 답하시오. (원주율 : 3)

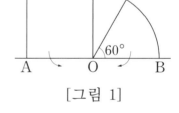
[그림 1]

(1) 정사각형은 1초 동안에 몇 도 움직입니까?

(2) 부채꼴 BOC의 둘레의 길이를 구하시오.

(3) [그림 2]에서 ㉠의 값을 구하시오.

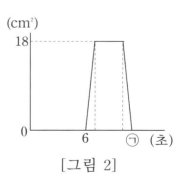
[그림 2]

11 그림과 같이 직사각형 ABCD가 있고, 그 위에 한 변의 길이가 2 cm인 정사각형 모양의 종이가 겹쳐 놓여 있습니다. 정사각형 모양의 종이의 변은 항상 변 AB 또는 변 BC에 평행하고, 중심 점 P(대각선의 교점)는 3초 동안에 1 cm의 빠르기로 그림의 P → Q → R → P로 움직여 삼각형 PQR을 한 바퀴 돕니다. 변 PQ는 길이가 4 cm로 변 BC에 평행하고, 변 QR은 길이가 3 cm로 변 CD에 평행합니다. 물음에 답하시오.

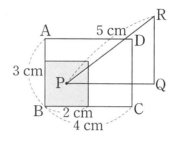

(1) 직사각형과 정사각형 모양의 종이의 겹쳐진 부분의 넓이가 4 cm²인 것은 몇 초 동안입니까?

(2) 27초 후의 직사각형과 정사각형 모양의 종이가 겹쳐진 부분의 넓이를 구하시오.

12 가로 80 cm, 세로 60 cm인 직사각형 모양의 종이가 2장 겹쳐져 있습니다. 그 중의 한 장을 대각선의 방향으로 일정한 속도로 옮겨갔더니, 2장의 종이가 떨어지기 1분 전에 겹쳐져 있는 부분의 둘레의 길이는 21 cm이었습니다. 물음에 답하시오.

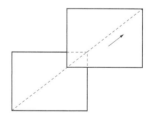

(1) 떨어지기 1분 전에 겹쳐져 있는 부분의 넓이는 몇 cm²이었습니까?

(2) 옮겨가고 있는 도중의 1분 동안 겹쳐져 있는 부분의 넓이는 351 cm²만큼 줄었습니다. 옮기기 시작해서 몇 분 몇 초 후부터의 1분 동안입니까?

13 다음과 같이 정육각형 ABCDEF를 화살표 방향으로 직선 가를 따라 미끄럼없이 한 바퀴 굴렸습니다. 점 A의 자취의 길이를 구하시오. (단, 한 변의 길이가 18 cm인 정삼각형의 높이는 15.6 cm, 원주율은 3으로 계산합니다.)

14 오른쪽 도형에서 선분 OA는 6 cm, 선분 AB는 8 cm, 대각선 OB는 10 cm인 직사각형 OABC와 선분 OA를 반지름으로 하는 반원이 있습니다. 직사각형과 반원이 점 O를 중심으로 화살표 방향으로 직사각형은 매초 1°, 반원은 매초 2°의 속력으로 동시에 회전하여, 반원이 1회전 하였습니다. 물음에 답하시오. (원주율 : 3.14)

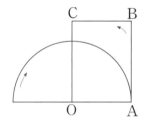

(1) 반원이 회전한 지 45초 후에 직사각형과 반원이 겹쳐진 부분의 넓이를 구하시오.

(2) 반원이 1회전 하는 동안 선분 AB가 지나간 부분의 넓이를 구하시오.

(3) 반원이 직사각형에 의해 3부분으로 나누어질 때, 각각의 넓이의 비가 1 : 2 : 3이 되는 것은 움직이고 나서부터 몇 초일 때인지 모두 구하시오.

1 입체도형의 겉넓이

① 정육면체 : (한 면의 넓이)×6

② 직육면체 : (밑면의 넓이)×2+(옆면의 넓이)

③ 각기둥 : (밑면의 넓이)×2+(옆면의 넓이)

　　　　　=(밑면의 넓이)×2+(밑면의 둘레)×(높이)

④ 원기둥 : (밑면의 넓이)×2+(원의 둘레)×(높이)

⑤ 원뿔 : (밑면의 넓이)+(옆면의 넓이)

　　　　=(밑면의 넓이)+(모선의 길이)×(모선의 길이)

　　　　　×(원주율)×$\dfrac{(밑면의 반지름)}{(모선의 길이)}$

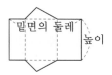

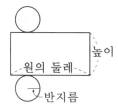

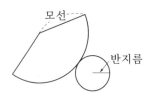

2 입체도형의 부피

① 정육면체 : (한 모서리의 길이)×(한 모서리의 길이)×(한 모서리의 길이)

② 직육면체 : (밑넓이)×(높이)=(가로)×(세로)×(높이)

③ 각기둥(원기둥) : (밑넓이)×(높이)

④ 각뿔(원뿔) : (밑넓이)×(높이)×$\dfrac{1}{3}$

3 겉넓이의 비

각 모서리의 길이를 2배로 늘이면
겉넓이는 4(2×2)배가 되고,
3배로 늘이면 9(3×3)배가 됩니다.

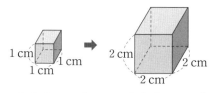

겉넓이 6 cm²　　　　겉넓이 24 cm²

4 부피의 비

각 모서리의 길이를 2배로 늘이면
부피는 8(2×2×2)배가 되고,
3배로 늘이면 27(3×3×3)배가 됩니다.

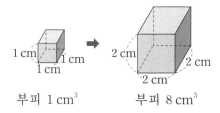

부피 1 cm³　　　　부피 8 cm³

입체도형의 겉넓이를 구하시오. (원주율 : 3.14)

(1)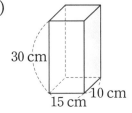

(2)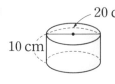

(3)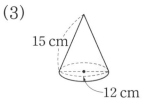

풀이

(1) (사각기둥의 겉넓이) $= (15 \times 10) \times \boxed{} + (15 + 10) \times 2 \times \boxed{} = \boxed{} (\text{cm}^2)$

(2) (원기둥의 겉넓이) $= (10 \times 10 \times 3.14) \times \boxed{} + (20 \times 3.14) \times \boxed{} = \boxed{} (\text{cm}^2)$

(3) (원뿔의 겉넓이) $= (6 \times 6 \times 3.14) + 15 \times 15 \times 3.14 \times \dfrac{\boxed{}}{15} = \boxed{} (\text{cm}^2)$

답 (1) $\boxed{} \text{cm}^2$　(2) $\boxed{} \text{cm}^2$　(3) $\boxed{} \text{cm}^2$

EXERCISE 1

1 입체도형의 겉넓이를 구하시오. (원주율 : 3.14)

(1)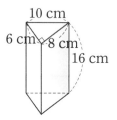

(2)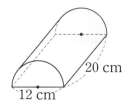

2 기둥 모양의 입체도형을 정면과 위에서 본 모양입니다. 입체도형의 겉넓이를 구하시오. (원주율 : 3)

(1)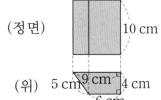

(2)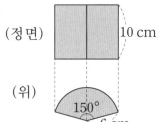

입체도형의 부피를 구하시오. (원주율 : 3.14)

(1)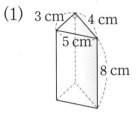

3 cm 4 cm
5 cm
8 cm

(2)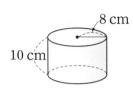

8 cm
10 cm

풀이

(1) (각기둥의 부피) = (밑넓이) × (높이)

$$= \left(3 \times 4 \times \frac{1}{2}\right) \times \boxed{} = \boxed{} (cm^3)$$

(2) (원기둥의 부피) = (밑넓이) × (높이)

$$= (8 \times 8 \times 3.14) \times \boxed{} = \boxed{} (cm^3)$$

답 (1) $\boxed{}$ cm^3 (2) $\boxed{}$ cm^3

EXERCISE 2

1 입체도형의 부피를 구하시오. (원주율 : 3.1)

(1)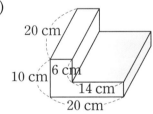

20 cm
10 cm 6 cm
14 cm
20 cm

(2)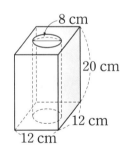

8 cm
20 cm
12 cm
12 cm

2 전개도로 만들어지는 입체도형의 부피를 구하시오. (원주율 : 3.14)

(1)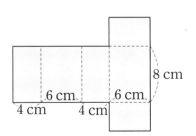

8 cm
6 cm 6 cm
4 cm 4 cm

(2)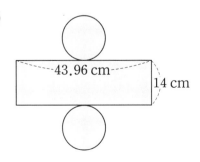

43.96 cm
14 cm

1 오른쪽 도형을 선분 AB를 축으로 하여 1회전 시켰을 때 생기는 입체도형의 부피를 구하시오. (원주율 : 3.14)

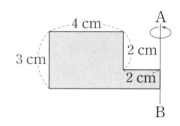

2 오른쪽 그림에서 색칠된 직사각형을 선분 CD를 축으로 하여 1회전 시켰을 때 생기는 입체도형의 부피는 선분 AB를 축으로 하여 1회전 시켰을 때 생기는 입체도형의 부피의 몇 배가 되겠습니까? (원주율 : 3.14)

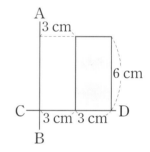

3 세로가 모두 10 cm이고 가로가 각각 2 cm, 3 cm, 2 cm인 3개의 직사각형을 그림과 같이 붙여 놓은 후 선분 AB를 축으로 하여 1회전 시켰습니다. 만들어지는 입체도형의 부피를 구하시오. (원주율 : 3.1)

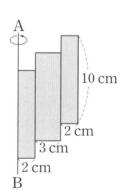

4 어떤 직육면체의 한 모퉁이에서 직육면체를 잘라 내고, 또 작은 직육면체를 잘라 내었더니 오른쪽과 같은 입체도형이 되었습니다. 물음에 답하시오.

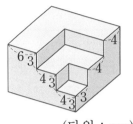

(단위 : cm)

(1) 입체도형의 부피를 구하시오.

(2) 입체도형의 겉넓이를 구하시오.

5 오른쪽 [그림 1]은 밑면의 원주가 15 cm, 높이가 12 cm인 원기둥의 옆면을 [그림 2]의 직각삼각형 모양의 종이로 선분 AB를 기준으로 하여 감은 것입니다. 색칠된 부분은 종이가 겹쳐진 부분입니다. 물음에 답하시오.

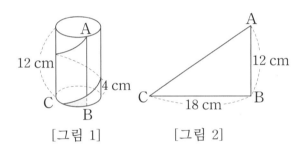

[그림 1]   [그림 2]

(1) [그림 1]의 색칠된 부분의 넓이를 구하시오.

(2) 원기둥의 옆면 중 종이로 가려지지 않은 부분의 넓이를 구하시오.

6 오른쪽 전개도로 만들어지는 원기둥의 부피가 169.56 cm³일 때, 원기둥의 겉넓이를 구하시오.

(원주율 : 3.14)

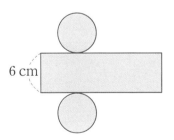

6 cm

7 밑면의 반지름이 5 cm, 높이가 10 cm인 원기둥을 오른쪽 [그림 1]과 같이 잘라 내었습니다. 이 입체도형을 위에서 본 모양이 [그림 2]일 때, [그림 1]의 입체도형의 겉넓이와 부피를 각각 구하시오. (원주율 : 3.14)

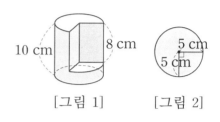

[그림 1]   [그림 2]

8 한 모서리의 길이가 12 cm인 정육면체를 오른쪽 그림과 같이 평면 ABCD로 잘라 2개의 입체도형을 만들었습니다. 이때, 큰 입체도형 ㉮와 작은 입체도형 ㉯의 겉넓이의 차를 구하시오.

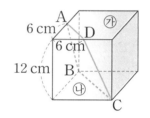

9 [그림 1]과 같은 각기둥과 [그림 2]와 같이 12 cm 높이까지 물이 들어 있는 물통이 있습니다. 이 각기둥을 [그림 3]과 같이 물에 6 cm 잠기도록 넣었더니 물의 높이는 16 cm가 되었습니다. 이 각기둥을 물 속에 완전히 잠기게 넣었다면 물의 높이는 몇 cm가 되겠습니까?

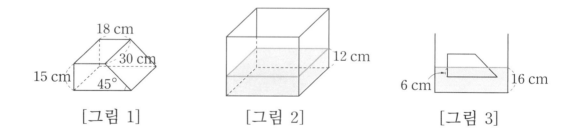

[그림 1]   [그림 2]   [그림 3]

10 직육면체 위에 삼각기둥을 붙여 놓은 모양의 그릇이 있습니다. 이 그릇에 직육면체 부분까지 물을 넣고, 뚜껑을 덮은 다음 거꾸로 세웠더니 [그림 2]와 같이 되었습니다. 이 그릇의 부피를 구하시오.

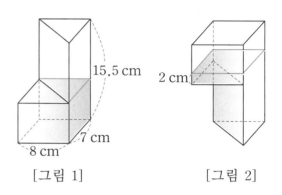

[그림 1]   [그림 2]

11 오른쪽 입체도형의 겉넓이와 부피를 각각 구하시오.

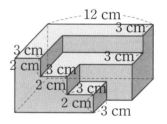

12 오른쪽과 같이 위에서 본 모양이 직사각형인 평평한 땅이 있는데, A 부분에는 B 부분보다 2 m 높게 흙이 쌓여 있습니다. A 부분의 흙을 B 부분으로 옮겨 A와 B가 같은 높이가 되게 만들려고 합니다. B 부분은 처음보다 몇 m 높게 되겠습니까?

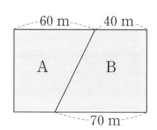

13 오른쪽 그림과 같이 직육면체 위에 삼각기둥을 포갠 모양의 입체도형이 있습니다. 직육면체와 삼각기둥의 부피의 비가 3 : 1일 때, 이 입체도형의 부피를 구하시오.

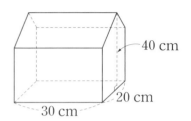

14 물음에 답하시오.

(1) 두 개의 원기둥 A, B에서 밑넓이의 비는 5 : 2이고, 높이의 비는 3 : 2입니다. A와 B의 부피의 비를 구하시오.

(2) 두 개의 원기둥 A, B의 부피의 비가 4 : 1이고, 밑넓이의 비가 5 : 2일 때, 높이의 비를 구하시오.

15 [그림 1]과 같이 크기와 모양이 같은 사각기둥을 계단 모양으로 쌓아 입체도형을 만들려고 합니다. [그림 2]는 입체도형을 만들었을 때 화살표 방향에서 본 모양입니다. [그림 2]에서 입체도형의 겉넓이가 796 cm²가 되도록 할 때, 사각기둥은 몇 개를 쌓아야 합니까?

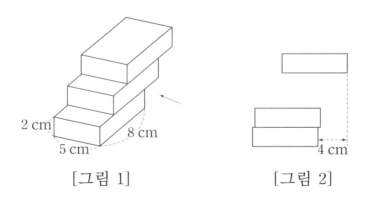

[그림 1]   [그림 2]

16 오른쪽 입체도형의 겉넓이와 부피를 각각 구하시오.

(원주율 : 3.14)

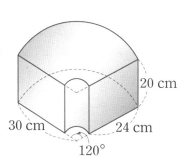

20 cm
30 cm
24 cm
120°

17 오른쪽 그림과 같이 밑면의 반지름이 18 cm, 높이가 36 cm인 원기둥 모양의 통에 물이 24 cm의 높이까지 들어 있습니다. 밑면의 반지름이 각각 6 cm, 12 cm인 두 원기둥을 붙여 놓은 모양의 입체도형을 이 통에 넣었습니다. 이때, 면 ㉮를 바닥에 닿도록 넣으면 수면의 높이는 32 cm가 되고, 면 ㉯를 바닥에 닿도록 넣으면 수면의 높이는 36 cm가 됩니다. 입체도형에서 ㉠과 ㉡의 길이를 각각 구하시오.

(원주율 : 3.14)

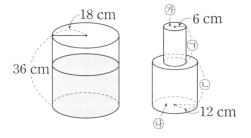

18 cm
36 cm
㉮ 6 cm
㉠
㉡
12 cm
㉯

18 〈그림 1〉의 직육면체를 각 면에 평행하게 잘라 2개의 직육면체로 나누었습니다. 〈그림 2〉와 같이 자르면 〈그림 1〉의 직육면체보다 겉넓이는 84 cm²가 늘어나고 〈그림 3〉, 〈그림 4〉와 같이 자르면 〈그림 1〉의 직육면체보다 겉넓이가 각각 96 cm², 112 cm²가 늘어납니다. 이때, 〈그림 1〉의 직육면체의 부피를 구하시오.

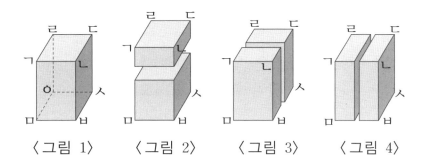

〈그림 1〉 〈그림 2〉 〈그림 3〉 〈그림 4〉

1 A와 B 두 종류의 원기둥이 있습니다. 원기둥의 밑면의 반지름은 모두 4 cm이고, 높이는 A가 5 cm, B가 8 cm입니다. 첫 번째는 B 1개, 두 번째는 A 3개, 세 번째는 B 5개, …를 그림과 같이 규칙적으로 양옆과 위로 쌓아 놓았더니 정확하게 9번째에서 원기둥을 모두 사용하게 되었습니다. 9번째까지 쌓아 만든 입체도형의 겉넓이를 구하시오. (원주율 : 3)

첫 번째 놓은 B

2 오른쪽 도형은 두 개의 직각이등변삼각형을 붙여 놓은 것입니다. 이 도형을 선분 ㄱㄴ을 축으로 하여 1회전 시켰을 때 생기는 입체도형의 부피를 구하시오. (단, 원뿔의 부피는 원기둥의 부피의 $\frac{1}{3}$이고, 원주율은 3.14로 계산합니다.)

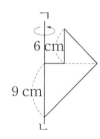

6 cm

9 cm

3 오른쪽 그림에서 A, B는 모두 반원 2개와 직사각형으로 이루어진 도형입니다. A를 2개 사용하여 입체도형 ㉮를 만들었습니다. 물음에 답하시오. (원주율 : 3.14)

(1) 입체도형 ㉮의 겉넓이를 구하시오.

(2) 입체도형 ㉮의 부피를 구하시오.

(3) A 1개와 B 1개를 사용하여 입체도형 ㉯를 만들었습니다. B의 □ 안에 알맞은 수를 구하시오.

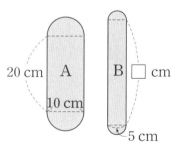

20 cm   A   B □ cm

10 cm

5 cm

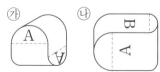

㉮   ㉯

4 오른쪽 평면도형을 선분 AB를 축으로 $\frac{1}{2}$회전 시켜 입체도형을 만들었습니다. 만든 입체도형의 겉넓이와 부피를 각각 구하시오. (원주율 : 3.14)

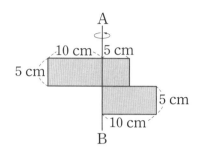

5 오른쪽 그림과 같이 직육면체와 원기둥 모양의 그릇이 있습니다. 직육면체 모양의 그릇에 물을 가득 넣은 후, 모서리 ㄱㄴ을 중심으로 천천히 45°까지 기울였을 때 쏟아지는 물을 원기둥 모양의 그릇에 받았습니다. 원기둥 모양의 그릇에 받은 물의 높이는 몇 cm가 됩니까? (원주율 : 3)

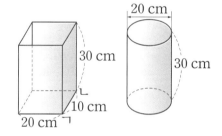

6 오른쪽 그림은 입체도형과 그 입체도형을 여러 방향에서 본 모양을 나타낸 것입니다. 물음에 답하시오. (단, 밑넓이와 높이가 같은 각뿔의 부피는 각기둥의 부피의 $\frac{1}{3}$입니다.)

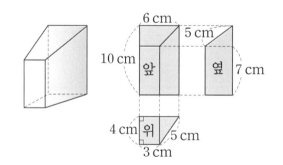

(1) 입체도형의 겉넓이를 구하시오.

(2) 입체도형의 부피를 구하시오.

APPLICATION

7 오른쪽 그림과 같이 계단 모양의 입체도형이 있
습니다. 물음에 답하시오.

(1) 입체도형의 부피를 구하시오.

(2) 입체도형의 겉넓이를 구하시오.

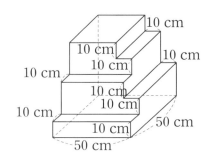

8 [그림 1]은 정육면체에서 사각기둥과 원기둥 모양으로 구멍을 뚫어 놓은 입
체도형입니다. [그림 2]는 이 입체도형을 앞과 옆에서 본 모양입니다. 이 입
체도형의 겉넓이를 구하시오. (원주율 : 3.14)

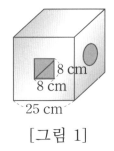

[그림 1]

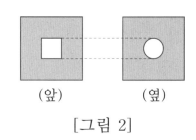

(앞)   (옆)

[그림 2]

9 오른쪽은 사각기둥과 반원기둥을 붙
인 모양의 입체도형의 전개도입니다.
이 전개도로 만들어지는 입체도형의
부피가 2114 cm³일 때, 이 입체도형의
겉넓이를 구하시오. (원주율 : 3.14)

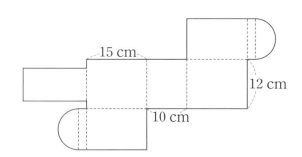

10 오른쪽 그림과 같은 평행사변형을 직선 l을 회전축으로 하여 1회전 시켰을 때 생기는 입체도형의 부피를 반올림하여 소수 첫째 자리까지 구하시오. (단, 원주율은 3.14이고 밑면과 높이가 같은 원뿔의 부피는 원기둥의 부피의 $\dfrac{1}{3}$입니다.)

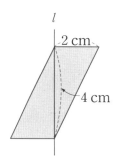

11 오른쪽 입체도형의 겉넓이와 부피를 각각 구하시오.

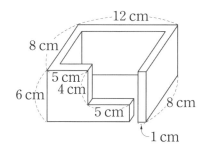

12 오른쪽 도형은 한 모서리의 길이가 10 cm인 정육면체이고, 점 ㉮, 점 ㉯는 각각 모서리의 중점입니다. 세 점 ㉮, ㉯, ㉰를 포함하는 평면으로 정육면체를 두 부분으로 잘랐을 때, 큰 부분의 겉넓이를 구하시오.

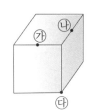

13 4개의 원기둥 A, B, C, D가 있습니다. 반지름의 비는 A : B : C : D=1 : 2 : 3 : 4이고 높이의 비는 A : B : C=4 : 2 : 1입니다. 원기둥 B와 D의 부피가 같을 때, 물음에 답하시오.

(1) 원기둥 A, B, C의 부피의 비를 구하시오.

(2) 원기둥 B와 D의 높이의 비를 구하시오.

(3) 원기둥 B, C, D의 옆면의 넓이의 비를 구하시오.

14 오른쪽 그림과 같이 반지름이 2 cm, 높이가 30 cm 인 원기둥의 옆면을 폭 5 cm인 평행사변형 모양의 종이로 겹치지 않게 완전히 감으려고 합니다. 평행사변형의 이웃한 두 변 ㉠, ㉡의 길이를 각각 구하시오. (원주율 : 3.14)

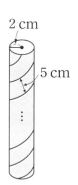

15 오른쪽 그림과 같이 정육면체에서 두 꼭짓점 A와 B를 면을 따라 가장 짧은 거리로 이었더니 이은 선의 길이가 20 cm였습니다. 정육면체의 겉넓이는 몇 cm^{2}입니까?

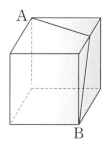

16 오른쪽 그림과 같이 원뿔의 밑면의 한 점 A에서부터 옆면을 지나 가장 짧은 거리로 실을 감았을 때, 원뿔의 옆면 중 실의 아랫 부분의 넓이를 구하시오.

(원주율 : 3.14)

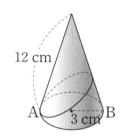

17 오른쪽 그림에서 입체도형 A를 입체도형 B에 올려 놓으면 높이가 15 cm, 밑면의 반지름이 10 cm인 원기둥을 $\frac{1}{4}$로 자른 입체도형이 됩니다. 물음에 답하시오. (원주율 : 3.14)

(1) 입체도형 B의 부피를 구하시오.

(2) 입체도형 A와 B의 부피의 비를 구하시오.

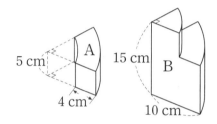

18 오른쪽 그림과 같이 가로가 4 cm, 세로가 12 cm인 직사각형 3개를 붙여 놓은 후 직선 ㉮를 회전축으로 하여 한 바퀴 돌렸을 때 만들어지는 입체도형의 겉넓이를 구하시오. (원주율 : 3)

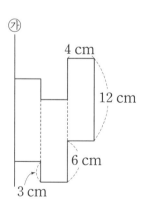

1 들이

① 작은 들이의 단위를 나타내기 위하여 안치수의 가로, 세로, 높이가 각각 1 cm인 단위를 사용합니다. 이 그릇의 들이를 1 mL라 하고, 1 밀리리터라고 읽습니다.

$$1\,\text{mL} = 1\,\text{cm}^3$$

② 물건의 들이를 나타내기 위하여 안치수의 가로, 세로, 높이가 각각 10 cm인 단위를 사용합니다. 이 그릇의 들이를 1 L라 하고, 1 리터라고 읽습니다.

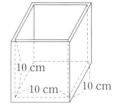

$$1\,\text{L} = 1000\,\text{cm}^3$$

2 들이, 부피, 무게와의 관계

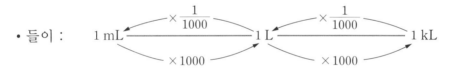

- 들이 :

- 부피 :

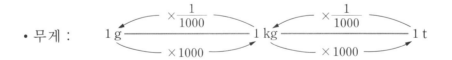

- 무게 :

3 불규칙한 입체의 부피

🐾 돌의 부피를 구하는 경우

① 물이 담긴 그릇에 돌을 넣었을 때 늘어난 부피가 바로 돌의 부피입니다.

② 처음 물의 부피를 구한 다음, 돌을 넣어서 늘어난 후의 부피를 구하고, 처음 물의 부피를 뺍니다.

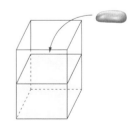

(돌의 부피)=(늘어난 물의 부피)

오른쪽 그림과 같이 두께가 4 cm인 그릇에 물을 가득 채우면 물은 얼마나 들어가겠습니까?

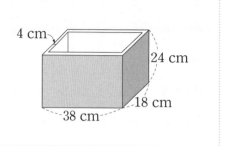

풀이

그릇의 안치수를 먼저 알아보고, 그릇의 들이를 구합니다.

안치수의 가로는 $38-4\times2=$ ☐ (cm), 세로는 $18-4\times2=$ ☐ (cm),

높이는 $24-4=$ ☐ (cm)입니다.

따라서 그릇의 들이는 ☐ × ☐ × ☐ = ☐ (mL)입니다.

답 ☐ mL

EXERCISE 1

1 오른쪽 그림과 같이 안치수로 가로 15 cm, 세로 10 cm, 높이 20 cm인 직육면체 모양의 그릇에 깊이 10 cm까지 물을 넣은 후, 그 안에 돌을 넣었더니 물의 깊이는 13 cm가 되었습니다. 이 돌의 부피를 구하시오.

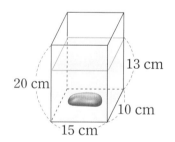

2 오른쪽 그림과 같이 물이 가득 들어 있는 원기둥 모양의 통을 ㉯와 같이 45°로 기울였습니다. 물은 몇 mL 남아 있겠습니까? (원주율 : 3.1)

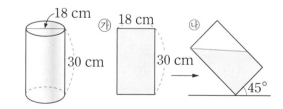

오른쪽 그림과 같이 직육면체 모양의 물통 ㉮에 6 cm 높이까지 물이 들어 있습니다. 이 물통에 나무 막대 ㉯를 수직으로 세우면 물통의 수면의 높이는 몇 cm가 되겠습니까?

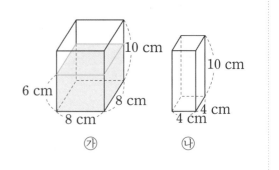

풀이

나무 막대를 수직으로 세웠을 때의 물의 높이를 ■ cm라 하면

$8 \times 8 \times \boxed{} = (8 \times 8 - 4 \times 4) \times ■$

$■ = 8 \times 8 \times \boxed{} \div (8 \times 8 - 4 \times 4)$

$■ = \boxed{}$ (cm)

답 $\boxed{}$ cm

EXERCISE 2

1 오른쪽 그림과 같이 직육면체 모양의 물통에 밑면의 지름이 2 cm인 원기둥 모양의 막대를 바닥에 닿도록 수직으로 세운 후 440 mL의 물을 넣었습니다. 막대를 밖으로 들어 내면 물의 높이는 몇 cm 낮아지겠습니까? (원주율 : 3)

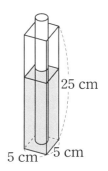

2 밑면의 가로가 5 cm, 세로가 6 cm, 높이가 10 cm인 직육면체 모양의 그릇에 8 cm의 깊이까지 물을 넣었습니다. 이 물통에 반지름이 2 cm, 두께가 0.5 cm인 원판 10개를 완전히 잠기도록 넣는다면 넘치는 물의 양은 몇 mL입니까? (원주율 : 3.14)

1 오른쪽 그림의 상자는 두께가 0.5 cm인 판자로 만든 것입니다. 이 상자 안에 깊이가 8 cm가 되도록 물을 넣은 후 물 속에 돌을 완전히 잠기게 넣었더니 2 L의 물이 넘쳐 흘렀습니다. 넣은 돌의 부피를 구하시오.

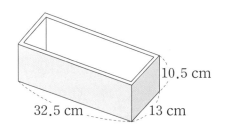

10.5 cm
32.5 cm   13 cm

2 오른쪽 그림은 반지름이 4 cm인 원기둥을 비스듬히 자른 모양의 물통입니다. 이 물통에 높이 10 cm만큼 물을 넣은 후 부피가 251.2 cm³인 돌을 완전히 잠기도록 넣었습니다. 넘친 물의 양은 몇 mL입니까?

(원주율 : 3.14)

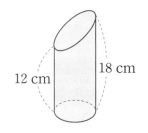

18 cm
12 cm

3 높이가 같은 A, B, C 3개의 수조가 있습니다. A 수조에 물을 가득 넣어 A 수조의 $\frac{1}{3}$을 C 수조에 부었더니 C 수조의 $\frac{1}{2}$만큼 물이 찼습니다. 그리고 A 수조의 나머지 물을 모두 B 수조에 부었더니 B 수조의 $\frac{3}{4}$만큼 물이 찼습니다. 물음에 답하시오.

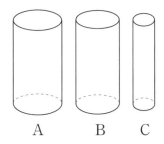

A   B   C

(1) A와 C 수조의 들이의 비를 가장 간단한 자연수의 비로 나타내시오.

(2) A와 B 수조의 들이의 비를 가장 간단한 자연수의 비로 나타내시오.

4 직육면체 모양의 수조에 물이 들어 있습니다. 이 수조 안에 가로 4 cm, 세로 3 cm, 높이 10 cm의 쇠막대를 [그림 1]과 같이 넣으면 수면이 3 cm 올라가고, [그림 2]와 같이 넣으면 쇠막대가 2 cm 물위로 올라옵니다. 이때, [그림 1]의 수면은 [그림 2]의 수면보다 몇 cm 더 높겠습니까?

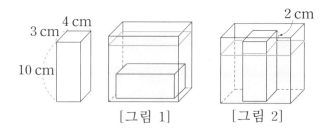

5 오른쪽 그림과 같은 직육면체와 오각기둥을 포개어 놓은 모양의 그릇에 매분 같은 양의 물을 넣었습니다. 그래프는 물을 넣은 시간과 그때의 물의 깊이와의 관계를 나타낸 것입니다. 그릇에 물이 가득 채워진 때는 물을 넣기 시작하여 몇 분 몇 초 후입니까?

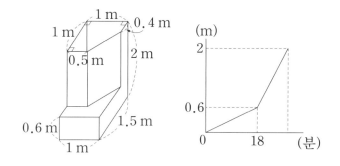

6 가로, 세로, 높이가 각각 10 cm, 6 cm, 7 cm인 직육면체의 수조가 있습니다. 이 수조에 깊이 5 cm까지 물을 넣은 후 오른쪽 그림처럼 기울였더니 75 mL의 물이 쏟아졌습니다. 그림에서 선분 AB의 길이를 구하시오.

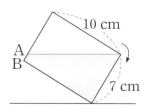

7 오른쪽 그림과 같은 원기둥 모양의 그릇이 있습니다. 이 그릇의 밑면에 수직으로 칸막이를 세운 후, 칸막이로 나누어진 두 부분에 같은 양의 물을 넣었더니, 각각의 높이가 6 cm, 4 cm가 되었습니다. 그릇에서 칸막이를 빼면 수면의 높이는 몇 cm가 되겠습니까?

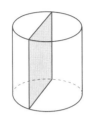

8 오른쪽 그림에서 수조 A의 밑면의 반지름은 수조 B의 밑면의 반지름의 $\frac{1}{2}$입니다. 수조 A에 물을 가득 채워 두 번 수조 B에 부었을 때, 수조 B의 물의 높이는 몇 cm가 되겠습니까?

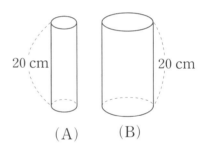

20 cm   20 cm

(A)   (B)

9 반지름이 6 cm, 높이가 30 cm인 원기둥 모양의 수조에 반지름이 2 cm인 원기둥 모양의 나무 막대를 오른쪽 그림과 같이 밑면에 수직으로 세워 놓았습니다. 물을 넣은 후 나무 막대를 수조 밖으로 꺼내었더니 물의 높이가 3 cm 낮아졌습니다. 나무 막대를 꺼내기 전의 물의 높이는 몇 cm였습니까? (원주율 : 3.14)

10 오른쪽 그림과 같은 수조에 칸막이를 한 후 직육면체 부분에 물을 가득 채웠습니다. 그 후 칸막이를 빼내었더니 물의 높이가 2 cm 낮아졌습니다. 이 수조의 높이를 구하시오.

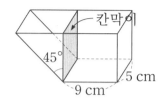

11 오른쪽 그림과 같은 모양의 물통이 있습니다. 이 물통의 두께는 1 cm입니다. 이 물통에 8 cm 높이까지 물을 넣은 후 돌을 완전히 잠기게 넣었다가 뺐더니 물의 높이가 6 cm가 되었습니다. 이 돌의 부피를 구하시오.

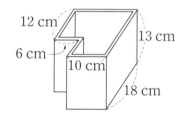

12 오른쪽 [그림 1]과 같이 수조에 높이 11 cm까지 물을 넣고 물이 새지 않도록 한 후 [그림 2]와 같이 뉘어 놓았습니다. [그림 2]에서의 물의 높이를 구하시오.

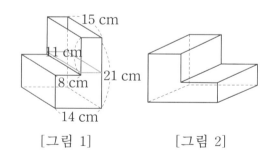

[그림 1]　　　　[그림 2]

13 오른쪽 그림과 같이 직육면체에서 일부를 잘라낸 모양의 물통이 있습니다. 이 물통에 1분에 900 mL씩 물을 넣을 때, 물을 가득 채우려면 몇 분 동안 물을 넣어야 합니까?

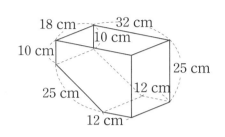

14 그림과 같이 밑면에 수직으로 칸막이가 세워져 있는 수조가 있습니다. 칸막이의 오른쪽에 돌을 넣고 수도를 열어 매초 10 mL의 물을 넣으면 칸막이의 왼쪽의 수면의 높이는 그래프와 같이 변하게 됩니다. 돌의 부피를 구하시오. (단, 칸막이의 두께는 생각하지 않습니다.)

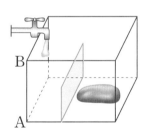
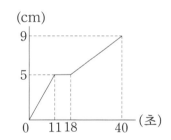

15 [그림 1]과 같은 물통에 위에서부터 3 cm 떨어진 곳까지 물이 들어 있습니다. 물음에 답하시오.

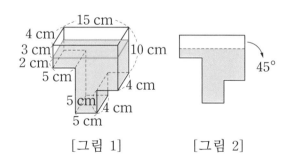

[그림 1]　　[그림 2]

(1) 물통에 들어 있는 물의 양은 몇 mL입니까?

(2) 물통을 [그림 2]와 같이 천천히 오른쪽으로 45° 기울였습니다. 쏟아진 물의 양은 몇 mL입니까?

16 오른쪽 그림과 같이 직육면체 모양의 수조 속에 꼭끼는 원기둥 모양의 물체를 넣었습니다. 빈 곳에 물을 가득 채운 후 가운데의 원기둥을 들어내면 물의 높이는 몇 cm가 되겠습니까? (원주율 : 3.14)

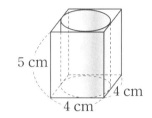

17 오른쪽 그림은 시냇물의 단면도입니다. 물이 한 시간에 1.8 km씩 일정하게 흐를 때, 1분 동안에 흐르는 물의 양은 몇 L 입니까?

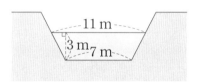

18 가로, 세로, 높이가 각각 18 cm, 18 cm, 20 cm인 직육면체 모양의 수조에 14 cm의 깊이까지 물을 넣었습니다. 밑면은 한 변이 6 cm인 정사각형이고 높이가 19.5 cm인 직육면체 모양의 쇠막대 2개를 각각 밑면에 닿도록 세울 때, 수면은 몇 cm 올라가겠습니까?

1 오른쪽과 같은 직육면체 모양의 그릇 A, B가 있습니다. A에는 2.4 L의 물이 담겨져 있습니다. B에 $\frac{2}{5}$만큼 물을 담아 모두 A에 부었더니 수면이 2.5 cm 올라가서 A의 물의 높이는 전체의 $\frac{5}{8}$가 되었습니다. 물음에 답하시오.

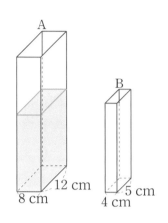

(1) A 그릇의 높이는 몇 cm입니까?

(2) B 그릇에 물을 가득 담아 두 번을 A 그릇으로 옮겨 부으면 수면은 몇 cm 올라가겠습니까?

2 오른쪽 그림과 같이 물이 들어 있는 직육면체의 수조에 사각기둥에서 일부분이 떨어져 나간 모양의 쇠막대를 넣어 보았습니다. [그림 1]과 같이 넣으면 물의 양이 적어 쇠막대가 완전히 잠기지 않았고, [그림 2]와 같이 넣었더니 완전히 잠겼고, 수면의 높이는 12.1 cm가 되었습니다. 물음에 답하시오.

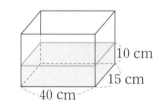

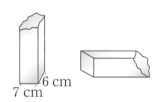

[그림 1]　　[그림 2]

(1) 수조에 들어 있는 물의 양은 몇 L입니까?

(2) [그림 1]과 같이 넣었을 때 수면은 몇 cm 올라가는지 반올림하여 소수 둘째 자리까지 나타내시오.

(3) 쇠막대의 부피는 몇 cm³입니까?

3 오른쪽 그림과 같이 원기둥 모양의 그릇 A, B, C가 있습니다. A와 B에 각각 같은 양의 물을 부었더니 수면의 높이는 A는 45 cm, B는 30 cm가 되었습니다. A와 B에 들어 있는 물의 일부를 C에 부었더니 A, B, C의 수면의 높이가 같아졌습니다. C의 수면의 높이는 몇 cm가 되었습니까? (단, C 그릇의 밑넓이는 A 그릇의 밑넓이의 2배입니다.)

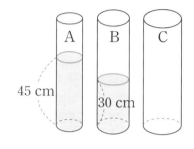

4 그림과 같이 칸막이가 있는 그릇이 있습니다. 그래프는 수도 ㉮로 매초 일정한 양의 물을 그릇 안에 넣을 때, 넣은 시간과 수면의 높이와의 관계를 나타낸 것입니다. 물음에 답하시오. (단, 칸막이의 두께는 생각하지 않습니다.)

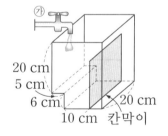 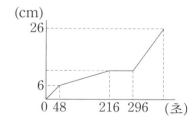

(1) 칸막이의 높이를 구하시오.

(2) 물이 가득 차는 데 걸린 시간을 구하시오.

5 [그림 1]과 같은 각기둥과 [그림 2]와 같이 15 cm의 높이까지 물이 들어 있는 직육면체 모양의 물통이 있습니다. 이 각기둥을 [그림 3]과 같이 물통에 5 cm만큼 잠기도록 넣었더니 물의 높이는 17 cm가 되었습니다. 만약 각기둥을 [그림 4]와 같이 물 속에 완전히 잠기게 넣는다면 그때의 수면의 높이는 몇 cm가 되겠습니까?

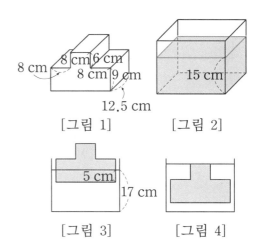

[그림 1]   [그림 2]

[그림 3]   [그림 4]

6 [그림 1]과 같은 직육면체 모양의 물통이 있습니다. 이 물통의 밑면에 높이 8 cm와 10 cm인 2개의 칸막이를 수직이 되도록 세웠습니다. 수도를 이용하여 매초 20 mL의 물을 넣었더니 264초 후에 가득 차게 되었습니다. [그림 2]는 물을 넣은 시간과 수도 아래쪽의 물의 높이와의 관계를 나타낸 것입니다. 물음에 답하시오. (단, 칸막이의 두께는 생각하지 않습니다.)

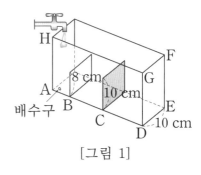

[그림 1]

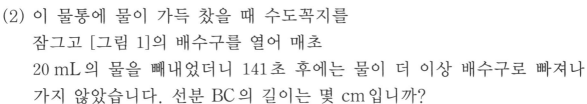

[그림 2]

(1) 선분 CD와 AH의 길이는 각각 몇 cm입니까?

(2) 이 물통에 물이 가득 찼을 때 수도꼭지를 잠그고 [그림 1]의 배수구를 열어 매초 20 mL의 물을 빼내었더니 141초 후에는 물이 더 이상 배수구로 빠져나가지 않았습니다. 선분 BC의 길이는 몇 cm입니까?

7 직육면체에서 반원기둥을 뺀 모양의 물통이 있습니다. 이 물통에 [그림 1]과 같이 물을 넣은 후 물이 새지 않도록 뚜껑을 덮고, 사각형 DHGC가 밑면이 되도록 [그림 2]와 같이 놓았습니다. 이때, 곡선 PQ의 길이는 곡선 EF의 길이의 $\frac{1}{2}$이 되었습니다. 물음에 답하시오. (원주율 : 3)

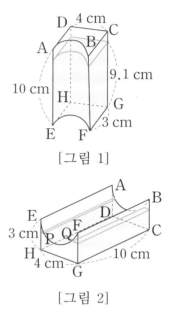

[그림 1]

(1) 물통에 들어 있는 물의 양은 몇 mL입니까?

(2) [그림 2]에서 수면의 높이는 몇 cm입니까?

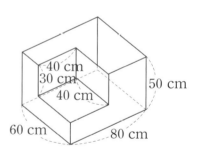

[그림 2]

8 오른쪽 그림과 같이 큰 직육면체에서 작은 직육면체를 뺀 모양의 물통이 있습니다. 이 물통에 A와 B 2개의 수도를 동시에 열어 4.8시간 만에 물을 가득 채울 예정이었습니다. 그런데 물을 넣기 시작하여 1.8시간 후에 B가 고장이 나서 A만으로 물을 넣었더니 예정 시간보다 2시간이 더 걸렸습니다. 물음에 답하시오.

(1) 물통의 들이는 몇 L입니까?

(2) A로 1시간에 몇 L의 물을 채울 수 있습니까?

(3) 물을 넣기 시작하여 4시간 후의 물의 깊이는 몇 cm입니까?

9 [그림 1]은 큰 직육면체 위에 작은 직육면체를 붙여
   놓은 입체도형이고, [그림 2]는 직육면체 모양의 수
   조입니다. [그림 1]의 입체도형을 [그림 2]의 수조에
   넣을 때, 수조의 물의 깊이가 8 cm이면 수면은
   6 cm 올라가고, 물의 깊이가 15 cm이면 수면은
   7.5 cm 올라가게 됩니다. [그림 1]의 두 직육면체의
   부피를 각각 구하시오.

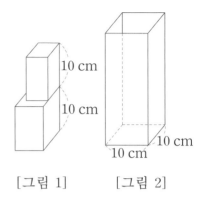

[그림 1]   [그림 2]

10 오른쪽과 같이 30 cm 높이까지는 원기둥 모양인 병이 있습
   니다. 이 병의 20 cm 높이까지 물을 넣은 후 뚜껑을 닫고 병
   을 거꾸로 세우면 수면은 뚜껑으로부터 32 cm 높이가 됩니
   다. 같은 방법으로 이 병에 몇 mL의 물을 넣고 거꾸로 세웠
   더니 물에 닿는 부분이 6 cm 겹쳤습니다. 이 병에 들어 있는
   물의 양은 몇 mL입니까? (원주율 : 3.14)

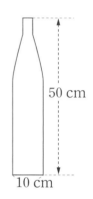

11 [그림 1]과 같은 직육면체를 [그림 2]와 같
   이 물이 들어 있는 정육면체 모양의 수조에
   [그림 3], [그림 4]와 같이 두 가지 방법으
   로 넣었습니다. 물음에 답하시오.

   (1) 수조의 한 모서리의 길이는 몇 cm입니
       까?

   (2) 수조에 들어 있는 물의 양은 몇 mL입
       니까?

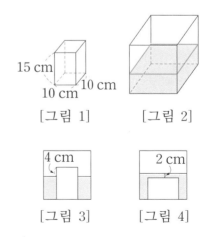

12 오른쪽 그림과 같은 병이 있습니다. 이 병의 들이는 2041 mL이며 점선 부분의 아래쪽은 원기둥 모양입니다. 이 병에 물을 [그림 1]의 ㉠까지 넣은 후 뚜껑을 막고 거꾸로 세우면 [그림 2]의 ㉡까지 물이 찹니다. 이 병에 들어 있는 물의 양은 몇 mL입니까?

(원주율 : 3.14)

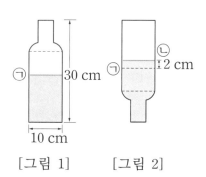

[그림 1]   [그림 2]

13 오른쪽 그림과 같이 원기둥 모양의 그릇 A, B, C가 있습니다. 밑넓이의 비는 A : C＝5 : 2, B : C＝3 : 2입니다. A와 B에는 얼마만큼의 물이 들어 있고, C는 비어 있습니다. 이 세 그릇에 같은 양의 물을 넣었더니 세 그릇의 물의 높이가 같아졌습니다. 물음에 답하시오.

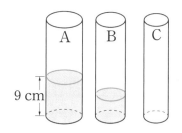

(1) 물을 넣은 후 물의 높이는 몇 cm로 같아졌습니까?

(2) B 그릇의 처음 물의 높이는 몇 cm입니까?

14 오른쪽과 같이 물통의 위에서 4 cm 떨어진 곳까지 물이 들어 있습니다. 이 물통을 모서리 ㄱㄴ을 기준으로 화살표 방향으로 45° 기울였습니다. 쏟아진 물의 양은 몇 mL입니까?

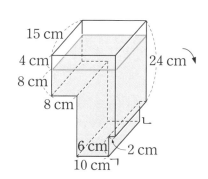

IV 규칙성과 대응

APPLICATION

용 용 왕 수 학

1 두 수의 비

남학생	여학생
🧑🧑🧑🧑🧑🧑🧑	👧👧👧👧👧

(1) 남학생 수와 여학생 수를 비교하기 위하여 기호 :를 사용합니다.

(2) 남학생 수 7명과 여학생 수 5명을 비교하는 것을 7 : 5로 나타냅니다.

(3) 7 : 5는 7 대 5라 읽고, 7과 5의 비, 5에 대한 7의 비, 7의 5에 대한 비라고 합니다.

2 비율

(1) 남학생 7명을 기준으로 여학생 5명을 비교할 때 7명을 기준량, 5명을 비교하는 양이라고 합니다.

(2) 기준량에 대한 비교하는 양의 크기를 비율이라고 합니다.

$$(비율) = \frac{(비교하는 양)}{(기준량)}$$

3 비율이 사용되는 경우

(1) 걸린 시간에 대한 간 거리의 비율 ➡ (간 거리)÷(걸린 시간)

비율이 클수록 더 빠릅니다.

(2) 넓이에 대한 인구의 비율 ➡ (인구 수)÷(땅의 넓이)

비율이 클수록 인구가 더 밀집해 있습니다.

4 백분율

(1) 기준량을 100으로 할 때의 비율을 백분율이라 하고, 기호 %를 사용하여 나타냅니다.

(2) 70 %를 70 퍼센트라고 읽습니다.

(3) 비율을 백분율로 나타내기

• 비율 $\frac{3}{4}$을 백분율로 나타내면 $\frac{3}{4} \times 100 = 75(\%)$입니다.

$$백분율(\%) = 비율 \times 100$$

물음에 답하시오.

(1) 300쪽짜리 책의 $\frac{3}{5}$을 읽었습니다. 몇 쪽을 읽었습니까?

(2) 6학년 학생 중 안경을 끼고 있는 학생은 24명입니다. 이것은 6학년 전체 학생 수의 $\frac{1}{4}$입니다. 6학년 학생은 모두 몇 명입니까?

풀이

비율은 무엇을 기준량으로 할 것인지 먼저 정합니다.

(비교하는 양)＝(기준량)×(비율)

(기준량)＝(비교하는 양)÷(비율)

(1) $300 \times \frac{3}{5} =$ ☐ (쪽)

(2) $24 \div \frac{1}{4} =$ ☐ (명)

답 (1) ☐ 쪽   (2) ☐ 명

EXERCISE 1

1 물음에 답하시오.

(1) 쌀 200 g 중에는 12 g의 단백질이 포함되어 있습니다. 쌀에서 단백질이 차지하는 부분의 비율을 기약분수로 나타내시오.

(2) 동민이네 학교 6학년 학생 40명 중에 35명이 소풍에 참가했습니다. 6학년 학생 중 소풍에 참가하지 않은 학생 수의 비율을 소수로 나타내시오.

2 6학년 전체 학생 수는 150명입니다. 이 중에서 0.6이 남학생이라고 합니다. 6학년 여학생은 몇 명입니까?

물음에 답하시오.

(1) 6학년 학생 수는 60명이고, 오늘 결석한 학생 수는 3명입니다. 결석한 학생은 전체의 몇 %입니까?

(2) 30000원 중에서 A는 25 %를 갖고, B는 나머지를 가졌습니다. A와 B는 각각 얼마씩 나누어 가졌습니까?

풀이

(1) $(백분율) = \dfrac{(비교하는 양)}{(기준량)} \times 100$ ➡ $\dfrac{3}{\boxed{}} \times 100 = \boxed{}\,(\%)$

(2)

A : $30000 \times 0.25 = \boxed{}$ (원), B : $30000 \times (1-0.25) = \boxed{}$ (원)

답 (1) $\boxed{}$ %   (2) A : $\boxed{}$ 원, B : $\boxed{}$ 원

EXERCISE 2

1 달걀 600개를 옮기던 중 18개가 깨졌습니다. 깨진 달걀은 전체의 몇 %입니까?

2 영수네 학교 6학년에는 남학생이 22명, 여학생이 28명 있습니다. 남학생은 전체의 몇 %입니까?

3 전체 학생 640명 중에서 75 %의 학생은 충치가 있습니다. 충치가 있는 학생 중에서 5 %의 학생은 안경을 썼습니다. 충치가 있고 안경을 쓴 학생은 몇 명입니까?

왕 문제

1 1000원짜리와 5000원짜리 지폐가 모두 260장 있습니다. 1000원짜리와 5000원짜리 지폐의 금액의 비가 2 : 3이라면 1000원짜리와 5000원짜리 지폐는 각각 몇 장 있습니까?

2 물이 얼면 부피는 $\frac{9}{100}$ 증가하고 얼음이 녹는 동시에 물의 부피는 되돌아옵니다. 얼음이 녹아서 물이 될 때, 부피는 몇 % 줄어듭니까? (단, 반올림하여 소수 첫째 자리까지 구하시오.)

3 웅이네 학교 6학년 학생 중 남학생의 $\frac{4}{7}$와 여학생의 $\frac{2}{3}$는 축구를 좋아합니다. 남학생과 여학생의 비가 14 : 13일 때, 전체 학생 수에 대한 축구를 좋아하는 학생 수의 비율을 분수로 나타내시오.

4 삼각형의 밑변의 길이를 20 % 줄였을 때, 삼각형의 넓이가 변하지 않으려면 높이는 몇 % 늘려야 합니까?

5 석기의 몸무게는 웅이의 몸무게보다 $\frac{1}{5}$이 가볍고, 지혜의 몸무게는 석기의 몸무게의 $\frac{3}{5}$입니다. 지혜의 몸무게는 웅이의 몸무게의 몇 %입니까?

6 어떤 중학교의 입학 시험에서 처음 경쟁률은 2.4 : 1이었으나, 학교의 사정으로 합격자 수를 몇 % 늘려서 실제의 경쟁률은 1.92 : 1이 되었습니다. 합격자 수를 몇 % 늘렸습니까?

7 형은 얼마의 돈을 가지고 있고 동생은 5000원을 가지고 있습니다. 형이 가진 돈의 40 %를 동생에게 주었더니 형과 동생이 가진 돈이 같아졌습니다. 형은 동생에게 얼마를 주었습니까?

8 병 안에 약이 들어 있습니다. 병에 약이 든 채로 무게를 재었더니 200 g이었고, 약의 40 %를 사용하고 다시 무게를 재었더니 140 g이었습니다. 병만의 무게는 몇 g입니까?

9 몇 개의 구슬을 효근이와 가영이가 나누어 가졌습니다. 효근이는 전체 개수 의 1.5배보다 21개 더 적게 가졌으나 가영이보다는 6개 더 많이 가졌습니다. 효근이와 가영이가 나누어 가진 구슬은 모두 몇 개입니까?

10 수학 시험에서 90점을 받은 학생은 전체 응시자의 12.5 % 인 8명입니다. 이 8명의 점수의 합은 전체 응시자의 점수의 합의 18 % 입니다. 수학 시험에서 전체의 평균 점수는 몇 점입니까?

11 둘레의 길이가 같은 A, B 2개의 직사각형이 있습니다. 직사각형 A의 가로 와 세로의 길이의 비는 2 : 1이고, 직사각형 B의 가로와 세로의 길이의 비 는 7 : 5입니다. 직사각형 A의 넓이가 160 cm^2 일 때, 직사각형 B의 넓이 는 얼마입니까?

12 귤 320개를 A, B, C, D 네 사람에게 나누어 주었습니다. A가 받은 개수에 4를 더한 개수, B가 받은 개수에서 4를 뺀 개수, C가 받은 개수에 3을 곱한 개수, D가 받은 개수를 3으로 나눈 개수가 같았습니다. 물음에 답하시오.

(1) D는 몇 개를 받았습니까?

(2) A가 받은 개수는 전체의 몇 %입니까?

13 A 상자에는 5장의 카드 87, 83, 70, 67, 53이 들어 있고, B 상자에는 5장의 카드 62, 58, 50, 43, 27이 들어 있습니다. A 상자의 카드 1장과 B 상자의 카드 1장을 바꾸어 넣으면, A 상자의 카드에 적힌 수의 합과 B 상자의 카드에 적힌 수의 합의 비가 7 : 5가 된다고 합니다. 바꾸어 넣은 카드는 각각 무엇입니까?

14 A 나라는 전체의 78 %가 산지이고, B 나라는 전체의 36 %가 산지입니다. A 나라 산지의 넓이는 B 나라 산지의 넓이의 2배입니다. A 나라와 B 나라의 넓이의 비를 가장 간단한 자연수의 비로 나타내시오.

15 갑과 을이 가지고 있는 연필 수의 비는 11 : 13입니다. 갑이 두 사람이 가지고 있는 연필 수의 25 %를 을에게 주면, 갑이 가진 연필은 10자루가 됩니다. 을이 처음에 가지고 있던 연필 수를 구하시오.

16 석기, 가영, 상연이는 밤을 주웠습니다. 세 명이 주운 밤은 120개였고, 가영이는 자신이 주운 밤의 $\frac{1}{4}$을 먹었고, 석기는 상연이에게 16개의 밤을 주었더니, 3명이 가진 밤의 개수는 같아졌습니다. 석기가 주운 밤은 몇 개입니까?

17 어느 초등학교의 학생 수를 조사하였습니다. 작년의 남학생과 여학생의 수의 비는 3 : 1이었지만, 금년은 작년보다 남학생이 12 % 감소하고, 여학생이 20 % 증가하였습니다. 금년의 남학생 수는 전체의 몇 %입니까?

18 두 개의 끈 A와 B의 길이의 차는 39 cm입니다. 두 개의 끈에서 같은 길이씩 잘라냈더니, 그 잘라낸 길이는 A의 $\frac{4}{11}$, B의 $\frac{3}{5}$이었습니다. 잘라내기 전 끈 A와 B의 길이를 각각 구하시오.

19 통에 검은색 페인트 5 L가 있습니다. 통에서 검은색 페인트 1 L를 덜어 내고 흰색 페인트 1 L를 넣고 잘 섞은 후 통에서 페인트 1 L를 덜어 내고 흰색 페인트 1 L를 넣었습니다. 마지막으로 통에서 페인트 1 L를 덜어 내고 흰색 페인트 1 L를 넣었을 때, 통에 있는 검은색 페인트의 양과 흰색 페인트의 양의 비를 가장 간단한 자연수의 비로 나타내시오.

20 A의 키는 B의 키의 $\frac{9}{10}$이고, C의 키는 A의 키의 $1\frac{3}{7}$입니다. D의 키는 C의 키의 $\frac{7}{8}$일 때, 물음에 답하시오.

(1) C의 키는 B의 키의 몇 배입니까?

(2) A의 키가 144 cm일 때, B와 D의 키를 각각 구하시오.

1 어느 해 초등학교의 남학생과 여학생의 수의 비는 8 : 7이었습니다. 3년 후 전교생 수는 8 % 늘어 남학생과 여학생의 수의 비는 85 : 77이 되었습니다. 3년 동안 남학생과 여학생은 각각 몇 % 늘었습니까?

2 지구 북반구의 육지와 바다의 넓이의 비는 2 : 5이고, 남반구의 육지와 바다의 넓이의 비는 3 : 25입니다. 지구 전체에서 육지와 바다의 넓이의 비를 가장 간단한 자연수의 비로 나타내시오.

3 웅이네 초등학교 학생은 250명입니다. 이 중에서 1월에 태어난 학생을 조사하였더니 모두 24명이었습니다. 이 중 여학생은 전체 여학생의 12 %, 남학생은 전체 남학생의 8 %일 때, 여학생은 모두 몇 명입니까?

4 갑과 을이 22 : 13의 비로 돈을 내어 산 물건을 2 : 1의 비로 나누어 가졌기 때문에 갑이 을에게 200원을 주면 두 사람은 손실이나 이익이 없습니다. 갑이 처음에 낸 돈은 얼마입니까?

5 A와 B 과자의 무게의 비는 5 : 2입니다. A를 500 g, B를 300 g 먹었더니 남은 과자의 무게의 비가 3 : 1이 되었습니다. A와 B 과자는 처음에 몇 g씩 있었습니까?

6 5년 전 석기의 키는 효근이보다 4 cm가 작았으나, 현재는 5년 전보다 석기는 15 %, 효근이는 10 % 더 커서 석기가 효근이보다 2 cm 더 크게 되었습니다. 현재 석기의 키는 몇 cm입니까?

7 직육면체 모양의 통 A와 B의 들이의 합은 26 L입니다. 물이 통 A에는 반만 큼, 통 B에는 가득 들어 있습니다. 이 두 통에서 같은 양의 물을 퍼내면, 통 A 에는 통의 $\frac{1}{6}$만큼, 통 B에는 통의 $\frac{1}{4}$만큼의 물이 남습니다. 물음에 답하시오.

(1) 통 A와 B의 들이를 가장 간단한 자연수의 비로 나타내시오.

(2) 통 A에서 퍼낸 물의 양은 몇 L입니까?

8 (A에서 10 %를 빼서 2배 한 수) : (B의 3배를 10으로 나눈 수)=7 : 3일 때, A : B를 가장 간단한 자연수의 비로 나타내시오.

9 종이 테이프 1 cm²의 무게는 0.0006 g입니다. 폭 115 mm인 종이 테이프의 무게가 50 g일 때, 이 종이 테이프의 길이는 몇 m입니까? (단, 소수 첫째 자 리에서 반올림하시오.)

10 길이가 같은 3개의 막대로 A, B, C 세 곳의 연못의 깊이를 재었습니다. C에서는 막대의 80 %가, A에서는 막대의 60 %가 물 속에 잠겼고, A와 C에서 수면 위로 나온 막대의 길이의 차는 80 cm였습니다. B에서의 연못의 깊이는 몇 cm입니까?

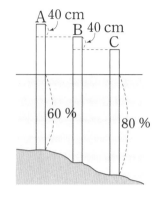

11 기차 요금과 버스 요금을 합하면 4800원입니다. 며칠 후 기차 요금이 10 %, 버스 요금이 15 % 올라서 두 요금의 합이 5340원이 되었습니다. 인상되기 전의 기차 요금과 버스 요금은 각각 얼마였습니까?

12 금속 A와 B로 만든 합금 가와 나가 있습니다. 가는 A와 B를 2 : 3의 비로 섞어 만들었고, 나는 A와 B를 5 : 3의 비로 섞어 만들었습니다. 가와 나를 15 : 16의 비로 섞어 만든 합금에 A와 B가 섞여 있는 비를 가장 간단한 자연수의 비로 나타내시오.

13 가마을과 나마을 사이를 지혜는 9시간 만에, 효근이는 5시간 만에 자전거를 타고 갑니다. 지혜는 가마을에서, 효근이는 나마을에서 서로를 향하여 동시에 출발했을 때, 두 사람은 중간에서 4 km 떨어진 지점에서 만났습니다. 가마을과 나마을 사이의 거리는 몇 km입니까?

14 어떤 동네를 지도에서 조사해 보니 주택지, 도로, 공원, 강의 4종류가 있고, 전체는 A 지역과 B 지역으로 나누어져 있었습니다. 다음을 읽고, 물음에 답하시오.

> • B 지역의 넓이는 전체의 $\frac{5}{12}$이고, A 지역의 주택지의 넓이는 B 지역의 넓이의 $\frac{7}{10}$입니다.
>
> • 공원의 넓이는 전체의 $\frac{7}{30}$로, 그 중 $\frac{4}{7}$가 A 지역에 있습니다.
>
> • A 지역의 도로는 B 지역의 공원과 넓이가 같고, A 지역과 B 지역의 도로의 넓이의 비는 3 : 2입니다.
>
> • A 지역의 도로의 넓이는 B 지역의 강의 넓이의 3배입니다.

(1) B 지역의 공원은 전체의 몇 분의 몇입니까?

(2) A 지역과 B 지역의 주택지의 넓이의 비를 가장 간단한 자연수의 비로 나타내시오.

15 5년 전에 32 km²의 목장 안에 있는 사슴의 수는 1600마리였습니다. 올해 조사에서 한 변의 길이가 2 km인 정사각형 모양의 지역 내에 사슴이 144마리가 확인되었습니다. 다른 지역도 같은 비율인 것으로 생각하여 전체 사슴의 수를 예상하면 5년 전에 비해 몇 %의 사슴이 줄어들었다고 생각할 수 있습니까?

16 어떤 상점에서 진열된 상품의 $\frac{1}{6}$은 원가의 40 %의 이익을 붙여 팔고, 나머지의 $\frac{3}{5}$은 30 %의 이익을 붙여 팔고, 그 나머지는 15 %의 이익을 붙여 팔았기 때문에 모두 32000원의 이익이 생겼습니다. 진열된 상품 전체의 원가는 얼마입니까?

17 원가에 50 %의 이익을 붙여 정가를 매긴 상품을 그 양의 $\frac{2}{3}$는 정가대로 팔았으나, 나머지는 정가의 얼마를 할인하여 팔았기 때문에 전체로 볼 때 37.5 %의 이익이 생겼습니다. 나머지는 정가의 몇 %를 할인하여 팔았습니까?

핵심내용 — 비례식과 비례배분

1 비례식

(1) 3 : 4＝6 : 8과 같이 비율이 같은 두 비를 기호 ＝를 사용하여 나타낸 식을 비례식이라고 합니다.

(2) 비 3 : 4에서 3과 4를 비의 항이라 하고, 앞에 있는 3을 전항, 뒤에 있는 4를 후항이라 합니다.

(3) 비례식 3 : 4＝6 : 8에서 바깥쪽에 있는 두 항 3과 8을 외항이라 하고, 안쪽에 있는 두 항 4와 6을 내항이라 합니다.

2 비례식의 성질을 이용하여 비례식 풀기

(1) 비례식의 성질
비례식에서 외항의 곱과 내항의 곱은 같습니다.

$$3 : 8 = 6 : 16 \rightarrow$$ 외항의 곱 : $3 \times 16 = 48$
내항의 곱 : $8 \times 6 = 48$

(2) 비례식 풀기
  - 비의 전항과 후항에 0이 아닌 같은 수를 곱하거나 나누어도 비율이 같다는 성질을 이용합니다.
  - 비례식의 외항의 곱과 내항의 곱은 같다는 성질을 이용합니다.

$$5 : 4 = 10 : \square \rightarrow 4 \times 2 = 8$$
$$\square = 8$$

$$5 : 4 = 10 : \square \rightarrow 5 \times \square = 4 \times 10$$
$$\square = 40 \div 5$$
$$\square = 8$$

3 연비

(1) 셋 이상의 양의 비를 한꺼번에 나타낸 것을 연비라고 합니다.

(2) 영수는 15살, 한솔이는 12살, 가영이는 10살일 때, 세 사람의 나이를 연비로 나타내면 15 : 12 : 10입니다.

4 비례배분

(1) 전체를 주어진 비로 나누는 것을 비례배분이라고 합니다.

(2) 1500원을 형과 동생에게 3 : 2로 비례배분하면 형은 $1500 \times \dfrac{3}{(3+2)} = 900$(원)을 갖게 됩니다.

(3) 9000원을 형, 나, 동생에게 4 : 3 : 2로 비례배분하면 나는 $9000 \times \dfrac{3}{(4+3+2)} = 3000$(원)을 갖게 됩니다.

삼촌의 9년 전의 나이는 7년 후의 나이의 $\frac{3}{5}$입니다. 현재, 삼촌의 나이는 얼마입니까?

풀이

〈풀이 1〉

현재 삼촌의 나이를 ■살이라 하면 (■−9) : (■+7)=3 : 5입니다.

(■−9)×5=(■+7)×3, ■×5−$\boxed{}$=■×3+$\boxed{}$, ■×2=$\boxed{}$,

■=$\boxed{}$÷2=$\boxed{}$(살)

〈풀이 2〉

선분을 그려 비교하면

⑤−③=②에 해당하는 나이가 $\boxed{}$살임을 알 수 있습니다.

따라서 현재 삼촌의 나이는

($\boxed{}$÷2)×3+9=$\boxed{}$(살)입니다.

답 $\boxed{}$ 살

EXERCISE 1

1 두 지점 A와 B 사이를 걸어가는데 가영이는 4시간, 예슬이는 6시간 걸렸습니다. 가영이와 예슬이의 걷는 빠르기를 가장 간단한 자연수의 비로 나타내시오.

2 어떤 책의 값은 A가 가지고 있는 돈의 $\frac{3}{4}$이고, B가 가지고 있는 돈의 $\frac{5}{8}$입니다. 두 사람이 가지고 있는 돈의 차가 4000원일 때, 책값은 얼마입니까?

3 직사각형 모양의 땅의 가로와 세로의 길이의 비는 4 : 3이고, 넓이는 108 m^2입니다. 이 땅의 둘레의 길이는 몇 m입니까?

길이가 11.5 m인 막대를 A, B, C 3개의 막대로 나누었습니다. A와 B 막대를 호수에 수직으로 세우면 A의 $\frac{2}{5}$, B의 $\frac{4}{15}$가 물에 잠깁니다. 호수의 다른 곳에서 A와 C 막대를 수직으로 세우면 A의 $\frac{1}{2}$, C의 $\frac{3}{8}$이 물에 잠깁니다. A 막대의 길이는 얼마입니까?

풀이

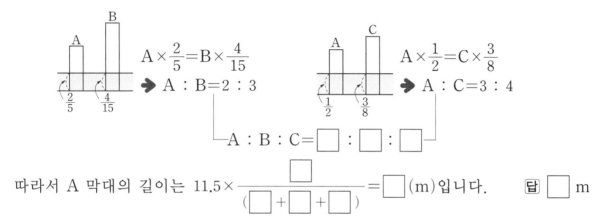

$$A \times \frac{2}{5} = B \times \frac{4}{15} \quad \Rightarrow \quad A : B = 2 : 3$$

$$A \times \frac{1}{2} = C \times \frac{3}{8} \quad \Rightarrow \quad A : C = 3 : 4$$

$$A : B : C = \boxed{} : \boxed{} : \boxed{}$$

따라서 A 막대의 길이는 $11.5 \times \dfrac{\boxed{}}{(\boxed{} + \boxed{} + \boxed{})} = \boxed{}$ (m)입니다.   **답** $\boxed{}$ m

---

EXERCISE 2

1 ㉮, ㉯, ㉰ 세 사람은 각각 20만 원, 30만 원, 50만 원씩을 내어 과일을 샀습니다. 과일을 모두 팔아 125만 원을 만들었다면 ㉮는 얼마를 가져야 공평하게 나누어 갖게 됩니까?

2 오른쪽 그림에서 삼각형 DBE의 넓이는 사다리꼴 ABCD의 넓이의 몇 %입니까?

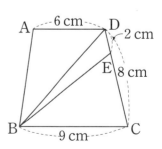

1 오른쪽 그림과 같이 2개의 막대 A와 B를 겹쳐 끈으로 묶어 전체의 길이를 117 cm로 하였습니다. 겹쳐진 부분의 길이는 A의 $\frac{2}{5}$이고, B의 $\frac{1}{3}$일 때, 막대 A와 B의 길이는 각각 몇 cm입니까?

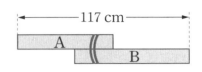

2 오른쪽 그림에서 가장 큰 직사각형과 안쪽의 크기가 같은 작은 직사각형 A와 B의 가로와 세로의 길이의 비는 모두 3 : 2입니다. 물음에 답하시오.

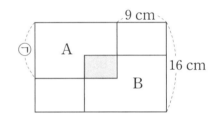

(1) ㉠의 길이를 구하시오.

(2) 색칠한 부분의 넓이를 구하시오.

3 A와 B의 비가 3 : 2이고, B의 $\frac{3}{8}$과 C의 $\frac{4}{5}$가 같을 때, A : B : C를 가장 간단한 자연수의 연비로 나타내시오.

4 3개의 수 A, B, C가 있습니다. A : B＝3 : 4, B : C＝1 : 2, C－A＝30이라면, A, B, C 세 수의 합은 얼마입니까?

5 2개의 원 A와 B가 오른쪽 그림과 같이 겹쳐져 있습니다. 원 A와 B의 넓이의 비는 2 : 1입니다. 겹쳐진 부분 ㉰의 넓이는 30 cm² 이고, 원 A와 B에서 겹쳐진 부분 ㉰를 뺀 부분인 ㉮와 ㉯의 넓이의 비는 5 : 1입니다. 원 A와 B의 넓이를 각각 구하시오.

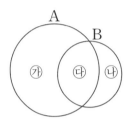

6 A, B, C 세 사람이 가지고 있는 연필은 모두 96자루입니다. A와 B가 가지고 있는 연필 수의 비는 3 : 5이고, C는 A의 2배보다 12자루가 더 많습니다. A, B, C 세 사람이 가지고 있는 연필 수의 비를 가장 간단한 자연수의 연비로 나타내시오.

7 오른쪽 그림에서 선분 BD와 선분 DA의 길이의
비는 3 : 1이고, 선분 BF와 선분 FC의 길이의
비는 4 : 1입니다. 점 E는 선분 DF의 중점일
때, 색칠한 부분의 넓이는 삼각형 ABC의 넓이
의 몇 분의 몇입니까?

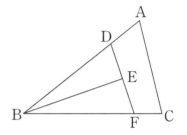

8 두 지점 A와 B 사이를 한초는 5시간 만에, 석기는 3시간 만에 걷습니다. 한
초는 A에서, 석기는 B에서 서로를 향하여 동시에 출발했을 때, 중간에서
2 km 떨어진 지점 P에서 만났습니다. A와 B 사이의 거리는 몇 km입니까?

9 오른쪽 평행사변형 ABCD에서 ㉮의 넓이와 ㉯
의 넓이의 비는 5 : 8입니다. 선분 AE의 길이
는 선분 AD의 길이의 몇 분의 몇입니까?

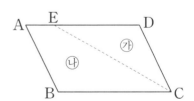

10 10원, 50원, 100원, 500원짜리 동전의 개수가 25 : 12 : 9 : 16의 비로 있습니다. 모든 동전의 금액의 합이 87750원일 때, 100원짜리 동전은 몇 개 있습니까?

11 넓이가 $12 \, \text{cm}^2$인 삼각형 ABC의 변 AC를 3배로 늘인 점을 점 D, 변 AB, 변 BC를 2배로 늘인 점을 각각 점 E, F로 할 때, 삼각형 DEF의 넓이는 얼마입니까?

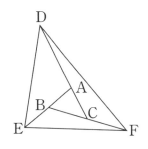

12 어떤 중학교 입학 시험에서 수험생의 수는 합격자의 수의 5배였습니다. 합격자의 평균 점수가 수험생 전체의 평균 점수보다 24점 더 높았고, 불합격자의 평균 점수는 42점이었습니다. 합격자의 평균 점수는 몇 점이었습니까?

13 오른쪽 그림에서 점 C는 선분 AB를 3 : 2로 나누는 점이고, 점 D는 선분 AC를 5 : 7로 나누는 점이며, 점 E는 선분 DB를 3 : 2로 나누는 점입니다. 다음의 비를 가장 간단한 자연수의 비로 나타내시오.

(1) (선분 AD) : (선분 DB)

(2) (선분 AD) : (선분 DC) : (선분 CE) : (선분 EB)

14 밑면의 가로와 세로의 길이의 비는 5 : 6이고, 밑면의 세로와 높이이 비는 3 : 4입니다. 밑면의 가로가 15 cm일 때 직육면체의 부피는 몇 cm³입니까?

15 오른쪽 그림처럼 삼각형 ABC에 선분 BG, 선분 GD, 선분 DF, 선분 FE를 그어 ㉮~㉲의 넓이가 같은 5개의 삼각형을 만들었습니다. 선분 BD와 선분 GF의 길이가 같을 때, 다음의 비를 가장 간단한 자연수의 비로 나타내시오.

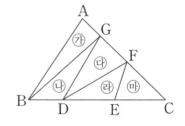

(1) (선분 BD) : (선분 EC)

(2) (선분 AG) : (선분 GF)

(3) (선분 AC) : (선분 BC)

16 A, B, C, D 4명이 가지고 있는 돈은 A가 C의 2배이고, D는 A와 C의 합과 같으며, B는 A의 60 %입니다. 4명이 가지고 있는 돈의 비를 가장 간단한 자연수의 연비로 나타내시오.

17 사과와 배를 합하여 40개를 사고 52500원을 지불했습니다. 사과와 배의 개수의 비는 5 : 3이고 사과와 배 한 개의 가격의 비는 4 : 5입니다. 사과 한 개와 배 한 개의 가격의 차는 얼마입니까?

18 유승이네 학교의 남학생과 여학생 수의 비는 15 : 14였는데, 여학생 몇 명이 전학을 와서 남학생과 여학생 수의 비가 10 : 11이 되었고 학생 수는 378명이 되었습니다. 전학을 온 여학생은 몇 명입니까?

1 A가 8걸음으로 걷는 거리를 B는 7걸음으로 걷습니다. A가 15걸음 걷는 동안 B는 13걸음 걷습니다. A와 B가 같은 위치에서 동시에 같은 방향으로 출발했을 때, A와 B의 거리의 차가 1 m가 되는 것은 출발하고 나서 A가 몇 m 걸었을 때입니까? 또, 앞서 가는 사람은 누구입니까?

2 3개의 분수 A, B, C가 있습니다. A, B, C의 순서로 분자의 비는 3 : 2 : 4이고, 분모의 비는 5 : 9 : 15입니다. A, B, C의 합이 $\frac{28}{45}$일 때, A, B, C 중에서 가장 작은 분수를 구하시오.

3 A와 B 두 반이 시험을 본 결과 A반의 평균 점수는 65점, B 반의 평균 점수는 70점, 두 반 전체의 평균 점수는 67.8점이었습니다. A반과 B반의 학생 수의 비를 가장 간단한 자연수의 비로 나타내시오.

4 A, B, C 3명에게 45000원을 나누어 주는데 우선 3명에게 같은 금액을 나누어 준 후, 남은 돈을 7 : 5 : 2로 나누어 주었더니 A가 받은 돈은 C보다 3000원 이 더 많았습니다. 각각 얼마의 돈을 받았습니까?

5 가와 나 두 과수원에서 생산한 사과 상자의 비는 5 : 4입니다. 가는 200상자, 나는 120상자를 팔았더니 남은 사과 상자의 비는 15 : 13이 되었습니다. 처음 에 가와 나 과수원에서 생산한 사과는 각각 몇 상자입니까?

6 한솔, 가영, 예슬이가 4 : 3 : 8의 비로 돈을 내어 산 물건을 25 : 18 : 22의 비 로 나누어 가졌기 때문에 한솔이가 예슬이에게 9200원을 주고, 가영이가 예 슬이에게 6000원을 주면 세 사람은 손실이나 이익이 없습니다. 예슬이가 처 음에 낸 돈은 얼마입니까?

7 금속 A와 B와 C로 만든 합금 가와 나가 있습니다. 가는 A와 B와 C를 2 : 3 : 5의 연비로 섞어 만들었고, 나는 A와 B와 C를 4 : 3 : 1의 연비로 섞어 만들었습니다. 가와 나를 25 : 16의 비로 섞어 만든 합금에 A와 B와 C가 섞여 있는 비를 가장 간단한 자연수의 연비로 나타내시오.

8 영수는 한초가 가진 돈의 60 %의 돈을 가지고 있습니다. 두 사람이 어떤 물건 한 개를 샀는데 물건값은 한초가 가지고 있는 돈의 $\frac{4}{7}$와 영수가 가지고 있는 돈의 $\frac{1}{4}$을 합한 금액입니다. 한초와 영수의 남은 돈의 합이 24600 원일 때, 물건값은 얼마입니까?

9 오른쪽 그림에서 점 ㄴ은 점 ㄱ에서 90 cm 떨어진 지점에 있습니다. 점 ㄹ이 점 ㄴ에서 출발하여 화살표 방향으로, 점 ㅁ이 점 ㄱ에서 출발하여 화살표 방향으로 움직이기 시작했을 때, 점 ㄹ과 점 ㅁ의 속도의 비는 1 : 2입니다. 삼각형 ㄱㄹㅁ이 이등변삼각형이 되었을 때, 사각형 ㄱㄷㅂㄹ의 넓이를 구하시오. (단, 삼각형 ㄴㄹㅂ과 ㅂㄷㅁ의 넓이는 같습니다.)

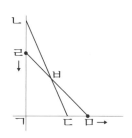

10 B는 A의 1.5배의 돈을 가지고 둘이서 물건 한 개를 사러 갔습니다. 물건값은 A가 가지고 있는 돈의 $\frac{1}{3}$과 B가 가지고 있는 돈의 $\frac{2}{5}$를 합한 금액입니다. 물건을 사고 난 후 A와 B의 남은 돈의 합이 1880원일 때, B는 처음에 얼마를 가지고 있었습니까?

11 흰색과 검은색이 2 : 3으로 섞인 ㉮ 물감 400 g과 흰색과 검은색이 4 : 1로 섞인 ㉯ 물감 500 g이 있습니다. 이 두 물감을 사용하여 흰색과 검은색이 3 : 2로 섞인 물감을 만들 때, 최대 몇 g이나 만들 수 있겠습니까?

12 오른쪽 도형의 삼각형 ABC에서 선분 AD : 선분 DB=2 : 3, 선분 AE : 선분 EC=4 : 1, 선분 BE와 선분 CD가 만나는 점이 F입니다. 삼각형 ABC의 넓이가 85 cm²일 때, 삼각형 CEF의 넓이는 몇 cm²입니까?

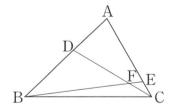

13 오른쪽 도형에서 선분 BF의 길이는 선분 FC의 길이의 $\frac{3}{2}$배이고, 삼각형 DEF의 넓이는 평행사변형 ABCD의 넓이의 $\frac{13}{30}$입니다. 물음에 답하시오.

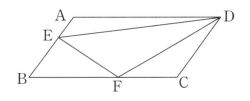

(1) 삼각형 ADE와 삼각형 BEF의 넓이의 합은 평행사변형의 넓이의 몇 분의 몇입니까?

(2) 삼각형 ADE의 넓이와 삼각형 BEF의 넓이의 비가 5 : 6일 때, 선분 AE와 선분 EB의 길이의 비를 구하시오.

14 오른쪽 도형에서 선분 AP와 선분 PB의 길이의 비는 2 : 1, 점 Q는 변 BC의 중점, 선분 PR과 선분 RC의 길이의 비는 2 : 3입니다. 삼각형 ABC의 넓이는 삼각형 PQR의 넓이의 몇 배입니까?

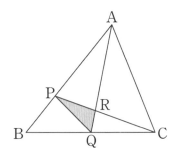

15 A, B, C, D 4종류의 과자가 있습니다. A, B, C 과자의 개수의 비는 4 : 2 : 7이고, D과자의 개수는 24개입니다. A, B, C, D의 과자에 각각 같은 개수씩의 과자를 늘렸더니 B, C, D 과자의 개수의 비가 3 : 5 : 7이 되었습니다. 물음에 답하시오.

(1) 한 종류당 늘어난 과자의 개수는 몇 개입니까?

(2) 처음에 A, B, C, D 과자의 개수는 모두 몇 개였습니까?

16 길이가 같은 가, 나 두 개의 양초가 각각 일정한 속도로 탈 때, 가는 6시간에, 나는 8시간에 다 탑니다. 두 양초에 동시에 불을 붙여 타기 시작해서 나 양초의 남은 길이가 가 양초의 남은 길이의 3배가 될 때는 타기 시작한 지 몇 시간 몇 분 후입니까?

17 A, B, C의 3명이 각각 보트를 타고 길이 15 km의 강을 거슬러 올라가는데, A는 2시간 30분, B는 3시간 20분이 걸렸습니다. A, B, C가 잔잔한 물에서 노를 젓는 속도의 비는 6 : 5 : 8입니다. C가 이 강을 거슬러 올라가는 데에 걸리는 시간을 구하시오.

18 오른쪽 도형에서 사다리꼴 ABCD 안에 점 P가 있고, 점 M은 변 BC의 중점입니다. 물음에 답하시오.

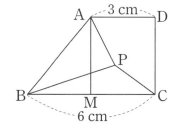

(1) 삼각형 ABM과 사다리꼴 ABCD의 넓이의 비를 구하시오.

(2) 삼각형 ABP, 삼각형 PBC의 넓이가 각각 사다리꼴 ABCD의 넓이의 $\frac{1}{3}$, $\frac{1}{4}$일 때, 선분 DP와 선분 PM의 길이의 비를 구하시오.

3 농도, 속력에 관한 문제

1 농도

소금물 중에 녹아 있는 소금의 비율을 소금물의 농도라고 합니다. 농도는 보통 백분율로 나타냅니다.

$$\text{소금물의 농도}(\%)=(\text{소금})\div(\text{소금}+\text{물})\times100$$

① (소금의 양)=(소금물의 양)×(농도)÷100

② (소금물의 양)=(소금의 양)÷(농도)×100

2 2개의 속력의 합이나 차를 이용한 문제

(1) A, B가 한 곳에서 반대 방향으로 움직일 때

   (두 사람의 간격)=(A 속력＋B 속력)×(시간)

(2) A, B가 서로 마주 보고 움직일 때

   (만나는 데 걸리는 시간)=(두 사람의 간격)÷(A 속력＋B 속력)

(3) A가 B를 따라잡을 때

   (따라잡는 데 걸리는 시간)=(두 사람의 간격)÷(A 속력－B 속력)

3 시계의 두 바늘의 속력 차와 각도(거리)의 관계를 생각하는 문제

1분간의 분침과 시침 두 바늘의 속력 차를 각도 5.5°로 나타냅니다.

(1) (두 바늘이 겹칠 때까지의 시간)=(두 바늘이 만드는 각도)÷5.5°

(2) (두 바늘이 일직선이 될 때까지의 시간)=(두 바늘이 만드는 각도±180°)÷5.5°

4 열차, 다리, 터널 등의 길이의 합을 이용한 문제

(1) 열차가 철교를 통과할 때

   (통과하는 데 걸리는 시간)=(철교의 길이 + 열차의 길이)÷(열차의 속력)

(2) A, B 열차가 서로 마주 보고 스쳐 지나갈 때

$$\left(\begin{array}{c}\text{스쳐 지나가는 데}\\ \text{걸리는 시간}\end{array}\right)=\left(\begin{array}{c}\text{A 열차의 길이}\\ +\text{B 열차의 길이}\end{array}\right)\div\left(\begin{array}{c}\text{A 열차의 속력}\\ +\text{B 열차의 속력}\end{array}\right)$$

5 배의 속력

(올라갈 때의 속력)=(배의 속력)－(물의 속력)

(내려올 때의 속력)=(배의 속력)＋(물의 속력)

Search 탐구

물음에 답하시오.

(1) 3 %의 소금물과 8 %의 소금물을 2 : 3의 비로 섞으면 몇 %의 소금물이 됩니까?

(2) 2.5 %의 소금물 80 g에 10 %의 소금물 몇 g을 섞으면 6 %의 소금물이 됩니까?

풀이

(1) $(2 \times 0.03 + 3 \times 0.08) \div (2+3) \times 100 = \boxed{}$ (%)

(2) 섞기 전후의 농도의 차의 비가 $a : b$이면 섞은 양의 비는 $b : a$가 됩니다.

$(6-2.5) : (10-6) = 7 : 8$, $80 : \blacksquare = 8 : 7$, $\blacksquare = \boxed{}$ (g)

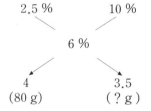

답 (1) $\boxed{}$ % (2) $\boxed{}$ g

EXERCISE 1

1 2개의 용기 A, B가 있습니다. A에는 12 %의 소금물이 200 g, B에는 8 %의 소금물이 300 g 들어 있습니다. 지금 A에서 B로 100 g을 옮기고, 다음에 B에서 A로 100 g을 옮겼습니다. 이때, 용기 A에는 몇 %의 소금물이 들어 있게 됩니까?

2 24 %의 소금물 100 g에 물 100 g을 넣어 잘 섞은 후 50 g을 버리고 다시 물 100 g을 넣었습니다. 몇 %의 소금물이 만들어졌습니까?

3. 농도, 속력에 관한 문제 **177**

달리고 있는 A 기차에서 어떤 사람이 창문을 통해 보니 길이가 165 m인 B 기차가 반대 방향으로 통과하는 데에 5초가 걸렸습니다. 또, 이 사람이 기차에 탄 채로 길이가 180 m인 철교를 건너는 데에 12초가 걸렸습니다. B 기차의 속력은 시속 몇 km입니까?

풀이

• 길이가 165 m인 B 기차가 통과하는 경우

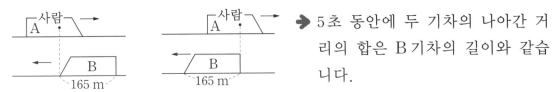

➡ 5초 동안에 두 기차의 나아간 거리의 합은 B 기차의 길이와 같습니다.

• A 기차가 길이가 180 m인 철교를 지나는 경우

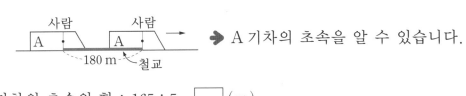

➡ A 기차의 초속을 알 수 있습니다.

두 기차의 초속의 합 : $165 \div 5 = \boxed{}$ (m)

A 기차의 초속 : $180 \div 12 = \boxed{}$ (m), B 기차의 초속 : $\boxed{} - \boxed{} = \boxed{}$ (m)

따라서 B 기차의 속력은 시속 $\boxed{} \times 60 \times 60 \div 1000 = \boxed{}$ (km)입니다.

$\boxed{\text{답}}$ $\boxed{}$ km

EXERCISE 2

1. 길이가 120 m인 열차가 일정한 속력으로 나아갑니다. 어떤 전신주 앞을 통과하는 데 8초가 걸렸다면, 길이가 240 m인 철교를 건너는 데는 몇 초가 걸리겠습니까? 또, 이 열차의 속력은 시속 몇 km입니까?

2. 열차가 길이 360 m인 철교를 건너는 데에 27초가 걸리고, 또, 같은 속력으로 600 m의 터널을 통과하는 데에 39초가 걸렸습니다. 이 열차의 길이는 몇 m입니까? 또, 이 열차의 속력은 시속 몇 km입니까?

4시와 5시 사이에 시계의 시침과 분침의 위치가 다음과 같을 때, 그 시각을 구하시오.

(1) 두 바늘이 겹칠 때

(2) 두 바늘이 반대 방향을 가리키고, 일직선이 될 때

(3) 두 바늘이 직각을 만들 때

풀이

분침이 돌아가는 속력 : 1시간에 360°, 1분에 360°÷60＝6°씩 돌아갑니다.

시침이 돌아가는 속력 : 1시간에 30°, 1분에 30°÷60＝0.5°씩 돌아갑니다.

(1) 분침이 시침보다 120° 많이 돌아가는 데 걸리는 시간을 구합니다.

$$120° \quad \div \quad 5.5° \quad = \quad \boxed{}\dfrac{\boxed{}}{11}(분)$$

$$\left(\begin{array}{c}\text{4시일 때 두 바늘이}\\\text{이루는 각도}\end{array}\right) \quad \left(\begin{array}{c}\text{두 바늘의 1분간의}\\\text{속력의 차}\end{array}\right) \quad \left(\begin{array}{c}\text{따라잡는 데}\\\text{걸린 시간}\end{array}\right)$$

➡ 4시 21분 $\boxed{}\dfrac{\boxed{}}{11}$ 초

(2) 4시부터 분침이 시침보다 120°＋180°＝300° 많이 가는 데 걸리는 시간을 구합니다.

$$300° \div 5.5° = \boxed{}\dfrac{\boxed{}}{11}(분) ➡ 4시 54분 \boxed{}\dfrac{\boxed{}}{11}초$$

(3) 분침이 시침보다 120°－90°와 120°＋90° 많이 가는 데 걸리는 시간을 각각 구합니다.

$$(120°－90°)÷5.5°=\boxed{}\dfrac{\boxed{}}{11}(분) ➡ 4시 5분 \boxed{}\dfrac{\boxed{}}{11}초$$

$$(120°＋90°)÷5.5°=\boxed{}\dfrac{\boxed{}}{11}(분) ➡ 4시 38분 \boxed{}\dfrac{\boxed{}}{11}초$$

답 (1) $\boxed{}$시 $\boxed{}$분 $\boxed{}$초   (2) $\boxed{}$시 $\boxed{}$분 $\boxed{}$초

(3) $\boxed{}$시 $\boxed{}$분 $\boxed{}$초 또는 $\boxed{}$시 $\boxed{}$분 $\boxed{}$초

1 2.5 %의 소금물 700 g이 있습니다. 이것을 3.5 %의 소금물로 만들려면 물을 몇 g 증발시켜야 합니까?

2 60 %의 설탕물 100 g이 있습니다. 이 중에서 10 g을 퍼내고 대신 물을 10 g 넣었습니다. 그것을 잘 섞어서 또 10 g을 퍼내고 물 10 g을 넣었습니다. 설탕물의 농도는 몇 %가 되었습니까?

3 A 용기에는 12 %의 소금물이 500 g, B 용기에는 물이 500 g 들어 있습니다. 먼저 A의 소금물의 $\frac{1}{2}$을 B에 옮겨 잘 섞은 다음 B의 소금물의 $\frac{1}{2}$을 A에 옮겨 잘 섞었습니다. 그 후 A, B의 소금물이 모두 같은 무게가 되도록 A에서 B로 몇 g 정도 옮겼습니다. B 용기의 소금물은 몇 %가 되었습니까?

4 80 %의 알코올 용액이 400 g 있습니다. 여기에 62 %의 알코올 용액을 섞어서 70 %의 알코올 용액을 만들려고 합니다. 62 %의 알코올 용액을 몇 g 섞으면 됩니까?

5 A, B 2개의 용기가 있고 A에는 7 %의 소금물이 300 g, B에는 4 %의 소금물이 300 g 들어 있습니다. 지금 동시에 A에는 1분에 8 g씩 물을 넣고, B에는 1분에 8 g씩 9 %의 소금물을 넣기 시작하였습니다. 물음에 답하시오.

(1) 15분 후 A 용기의 소금물의 농도는 몇 %가 되겠습니까?

(2) A, B 용기의 소금물의 농도가 같게 되는 것은 처음부터 몇 분 몇 초 후입니까?

(3) B 용기의 소금물의 농도가 6 %가 되는 것은 처음부터 몇 분 후입니까?

6 ㉮, ㉯ 두 개의 그릇이 있습니다. ㉮ 그릇에는 20 %의 소금물 200 g이 들어 있고, ㉯ 그릇에는 5 %의 소금물 200 g이 들어 있습니다. ㉮ 그릇에서 ㉯ 그릇으로 1분에 5 g씩 소금물을 옮겨 담을 때 ㉮ 그릇의 소금물의 농도가 ㉯ 소금물의 농도의 2배가 되는데 걸리는 시간은 옮겨 담기 시작하여 몇 분 후입니까?

7 연못의 주위를 한 바퀴 도는 데 A는 12분, B는 16분 걸렸습니다. 두 사람이 같은 지점에서 같은 방향으로 동시에 걷기 시작했을 때, 처음으로 A와 B가 만나는 것은 몇 분 후입니까?

8 A와 B는 두 사람의 집을 이은 길 한 가운데에서 만나기로 했습니다. 두 사람이 동시에 각각 집을 나서서 A는 시속 3.5 km로, B는 시속 2.8 km로 걸었습니다. A가 먼저 약속 장소에 도착하여 9분 동안 기다렸습니다. A의 집에서 B의 집까지의 거리는 몇 km입니까?

9 A는 오전 7시 30분에 집에서 출발했습니다. B는 A가 두고 간 물건을 가지고 자전거로 A를 뒤쫓아갔습니다. 오른쪽 그림은 A가 출발하고 나서부터 걸린 시간과 A, B 사이의 거리와의 관계를 나타낸 것입니다. 물음에 답하시오.

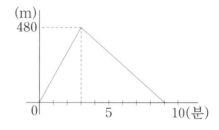

(1) B가 출발한 것은 몇 시 몇 분입니까?

(2) A가 걷는 속력은 분속 몇 m입니까?

(3) B가 A를 따라잡은 것은 몇 시 몇 분입니까?

(4) B의 자전거의 속력은 분속 몇 m입니까?

10 형은 자전거로 10시에 집에서 출발했습니다. 12분 후에 동생이 자전거로 형을 뒤따라 갔습니다. 도중에 형이 잊은 물건이 생각나서 집에서 3 km 떨어진 곳에서 집쪽으로 되돌아왔습니다. 형은 매분 150 m, 동생은 매분 200 m의 빠르기로 나아간다면 두 사람이 마주친 시각은 몇 시 몇 분입니까? 또, 마주친 곳은 집에서 몇 km 떨어진 곳입니까?

11 둘레가 4200 m인 연못이 있습니다. 이 연못의 둘레를 A와 B가 동시에 같은 곳에서 반대 방향으로 돌면 15분 후에 마주치고, 두 사람이 동시에 같은 곳에서 같은 방향으로 돌면 35분 후에 A가 B를 따라잡습니다. A와 B의 속력은 각각 분속 몇 m입니까?

12 오른쪽 그림과 같이 원 위에 세 점 A, B, C가 있고 각각 일정한 속력으로 화살표 방향으로 동시에 원 위를 돌기 시작하였습니다. 한 바퀴 도는 데 A는 8분, B는 12분, C는 18분 걸렸습니다. 물음에 답하시오.

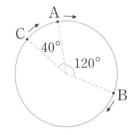

(1) 두 개의 점 A와 B가 처음으로 포개어지는 것은 돌기 시작하여 몇 분 후입니까? 또, 그 후부터 A와 B는 몇 분마다 포개어집니까?

(2) 세 개의 점 A, B, C가 처음으로 포개어지는 것은 돌기 시작하여 몇 분 후입니까?

13 동생이 4걸음으로 가는 거리를 형은 3걸음으로 가고, 동생이 5걸음 걸을 동안에 형은 6걸음 걷습니다. 형이 180 m 앞에 걷고 있는 동생을 따라잡는 데 9분이 걸렸습니다. 물음에 답하시오.

(1) 형의 속력은 분속 몇 m입니까?

(2) 동생의 보폭을 30 cm라고 하면 형이 동생을 따라잡는 데는 몇 걸음 걸은 것입니까?

14 초속 20 m로 일정하게 달리는 열차가 철교를 건너기 시작하여 23초 후에 앞부분이 철교의 전체 길이의 $\frac{5}{8}$인 곳까지 왔습니다. 그로부터 20초 후에 완전히 건너왔습니다. 열차의 길이는 몇 m입니까?

15 초속 25 m로 달리고 있는 길이 125 m인 열차를 그 열차와 평행하게 같은 방향으로 초속 75 m로 날고 있는 헬리콥터에서 보고 있습니다. 헬리콥터가 터널의 입구 위에 왔을 때, 정확히 열차가 터널에 다 들어갔습니다. 그대로 계속 날아서 터널의 출구 바로 위에 서서 45초간 정지하여 기다렸더니, 열차의 앞부분이 보였습니다. 터널의 길이는 몇 m입니까?

16 2시와 3시 사이에서 시계의 분침의 방향과 12시의 방향이 이루는 각을 시침이 2등분 하는 것은 2시 몇 분입니까?

17 철도 선로와 평행한 길을 시속 6 km로 걷고 있는 사람을 열차는 4초 만에 추월하고, 시속 21 km로 달리고 있는 오토바이를 열차는 9초 만에 추월하였습니다. 열차의 시속과 길이를 각각 구하시오. (단, 오토바이의 길이는 생각하지 않습니다.)

18 철도 선로와 평행한 길을 걷는 사람이 있습니다. 자동차가 그 길을 사람과 같은 방향으로 달리고 있습니다. 뒤에서 달려오던 열차가 사람을 5초 만에, 자동차를 9초 만에 추월해 갔습니다. 사람의 속력은 시속 4 km, 열차의 속력은 시속 94 km라고 할 때, 물음에 답하시오.

(1) 열차의 길이는 몇 m입니까?

(2) 자동차의 길이를 5 m라고 한다면, 자동차의 속력은 시속 몇 km입니까?

1 A, B 2종류의 소금물이 있습니다. A와 B를 2 : 1의 비로 섞으면 10 %의 소금물이 되고, 2 : 3의 비로 섞으면 12 %의 소금물이 됩니다. A, B의 농도는 각각 몇 %입니까?

2 A, B, C 3개의 용기에 소금물이 들어 있습니다. A, B, C의 용기에서 각각 200 g, 300 g, 400 g씩 퍼내어 섞으면 8 %의 소금물이 되고, 각각 400 g, 300 g, 100 g씩 퍼내어 섞으면 10 %의 소금물이 됩니다. A의 소금물의 농도가 10 %일 때, B, C의 소금물의 농도는 각각 몇 %입니까?

3 A 용기에는 8.4 %의 소금물 200 g, B 용기에는 6.4 %의 소금물 300 g, C 용기에는 농도를 모르는 소금물 500 g이 들어 있습니다. A, B, C 세 용기의 소금물을 모두 섞었더니 4.6 %의 소금물이 되었습니다. C 용기에 든 소금물의 농도는 몇 %입니까?

4 A, B, C 3개의 용기가 있습니다. A에는 물이 300 g, B, C에는 농도가 다른 소금물이 400 g씩 들어 있습니다. 먼저 B에서 100 g의 소금물을 A로 옮기고, 다음에 C에서 100 g의 소금물을 B로 옮겨 잘 섞었습니다. 그 다음에 C에 물을 100 g 넣고서 비교해 보니 A의 소금물의 농도는 4 %가 되고, B와 C의 소금물의 농도는 같아졌습니다. 처음에 B와 C에 들어 있던 소금물의 농도를 각각 구하시오.

5 A, B, C 3개의 용기에 소금물이 들어 있습니다. 각 용기의 소금물에 들어 있는 소금의 양은 모두 같습니다. 만약 A와 B의 소금물을 섞으면 C의 소금물과 같은 농도가 되고, B와 C의 소금물을 섞으면 A의 소금물의 2배의 농도가 됩니다. A의 소금물의 양은 C의 소금물의 양의 몇 배입니까?

6 20 %의 소금물 100 g을 만들라는 말을 들은 석기는 물 100 g에 소금 20 g을 녹였습니다. 그러나 만들어진 소금물이 20 %가 아닌 것을 알아차린 석기는 처음에 만든 소금물 중 얼마만큼 버리고 거기에 소금을 얼마만큼 녹여서 20 %의 소금물 100 g을 만들었습니다. 석기가 버린 소금물의 양과 나중에 녹인 소금의 양을 각각 구하시오.

7 그림과 같이 8등분 된 원반 위를 시계 방향으로 긴바늘은
1시간에 1회전하고, 짧은바늘은 8시간에 1회전합니다.
긴바늘과 짧은바늘이 모두 0의 위치에서 오전 10시에 동
시에 회전을 시작할 때, 물음에 답하시오.

(1) 긴바늘이 120° 회전할 때, 짧은바늘은 몇 도 회전합니까?

(2) (1)과 같이 회전했을 때, 시각은 몇 시 몇 분입니까?

(3) 긴바늘과 짧은바늘이 5와 6 사이에서 처음으로 겹치는 때는 오후 몇 시
몇 분입니까?

8 2차선의 선로에서 시속 54 km인 화물열차가 10시에 한 철교에 접어들어서
10시 1분 24초에 철교를 건넜습니다. 그 후 시속 72 km인 급행열차가 10시
12분에 철교에 접어들어서 10시 12분 53초에 철교를 건너 10시 48분 56초
에 앞서 달리고 있는 화물열차를 완전히 앞질렀습니다. 물음에 답하시오.

(1) 급행열차의 길이는 몇 m입니까?

(2) 화물열차의 길이는 몇 m입니까?

(3) 철교의 길이는 몇 m입니까?

9 일직선 상에 세 지점 A, B, C가 차례로 있습니다. A에서는 갑이, B에서는 을과 병이 동시에 C를 향하여 각각 일정한 속력으로 출발했습니다. 갑은 출발한 지 1시간 만에 병을 따라 잡았고, 그리고 나서 20분 후에 을과 동시에 C에 도착했습니다. 병의 속력이 을의 속력의 $\frac{4}{5}$일 때, 물음에 답하시오.

(1) 갑이 병과 동시에 C에 도착하려면 갑은 속력을 몇 % 줄여서 출발해야 합니까?

(2) 만약, 을이 A에서 B까지 간다면 몇 분 걸리겠습니까?

10 강의 상류에 A 지점이, 하류에 B 지점이 있고, 동시에 두 지점에서 배가 마주 보고 출발하였습니다. 2개의 배는 출발해서 50분 만에 마주쳤고 A 지점을 떠난 배는 그 후 30분 만에 B 지점에 도착했습니다. 그 때 B 지점을 떠난 배는 A 지점에서 6.4 km 떨어진 지점에 있었습니다. 두 배의 잔잔한 물에서의 속력은 같다고 할 때, 물음에 답하시오.

(1) A, B 두 지점 사이의 거리를 구하시오.

(2) 강물의 속력은 시속 몇 km입니까?

11 오른쪽 그림과 같이 강이 갑 지점에서 A, B 둘로 갈라져 을 지점에서 합류합니다. 배로 갑, 을 사이를 A강으로 왕복하면 3시간 36분이 걸리고, B강으로 왕복하면 3시간 30분이 걸립니다. 또 갑에서 을로는 A강을, 을에서 갑으로는 B강을 지나 왕복하면 3시간 32분 24초가 걸립니다. A, B 강물의 속력은 시속 2 km, 배의 잔잔한 물에서의 속력은 시속 10 km로 일정합니다. 물음에 답하시오.

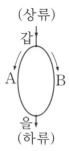

(상류)
갑
A　B
을
(하류)

　(1) 갑에서 을로는 B강을 지나고, 을에서 갑으로는 A강을 지나 왕복하는 데는 몇 시간 몇 분 몇 초가 걸리겠습니까?

　(2) A강과 B강 중 어느 강이 몇 km 더 깁니까?

12 오른쪽 그림과 같이 2개의 시계가 있습니다. 큰 시계의 지름은 35 cm, 작은 시계의 지름은 15 cm입니다. 12시 정각에 오른쪽 그림과 같이 작은 시계를 큰 시계의 바로 위에 놓고 큰 시계의 분침이 가리키는 방향에 작은 시계의 중심이 있도록 하여 미끄러지지 않도록 회전시켜 나갑니다. 물음에 답하시오. (원주율 : 3.14)

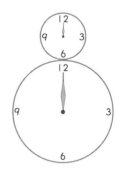

　(1) 큰 시계와 작은 시계의 분침이 처음으로 마주 보는 것은 몇 시 몇 분입니까?

　(2) 작은 시계가 다시 한 번 시계의 바로 위에 오되 처음과 같이 문자판의 「12」가 바로 위에 오는 것은 몇 시입니까?

　(3) (2)의 시각까지 작은 시계는 그 자신이 몇 회전합니까?

13 어떤 도로에 오른쪽 그림과 같은 간격으로 A, B, C, D, E 5개의 신호등이 차례로 있습니다. 모든 신호등은 30초 간격으로 붉은색과 푸른색이 교대로 켜집니다. 신호등 A가 푸른색이 됨과 동시에 시속 36 km로 달리는 자동차가 E를 향하여 A를 출발했습니다. 이 자동차가 B, C, D, E에 도착함과 동시에 각 신호등도 붉은색에서 푸른색으로 바뀌어 어떤 신호등에서도 서지 않고 통과할 수 있었습니다. 물음에 답하시오.

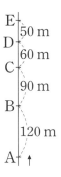

(1) 신호등 A가 붉은색에서 푸른색으로 바뀌었을 때, B, C, D, E 중에서 푸른색인 신호등은 어떤 것입니까?

(2) 신호등 E가 푸른색이 됨과 동시에 시속 36 km로 달리는 자동차가 A를 향하여 E를 출발했다면, 이 자동차는 A에 도착할 때까지 몇 초 걸리겠습니까?

14 A는 남쪽 마을에서 24 km 떨어진 북쪽 마을까지 왕복했습니다. 평지로 이어지다가 도중에 언덕이 하나 나옵니다. A가 평지에서는 시속 5 km, 오르막 길에서는 시속 4 km, 내리막 길에서는 시속 6 km로 걸었더니, 갈 때에는 4시간 50분, 올 때에는 5시간이 걸렸습니다. 남쪽 마을과 북쪽 마을 사이에 있는 평지는 몇 km입니까?

1 비율을 이용하여 기준이 되는 수량을 구하는 문제(해당산)

- 부분의 양을 부분이 차지하는 비율로 나누면 전체의 양(①에 해당되는 양)이 됩니다.

 예) 석기네 반 전체의 $\frac{2}{7}$가 안경을 쓴 사람이고, 안경을 쓴 사람이 8명일 때 석기네 반

 전체의 학생 수 ➡ $8 \div \frac{2}{7} = 28$(명)

2 어떤 수량을 정해진 차와 비율 등으로 분배하는 문제(분배산)

- 기준으로 정한 양을 먼저 알아낸 다음 나머지 양을 구합니다.

 예) 바둑돌 128개 중 검은색 바둑돌이 흰색 바둑돌의 3배일 때

 (흰색 바둑돌) $= 128 \div (1+3) = 32$(개)

 (검은색 바둑돌) $= 32 \times 3 = 96$(개)

3 전체 일의 양을 1로 가정하여 해결하는 문제(작업산)

- 어떤 일을 할 때 전체 일의 양을 1로 하여 단위 시간에 전체의 얼마만큼 일하는지 분수로 나타내어 문세를 해결합니다.

 예) 아버지가 하시면 6일, 내가 하면 30일 걸리는 일이 있을 때, 이 일을 아버지와 내가 함께하여 걸리는 날 수

 (아버지가 하루 동안 하는 일의 양) $= \frac{1}{6}$, (내가 하루 동안 하는 일의 양) $= \frac{1}{30}$

 이므로 (아버지와 내가 함께하여 걸리는 날 수) $= 1 \div \left(\frac{1}{6} + \frac{1}{30} \right) = 5$(일)

4 수량이 일정하게 증가 또는 감소하는 문제(뉴튼산)

- 원래부터 있던 기존 양과 일정하게 증가 또는 감소하는 양과의 관계를 살펴 해결합니다.

 예) 처음에 20개의 사과가 있었고 매일 2개씩 사과를 더 사 오고 매일 6개씩 사과를 먹을 때 먹을 수 있는 날 수

 ➡ $20 \div (6-2) = 5$(일)

1. 비율을 이용하여 기준이 되는
수량을 구하는 문제 (해당산)

규형이와 효근이는 각각 사탕을 몇 개 가지고 있습니다. 효근이는 규형이가 가지고 있는 사탕 수의 $\frac{2}{5}$만큼 가지고 있으며, 두 사람이 가지고 있는 사탕 수의 합은 49개입니다. 규형이는 사탕을 몇 개 가지고 있습니까?

풀이

규형이의 사탕 수를 1로 하여 선분도로 나타내면 다음과 같습니다.

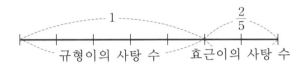

두 사람이 가지고 있는 사탕 수의 합이 49개이므로 규형이가 가지고 있는 사탕 수는

$49 \div 7 \times 5 = \boxed{}$ (개) 또는 $49 \div \left(1 + \frac{2}{5}\right) = \boxed{}$ (개)입니다.　　　**답** $\boxed{}$ 개

Point

- (비율)＝(비교하는 양)÷(기준량)
- (기준량)＝(비교하는 양)÷(비율)
- (비교하는 양)＝(기준량)×(비율)

EXERCISE 1

어느 동네의 가구 수를 조사하여 보니 대가족인 가구가 동네 전체 가구의 $\frac{1}{10}$보다 40가구 더 많았고, 핵가족인 가구가 동네 전체 가구의 $\frac{3}{4}$보다 80가구 더 많았습니다. 이 동네에는 몇 가구가 살고 있는지 구하시오. (**1~2**)

1 전체 가구 수를 1로 놓고, 선분도로 나타내면 다음과 같습니다. □ 안에 알맞은 수를 써넣으시오.

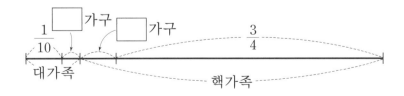

2 전체 가구 수는 몇 가구입니까?

2. 어떤 수량을 정해진 차와 비율 등으로 분배하는 문제 (분배산)

> 2 L 500 mL의 우유를 A, B, C 3사람이 나누어 마시는데 B는 C의 2배보다 100 mL 많게, A는 B의 2배보다 100 mL 많도록 나누어 마셨습니다. B가 마신 우유의 양을 구하시오.

풀이

C가 마신 우유의 양을 ①로 하여 선분도로 나타내면 다음과 같습니다.

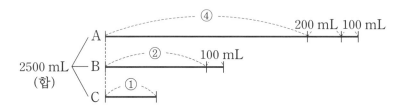

C가 마신 우유의 양은 {2500−(200+100+100)}÷(4+2+1)= ☐ (mL)이므로

B가 마신 우유의 양은 ☐ ×2+100= ☐ (mL)입니다.　　　　답 ☐ mL

Point

기준으로 정한 양을 먼저 알아낸 뒤 나머지 양을 구합니다.

EXERCISE 2

효근, 용희, 동민이는 어버이날 어머니께 선물을 사 드리기 위해 돈을 걷었습니다. 효근이는 용희보다 500원 적게, 동민이는 효근이의 2배보다 500원 적게 돈을 내서 12000원짜리 선물을 사 드렸습니다. 동민이는 얼마를 냈는지 구하시오. (**1~2**)

1 효근이가 낸 돈을 ①로 하여 선분도를 그리면 다음과 같습니다. ☐ 안에 알맞은 수를 써넣으시오.

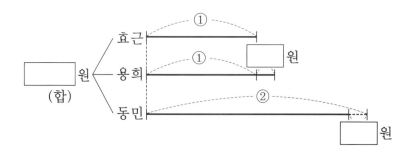

2 동민이가 낸 돈은 얼마인지 구하시오.

어떤 일을 하는 데 A가 하면 10일, B가 하면 15일이 걸린다고 합니다. 두 사람이 함께 일을 시작했지만 4일간 일을 한 뒤에 A는 사정이 생겨 일을 그만 두고 나머지 일을 B 혼자서 하여 끝냈습니다. 이 일을 끝내는 데는 처음부터 며칠이 걸렸습니까?

풀이

전체 일의 양을 1로 가정하면 A는 하루에 $\frac{1}{10}$, B는 하루에 $\frac{1}{15}$씩 일을 합니다.

A와 B가 힘을 합하여 하루 동안 하는 일의 양은 $\frac{1}{10}+\frac{1}{15}=\frac{1}{6}$이므로

4일 동안 한 일의 양은 $\frac{1}{6}\times 4=\frac{2}{\square}$ 입니다. 따라서 남은 일 $1-\frac{2}{\square}=\frac{1}{\square}$ 을

B 혼자서 하는 데 걸리는 날수는 $\frac{1}{\square}\div\frac{1}{15}=\square$(일)입니다.

그러므로 처음부터 세어 $4+\square=\square$(일) 걸렸습니다.　　　　**답** $\square$ 일

Point
- (하룻동안 하는 일의 양)=1÷(일을 끝내는 데 걸리는 날수)
- (일을 끝내는 데 걸리는 날 수)=1÷(하룻동안 하는 일의 양)

EXERCISE 3

한별이 혼자 하면 10일, 예슬이 혼자 하면 15일 걸려 끝마칠 수 있는 일이 있습니다. 처음에는 한별이가 혼자 일을 하다가 며칠 뒤 예슬이가 나머지 일을 대신하여 끝냈습니다. 예슬이가 일한 날수가 한별이보다 5일 많았다고 할 때, 한별이는 며칠 동안 일을 하였는지 구하시오.

(1~3)

1 전체 일의 양을 1로 놓으면, 한별이와 예슬이가 각각 하루에 하는 일의 양은 얼마입니까?

2 예슬이가 5일간 한 일의 양은 얼마입니까?

3 한별이가 일한 날수를 구하시오.

4. 수량이 일정하게 증가 또는 감소하는 문제 (뉴튼산)

한솔이의 통장에는 얼마의 돈이 들어 있습니다. 만일 매월 9000원씩 찾아 쓴다면 5개월 만에 통장에 돈이 없어지고, 매월 7500원씩 찾아 쓴다면 8개월 만에 통장에 돈이 없어진다고 합니다. 한솔이는 매월 일정한 돈을 저축한다고 할 때, 물음에 답하시오.

(1) 한솔이는 매월 얼마씩 저축을 합니까?

(2) 지금 한솔이의 통장에 들어 있는 돈은 얼마입니까?

풀이

(1) 한솔이가 매월 저축하는 돈을 ①로 하여 선분도로 나타냅니다.

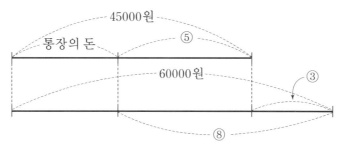

위 선분도에서 3개월간 저축한 돈 ③은 $60000 - 45000 = \boxed{}$ (원)입니다.

따라서 매월 $\boxed{} \div 3 = \boxed{}$ (원)씩 저축을 합니다.

(2) 위 선분도에서 5개월간 저축한 돈은 $\boxed{} \times 5 = \boxed{}$ (원)입니다.

따라서 통장의 돈은 $45000 - \boxed{} = \boxed{}$ (원)입니다.

답 (1) $\boxed{}$ 원 (2) $\boxed{}$ 원

Point

원래부터 있던 기존량과 일정하게 증가 또는 감소하는 양과의 관계를 살펴 해결합니다.

EXERCISE 4

1 탐구 문제에서 매월 7000원씩 찾아 쓴다면 몇 개월 만에 돈이 없어집니까?

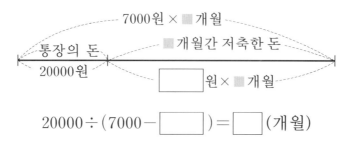

$20000 \div (7000 - \boxed{}) = \boxed{}$ (개월)

왕 문제

1 석기는 어머니께 받은 용돈의 $\frac{2}{5}$를 쓰고 3000원이 남았습니다. 어머니께 받은 용돈의 $\frac{3}{8}$은 얼마입니까?

2 어떤 수와 어떤 수의 $2\frac{2}{3}$의 합이 121일 때, 어떤 수를 구하시오.

3 어느 학교의 남학생 수는 전체 학생 수의 $\frac{4}{9}$보다 50명 많고, 여학생 수는 전체 학생 수의 $\frac{1}{3}$보다 74명 많다고 합니다. 이 학교의 전체 학생 수를 구하시오.

4 동민이는 가지고 있던 사탕의 $\frac{2}{3}$를 율기에게 주고, 나머지 사탕의 $\frac{3}{4}$을 한별이에게 주었더니 2개의 사탕이 남았습니다. 동민이가 처음에 가지고 있던 사탕은 몇 개입니까?

5 용희가 가지고 있는 돈은 한솔이의 4배입니다. 용희는 자기가 가지고 있는 돈의 $\frac{1}{4}$을 사용하고, 한솔이는 자기가 가지고 있는 돈의 $\frac{1}{2}$을 사용하였더니 두 사람의 남은 돈의 합은 6300원이 되었습니다. 처음에 두 사람이 가지고 있던 돈을 각각 구하시오.

6 사과와 배를 파는 과일 가게가 있습니다. 과일 가게에 있는 사과의 개수는 전체 과일 개수의 $\frac{1}{2}$보다 10개 적고, 배의 개수는 전체 과일 개수의 $\frac{3}{5}$보다 14개 적다고 합니다. 사과의 개수를 구하시오.

7 율기와 신영이가 가지고 있는 구슬의 차는 65개이고, 율기는 신영이가 가지고 있는 구슬 수의 6배보다 5개 더 많이 가지고 있습니다. 율기는 몇 개를 가지고 있습니까?

8 귤과 감을 합하여 72개를 사왔는데 그 중에서 귤은 5개, 감은 2개가 상했기 때문에 버렸더니 남아 있는 귤의 수는 감의 수의 4배가 되었습니다. 처음에 사 왔을 때의 개수를 각각 구하시오.

9 물통 ㉮와 ㉯에 각각 물이 들어 있습니다. ㉮ 물통과 ㉯ 물통에 들어 있는 물의 무게의 차는 1 kg 600 g이며, ㉮ 물통의 물의 무게는 ㉯ 물통의 물의 무게의 4배보다 380 g 가볍습니다. ㉯ 물통에 들어 있는 물의 무게를 구하시오.

10 A, B 두 수의 합은 325입니다. A를 B로 나누면 몫이 4이고 나머지가 25 일 때, A, B는 각각 얼마입니까?

11 농장에 소, 돼지, 닭을 합하여 84마리가 있습니다. 돼지와 닭의 마릿수의 합은 소의 $\frac{1}{2}$과 같고, 돼지의 마릿수는 닭의 2배보다 5마리 적다고 합니다. 돼지는 몇 마리입니까?

12 한 극장에서 어느 날의 관객 수를 조사하였습니다. A석과 C석을 합하여 1286명, B석과 C석을 합하여 1390명이고, A석에 앉은 사람 수가 B석에 앉은 사람 수의 $\frac{1}{3}$배였다면 C석에 앉은 사람은 몇 명입니까?

13 어떤 일을 하는 데 어른이라면 3시간, 아이라면 8시간이 걸립니다. 어른과 아이가 힘을 합하여 1시간 12분 동안 일을 했을 때, 남은 일은 전체 일의 몇 %입니까?

14 영수 혼자 하면 15일, 재혁이 혼자 하면 10일 만에 끝내는 일을 처음 며칠 동안은 영수 혼자 하다가 도중에 재혁이가 함께 일을 도와 9일 만에 끝냈습니다. 재혁이는 며칠 동안 일을 도왔습니까?

15 수영장에 물을 가득 채우는 데 A수도관으로는 5시간, B수도관으로는 10시간이 걸립니다. A수도관 3개와 B수도관 2개를 함께 사용하여 물을 넣는다면 몇 시간 몇 분 만에 가득 채울 수 있겠습니까?

16 한솔이와 재혁이 두 사람이 함께 일을 하면 12일 걸리는 일이 있습니다. 한솔이 혼자서 6일 동안 일을 하여 전체 일의 $\frac{1}{3}$을 했다고 합니다. 나머지 일을 재혁이 혼자서 한다면 며칠을 일하게 되겠습니까?

17 어떤 물통을 가득 채우는 데 A수도관으로 10분이 걸립니다. 또, 가득 채워진 물은 B배수관을 열어 12분 만에 비울 수 있습니다. 처음에 몇 분 동안은 A수도관으로 물을 넣고 난 뒤, 30분 동안은 B배수관도 함께 열어 물을 가득 채우도록 만들었습니다. 물을 가득 채우는 데 걸린 시간을 구하시오.

18 어떤 물탱크에 수도관으로 물을 가득 채우는 데 2시간 30분이 걸립니다. 이 물탱크에 물을 가득 채운 후 $\frac{3}{5}$만큼 사용하였습니다. 이 물탱크에 물을 다시 가득 채우기 위해 수도관으로 1시간 동안 물을 넣었다면 앞으로 몇 분 동안 물을 더 넣어야 가득 차겠습니까?

🕐 어느 목장에서 소 25마리를 방목하면 6주 동안에 풀을 다 먹어 치우고, 소 20마리를 방목하면 9주 동안에 풀을 다 먹어 치운다고 합니다. 풀은 매주 일정한 비율로 자라며 소 한 마리가 매주 같은 양의 풀을 먹는다고 할 때, 물음에 답하시오. (**19~21**)

19 소 1마리가 1주일 동안 먹는 풀의 양을 ①로 놓으면, 풀이 1주일 동안 자라는 양은 얼마입니까?

20 위 **19**번과 같은 조건일 때, 처음에 목장에 있던 풀의 양은 얼마입니까?

21 이 목장의 풀을 5주간에 다 먹어 치우도록 하려면, 몇 마리의 소를 방목하면 됩니까?

ⓛ 어떤 극장에서 입장권을 팔기 전부터 줄을 서기 시작하여 일정한 빠르기로 줄서는 사람이 늘어나고 있습니다. 입장권 판매소를 2개로 하면 팔기 시작해서부터 10분이면 줄이 없어지고, 판매소를 4개로 하면 4분이면 줄이 없어집니다. 물음에 답하시오. (22~24)

22 줄을 서기 시작한 것은 입장권을 판매하기 몇 분 전부터입니까?

23 만일 입장권 판매소를 6개로 하면 몇 분 몇 초 만에 줄이 없어집니까?

24 만일 1분 36초 만에 줄이 없어졌다면, 판매소는 몇 개입니까?

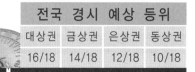
1 어느 시험에서 전체 수험생의 30 % 보다 1200 명 더 많은 사람이 불합격되었고, 합격자 수는 전체 수험생의 $\frac{1}{4}$ 보다 75 명 적었다고 합니다. 합격자 수를 구하시오.

2 지혜와 신영이가 가지고 있는 색종이의 수를 세어 보니 지혜는 신영이의 $\frac{1}{3}$ 만큼이었습니다. 지혜는 색종이의 $\frac{5}{7}$ 를 사용하고 신영이는 색종이의 $\frac{7}{8}$ 을 사용하였더니, 두 사람의 남은 색종이의 합이 37 장이었습니다. 지혜가 처음에 가지고 있던 색종이는 몇 장입니까?

3 어제 과일 가게에 귤과 사과를 합하여 437 개가 있었습니다. 오늘 그 중에서 몇 개를 팔고 나니 귤과 사과의 개수가 같아졌습니다. 이 때, 귤의 개수는 어제보다 12 개 줄었고 사과의 개수는 어제의 $\frac{8}{9}$ 이 되었습니다. 어제 귤은 몇 개 있었습니까?

4 영수는 2500원, 동민이는 1500원을 가지고 있었습니다. 두 사람이 한 묶음에 150원짜리 색종이를 사는 데 영수가 동민이보다 3묶음 더 샀더니, 영수의 남은 돈이 동민이의 남은 돈의 $1\frac{11}{12}$배가 되었습니다. 영수와 동민이는 색종이를 각각 몇 묶음 샀습니까?

5 6600원을 한초, 석기, 동민 세 사람이 나누어 갖는데 한초는 동민이의 $\frac{1}{3}$배, 석기는 동민이의 $2\frac{2}{3}$배가 되도록 한다면 석기가 갖는 돈은 얼마입니까?

6 70개의 사탕을 율기, 영수, 지혜 세 사람이 나누어 가지려고 합니다. 지혜가 갖는 사탕 수는 율기의 2배보다 6개 적고, 영수의 $\frac{1}{2}$보다 2개 적다고 할 때, 지혜는 사탕 몇 개를 갖습니까?

7 어느 초등학교의 1학년부터 6학년까지의 학생 수는 1427명입니다. 또, 2학년은 1학년보다 3명 많고, 3학년은 2학년보다 2명 적고, 4학년은 3학년과 같으며, 5학년은 4학년보다 5명 많고, 6학년은 5학년과 같습니다. 6학년은 몇 명입니까?

8 아버지, 어머니, 나, 동생의 현재의 나이의 합은 103살입니다. 아버지의 연세는 내 나이의 3배보다 3살 많고, 어머니의 연세는 동생 나이의 4배보다 2살 적습니다. 나는 동생보다 3살 많다면 가족의 나이는 각각 몇 살인지 구하시오.

9 율기가 하면 16일, 예슬이가 하면 20일 만에 끝내는 일을 두 사람이 함께 시작하여 도중에 율기는 4일, 예슬이는 2일을 쉬고 일을 끝냈습니다. 이 일은 처음부터 며칠 만에 끝났겠습니까? (단, 함께 쉬는 날은 없다고 합니다.)

10 한솔이와 석기 두 사람이 함께 일을 하여 예정대로라면 12일 걸리는 일이 있습니다. 이 일을 처음에는 두 사람이 함께 시작하였지만 일의 반을 끝냈을 때, 한솔이는 일을 그만두고 석기 혼자 나머지 일을 하였기 때문에 예정보다 4일이 더 걸렸습니다. 이 일을 석기 혼자 처음부터 하였다면 며칠 만에 끝났겠습니까?

11 어떤 일을 하루 6시간씩 하는 데에 한초 혼자 일을 하면 3주일 걸리고, 가영이 혼자 일을 하면 5주일 걸린다고 합니다. 한초부터 일을 시작하여 매일 교대로 일을 하면 일이 끝나는 마지막 날은 누가 몇 시간 몇 분 동안 일을 하게 됩니까?

12 효근이는 매일 일정한 시간 동안 일을 하여 13일 동안에 어떤 일의 $\frac{4}{9}$ 만큼을 하였습니다. 그 뒤 나머지 일을 끝내는 데는 16일과 2시간이 더 걸렸다고 합니다. 효근는 매일 몇 시간씩 일을 하였습니까?

물이 가득 들어 있는 물통이 있습니다. 이 물통 밑에 구멍이 나 있어 일정하게 물이 샙니다. 물통의 물을 5사람이 퍼내면 4시간 만에 다 새어나가고, 8사람이 퍼내면 3시간 만에 다 새어나갑니다. 물음에 답하시오. (13~15)

13 만일 물이 가득 들어 있는 물통의 물을 그대로 놓아 둔다면, 몇 시간 만에 물이 다 새어나가겠습니까?

14 2시간 만에 물통의 물을 모두 퍼내려 한다면, 사람은 몇 명이 필요합니까?

15 물통의 물을 12사람이 퍼내면 몇 시간 몇 분 만에 다 새어나갑니까?

ⓛ 위, 아래로 호스가 연결되어 있는 물탱크가 있습니다. 지금 물탱크 안에는 어느 정도의 물이 들어 있습니다. 각각 일정한 비율로 위의 호스를 통하여 물탱크 안으로 물을 넣는 동시에, 아래의 호스를 통하여 물을 흘려 사용하면, 얼마 만에 다 사용하게 됩니다. 만일, 물을 넣는 양을 20 %씩 증가시키고, 사용하는 물의 양을 10 %씩 증가시켜도 사용할 수 있는 시간은 변화가 없습니다. 그러나, 물을 넣는 양을 50 %씩 증가시키고, 사용하는 양을 20 %씩 증가시키면, 사용하는 시간은 2시간 길어집니다. 물음에 답하시오. (16~18)

16 같은 시간에 넣는 물의 양과 사용하는 물의 양의 비를 구하시오.

17 넣는 물의 양을 25 %씩 증가시키고, 사용하는 물의 양은 그대로 한다면 물을 사용할 수 있는 시간은 몇 시간입니까?

18 넣는 물의 양은 그대로 하고, 사용하는 물의 양을 25 %씩 증가시킨다면 물을 사용할 수 있는 시간은 몇 시간입니까?

V 자료와 가능성

1. 여러 가지 그래프

용 용 왕 수 학

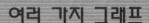
1 그림그래프

조사한 수를 그림으로 나타낸 그래프를 그림그래프라고 합니다.

지역별 쌀 생산량

지역	생산량	지역	생산량
가		다	
나		라	

: 천 톤 : 백 톤

2 띠그래프

(1) 전체에 대한 각 부분의 비율을 띠의 모양으로 나타낸 그래프를 띠그래프라고 합니다.

좋아하는 과일

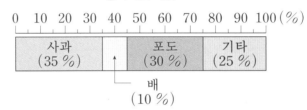

(2) 띠그래프 그리기

① 주어진 자료에서 전체에 대한 각 항목들이 차지하는 백분율을 구합니다.

② 백분율의 합계가 100 %가 되는지 확인합니다.

③ 띠 전체 길이에 대하여 각 항목이 차지하는 백분율만큼 띠를 나눕니다.

④ 나눈 띠 위에 각 항목의 명칭을 쓴 후 백분율의 크기를 씁니다.

3 원그래프

(1) 전체에 대한 각 부분의 비율을 원 모양으로 나타낸 그래프를 원그래프라고 합니다.

(2) 원그래프 그리기

① 주어진 자료에서 전체에 대한 각 항목들이 차지하는 백분율을 구합니다.

② 각 항목별 백분율의 합계가 100 %가 되는지 확인합니다.

③ 전체에 대하여 각 항목이 차지하는 백분율만큼 원을 나눕니다.

④ 나눈 원 위에 각 항목의 명칭을 쓴 후 백분율의 크기를 씁니다.

장래 희망

기타 (15 %)
연예인 (20 %)
의사 (35 %)
선생님 (30 %)

어느 마을에서 150명의 학생들을 대상으로 다니는 학교를 조사하여 나타낸 띠그래프입니다. 초등학교 비율이 대학교 비율의 8배일 때 중학교를 다니는 학생은 몇 명입니까?

학생들이 다니는 학교

초등학교(48 %)	중학교	고등학교 (20 %)	대학교	←기타(4 %)

풀이

대학교의 비율은 $48 \div 8 = 6(\%)$이므로 중학교의 비율은

$\boxed{} - (48+20+6+4) = \boxed{}$ (%)입니다.

따라서 중학교를 다니는 학생은 $150 \times \dfrac{\boxed{}}{100} = \boxed{}$ (명)입니다.   **답** $\boxed{}$ 명

EXERCISE 1

1 유승이네 반 학생들이 1년 동안 읽은 책을 조사하여 나타낸 띠그래프입니다. 전체 읽은 책의 수가 1200권이라면 동화책은 위인전보다 몇 권 더 많습니까?

읽은 책

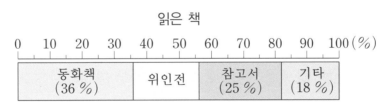

동화책 (36 %)	위인전	참고서 (25 %)	기타 (18 %)

2 성인 800명이 신문에서 먼저 보는 면을 조사하여 나타낸 띠그래프입니다. 문화면과 정치면을 먼저 보는 사람 수의 비가 5 : 3일 때, 정치면을 먼저 보는 사람은 몇 명입니까?

먼저 보는 면

사회 (32 %)	경제 (24 %)	문화	정치	기타 (14 %)

오른쪽 그림은 유승이네 학교 6학년 학생들이 좋아하는 과목을 조사하여 나타낸 원그래프입니다. 음악과 미술을 좋아하는 학생 수가 같고, 미술을 좋아하는 학생이 18명일 때, 6학년 전체 학생 수를 구하시오.

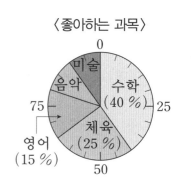

〈좋아하는 과목〉

풀이

음악과 미술을 좋아하는 학생이 차지하는 비율은

□ − (15 + 25 + 40) = □ (%)이므로 미술을 좋아하는 학생이

차지하는 비율은 □ ÷ 2 = □ (%)입니다.

따라서 □ %가 18명에 해당하므로 전체 학생 수는 18 ÷ □ × 100 = □ (명)

입니다.

답 □ 명

EXERCISE 2

1. 어떤 농장의 과일 판매 금액을 원그래프로 나타내려고 합니다. 판매 금액이 복숭아는 딸기의 3배, 사과는 복숭아의 2배, 배는 사과의 2.5배라고 합니다. 사과의 판매 금액을 원그래프로 나타냈을 때 원의 중심각을 구하시오.

2. 오른쪽 그림은 동민이네 집에서 생산한 곡식의 양을 조사하여 나타낸 원그래프입니다. 모든 곡식의 생산량이 800 kg이고, 콩의 생산량은 수수의 생산량보다 40 kg 더 많다고 할 때 콩의 생산량을 구하시오.

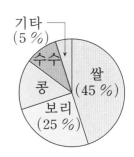

1 다음은 전체 길이가 30 cm인 띠그래프입니다. 총 수량이 600일 때, B 부분의 수량은 얼마입니까?

A	B	C 25 %	D

8.5 cm   6.5 cm

2 다음은 어느 학교 학생 800명이 태어난 계절을 조사하여 나타낸 것입니다. 봄과 여름에 태어난 학생 수의 비가 3 : 2라면 봄에 태어난 학생은 몇 명입니까?

태어난 계절

봄	여름	가을 (36 %)	겨울 (24 %)

3 어느 마을의 토지 이용률과 주거지 넓이의 비율을 조사하여 나타낸 그래프입니다. 이 마을의 전체 토지 면적이 60 km²일 때, 단독주택이 차지하는 토지의 넓이는 몇 km²입니까?

토지 이용률

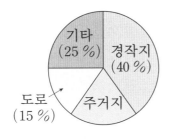

기타 (25 %) / 경작지 (40 %) / 도로 (15 %) / 주거지

주거지 넓이의 비율

아파트 (42 %)	단독주택

4 석기네 마을 500가구가 마시는 우유를 종류별로 조사하여 나타낸 원그래프입니다. 딸기 우유를 마시는 가구가 125가구일 때 커피 우유를 마시는 가구는 몇 가구입니까?

우유별 가구 수

기타 (10 %)

초코 (20 %)

바나나 (35 %)

커피

딸기

5 예슬이네 학교 학생 400명이 좋아하는 과일을 조사하여 오른쪽과 같이 원그래프를 그렸습니다. 사과와 딸기를 좋아하는 학생 수를 더한 것은 바나나를 좋아하는 학생 수의 1.25배일 때, 딸기를 좋아하는 학생은 몇 명입니까?

좋아하는 과일

복숭아

딸기

바나나 (35 %)

사과

자두

6 동물원에 들어온 입장객을 길이가 30 cm인 띠그래프로 나타낼 때 어린이가 차지하는 길이는 22.5 cm이고, 어린이 입장객을 원그래프로 나타내었을 때 남자 어린이를 나타낸 중심각이 144°입니다. 동물원에 입장한 사람이 모두 4000명이라면 남자 어린이 입장객은 몇 명입니까?

7 오른쪽은 어느 학교 학생들의 회사별 휴대폰 보유자 수의 비율을 나타낸 원그래프입니다. 전체 휴대폰 보유자 수가 600명일 때, S회사의 휴대폰 보유자 수는 몇 명입니까?

회사별 휴대폰 보유자

8 유승이네 학교 학생들의 혈액형을 조사하여 나타낸 표입니다. B형인 학생이 AB형인 학생보다 12명 더 많을 때, 길이가 20 cm인 띠그래프로 나타내면 B형인 학생은 몇 cm를 차지하는지 구하시오.

학생들의 혈액형

혈액형	A형	B형	O형	AB형	합계
학생 수(명)	148		72		400

9 A, B, C 세 명의 저금액을 조사하여 원그래프로 나타낸 것입니다. 이 중 A의 저금액은 25200원입니다. 각각의 저금액에서 3명 모두 10200원씩을 찾아서 썼습니다. 남아 있는 저금액만으로 길이가 30 cm인 띠그래프에 그리면 A는 몇 cm로 나타내어집니까?

세 명의 저금액

10 차세대 리더에게 가장 필요한 능력이 무엇이라고 생각하는지 조사하여 나타낸 띠그래프입니다. 인터넷 활용 능력이라 응답한 사람이 의사 소통 능력이라 응답한 사람보다 150명이 더 많다면 조사에 참여한 사람은 모두 몇 명입니까?

차세대 리더에게 가장 필요한 능력

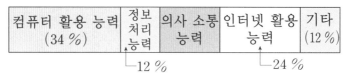

11 효근이가 가지고 있는 구슬을 색깔별로 분류하여 나타낸 원그래프입니다. 노란색 구슬 수가 빨간색 구슬 수의 $\frac{2}{3}$이고, 파란색 구슬이 72개라면 노란색 구슬은 몇 개입니까?

색깔별 구슬의 수

기타 (14 %), 파란색, 노란색, 빨간색 (30 %)

12 가영이가 가지고 있는 720장의 색종이를 색깔별로 조사하여 나타낸 원그래프입니다. 주황색과 빨간색 색종이를 합한 것과 초록색 색종이와의 비가 7 : 9라고 할 때, 빨간색 색종이는 몇 장입니까?

색깔별 색종이 수

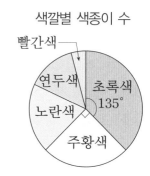

빨간색, 연두색, 노란색, 초록색 135°, 주황색

13 상연이네 학교 학생 800명을 대상으로 어린이 회장 선거를 실시하였습니다. 다음은 투표 참여 여부와 후보자별 득표율을 조사하여 나타낸 그래프입니다. 득표율이 가장 높은 사람이 어린이 회장에 당선된다고 할 때, 어린이 회장에 당선된 사람은 몇 표를 얻었습니까?

투표 참여 여부

불참 (20 %)
참여 (80 %)

후보자별 득표율

상연 (40 %)	신영 (30 %)	예슬 (25 %)	

석기(5 %)

14 오른쪽 원그래프에서 ㉮와 ㉯의 비율을 합하면 전체의 38 %이고 ㉯와 ㉣의 비율을 합하면 전체의 51 %입니다. ㉰는 전체의 몇 %입니까?

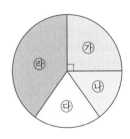

15 어느 수목원의 종류별 나무 수를 조사하여 길이가 30 cm인 띠그래프에 나타내었습니다. 소나무와 은행나무의 비가 5 : 2, 은행나무와 느티나무의 비가 6 : 5, 기타는 전체의 $\frac{2}{15}$라고 합니다. 소나무는 몇 cm로 나타내어지겠습니까?

16 다음 원그래프를 전체가 24 cm인 띠그래프로 나타내려고 합니다. ㉑ 부분은 띠그래프에서 몇 cm인지 구하시오.

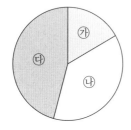

- ㉮ 부분의 중심각은 ㉯ 부분과 ㉰ 부분의 중심각의 합의 $\frac{1}{5}$입니다.
- ㉰ 부분의 중심각은 ㉯ 부분의 중심각보다 30° 더 큽니다.

17 길이가 40 cm인 띠그래프를 ㉮, ㉯, ㉰, ㉱ 네 부분으로 나누었을 때 ㉱는 ㉰의 $\frac{1}{6}$이고, ㉮는 ㉯의 $1\frac{3}{5}$배였습니다. ㉱의 비율이 전체의 5%라면 ㉮를 나타낸 부분의 길이는 몇 cm입니까?

18 어느 지역의 토지 이용률과 농경지 넓이 비율을 조사하여 나타낸 원그래프입니다. 이 지역의 넓이가 200 km²일 때, 논이 차지하는 넓이는 몇 km²입니까?

토지 이용률

기타 (15 %)
임야 (50 %)
농경지 (35 %)

농경지 넓이

밭 (40 %)
논 (60 %)

1 전체의 길이가 30 cm인 띠그래프에 ㉮, ㉯, ㉰ 세 부분을 나타내었더니 ㉮는 ㉯보다 9 cm 길고, ㉯는 ㉰보다 3 cm 짧았습니다. 이 띠그래프에서 ㉰가 차지하는 길이는 전체의 몇 %입니까?

2 오른쪽은 ㉮ 고등학교 학생들의 통학 방법을 조사하여 나타낸 원그래프입니다. 자전거로 통학하는 학생은 전철로 통학하는 학생보다 54명 적고, 도보로 통학하는 학생은 자전거로 통학하는 학생의 3배이며, 버스로 통학하는 학생은 216명입니다. ㉮ 고등학교 학생은 모두 몇 명입니까?

학생들의 통학 방법

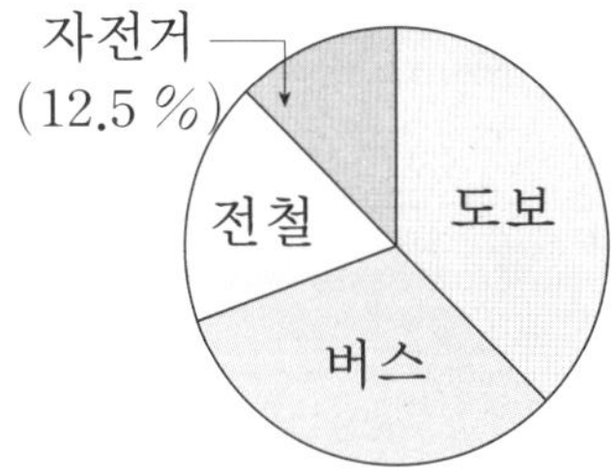

자전거
(12.5 %)

전철   도보
버스

3 어느 과일 가게에 ㉮, ㉯, ㉰, ㉱ 4종류의 과일이 있는데 한 개의 값은 각각 600원, 900원, 1350원, 1800원입니다. 이 가게에서 오늘 판 과일의 개수의 비율은 표와 같고 ㉯는 18개를 팔았습니다. 판매액의 비율을 원그래프로 나타낸다면 ㉮가 차지하는 부분은 전체의 몇 %이겠습니까?

종류	㉮	㉯	㉰	㉱
백분율(%)	40	30	20	10

4 어느 도시의 학교별 학생 수를 조사하여 나타낸 원그래프입니다. 중학생과 고등학생 수의 합은 대학생과 초등학생 수의 합의 $1\frac{2}{9}$배이고 전체 학생 수가 12000명일 때, 초등학생은 중학생보다 몇 명 더 많습니까?

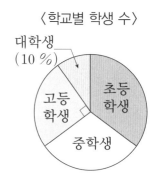

〈학교별 학생 수〉

5 어느 중학교 학생 400명의 통학 방법을 조사하여 나타낸 것입니다. 통학 방법이 도보인 여학생은 통학 방법이 버스인 여학생의 1.5배입니다. 통학 방법이 도보인 남학생은 몇 명입니까?

통학 방법

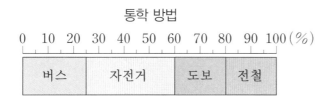

통학 방법이 버스인 학생

6 원그래프는 규형이네 학교에서 영어와 수학을 좋아하는 학생 수를 조사하여 나타낸 것입니다. 전체 학생 수가 540명일 때, 영어만 좋아하는 학생은 영어와 수학을 모두 좋아하지 않는 학생보다 몇 명 더 적습니까?

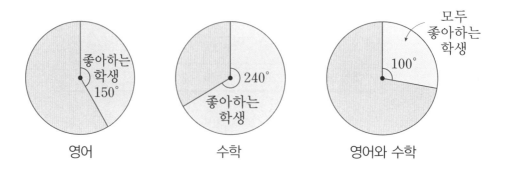

다음 2개의 원그래프는 6학년 학생 모두가 본 국어와 수학 시험의 결과를 나타낸 것입니다. 가 부분은 70점 이상, 나 부분은 50점 이상 70점 미만, 다 부분은 50점 미만을 나타내고 있습니다. 수학에서 나의 중심각은 가의 중심각보다 32° 크고, 가의 중심각과 나의 중심각의 합은 다의 중심각의 4배입니다. 물음에 답하시오. (7~9)

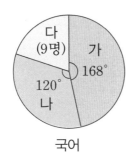

국어

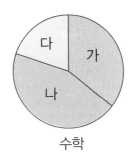

수학

7 수학에서 가 부분의 학생 수는 몇 명입니까?

8 국어와 수학이 모두 나 부분에 해당하는 학생이 전체의 20 %일 때, 수학만 나 부분에 해당하는 학생은 수학에서 나 부분에 해당하는 학생의 몇 %입니까?

9 6학년 학생의 국어의 평균 점수의 범위를 이상과 미만을 사용하여 나타내시오. (단, 자연수로 나타낼 수 없는 경우는 분수로 나타내시오.)

10 6학년 학생들은 세 문제로 된 20점 만점의 시험을 보았습니다. 1번 문제는 4점, 2번 문제는 6점, 3번 문제는 10점이고 다음은 그 결과를 전체 길이가 30 cm인 띠그래프에 나타낸 것입니다. 3번 문제를 맞힌 학생은 30명이고, 10점을 받은 학생에 대한 20점을 받은 학생의 비율이 40 %일 때, 한 문제만 맞힌 학생은 몇 명입니까?

4점 (7명)	6점 (8 %)	10점	14점 (10명)	16점	20점

4.2 cm   4.8 cm

11 오른쪽 띠그래프는 어느 제품을 만드는 가, 나 두 회사의 국내와 국외의 판매량을 비율로 나타낸 것입니다. 가, 나 두 회사의 전체 판매량의 비는 3 : 4입니다. 두 회사의 제품의 전체 판매량을 기준으로 하여 원그래프를 그릴 때, 국외 부분의 중심각의 크기를 구하시오.

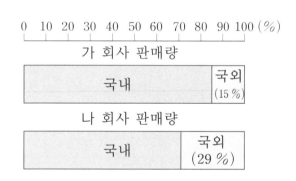

12 오른쪽은 어느 학교 학생들이 좋아하는 과목을 조사하여 원그래프로 나타낸 것입니다. 수학을 좋아하는 학생 수는 국어를 좋아하는 학생 수의 $3\frac{1}{6}$배입니다. 국어를 좋아하는 학생 수는 사회를 좋아하는 학생 수보다 8명 더 많고, 과학을 좋아하는 학생 수보다 36명 더 많습니다. 이 원그래프를 전체가 40 cm인 띠그래프로 나타내려면 사회를 좋아하는 학생 수는 몇 cm로 나타내야 하는지 구하시오.

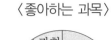

〈좋아하는 과목〉

13 진아네 학교 학생 800명의 남학생과 여학생의 비율과 여학생이 좋아하는 생선을 조사하여 나타낸 원그래프입니다. 여학생 중에서 갈치를 좋아하는 학생은 고등어를 좋아하는 학생의 3배이고, 꽁치를 좋아하는 학생은 조기를 좋아하는 학생의 3배입니다. 조기를 좋아하는 여학생은 몇 명입니까?

남학생과 여학생의 비율

여학생이 좋아하는 생선

14 유승이네 농장에서 기르는 가축의 수를 전체의 길이가 40 cm인 띠그래프로 나타냈습니다. 전체 가축 수는 800마리이고, 닭이 소보다 64마리 더 많을 때, 닭의 수는 몇 마리입니까?

농장의 가축 수

$20\,\text{cm}$

기타 $(1\frac{3}{4}\%)$

15 오른쪽 조건을 보고 전체 길이가 25 cm 인 띠그래프로 나타낼 때, B가 차지하는 부분의 길이는 몇 cm입니까?

- A는 B의 $1\frac{1}{2}$배입니다.
- B는 C의 $\frac{2}{5}$배입니다.
- C는 D의 2배입니다.

16 영진이는 밥, 당근, 참치, 단무지, 계란의 무게 비율을 오른쪽과 같이 넣어서 직접 김밥을 만들어 보았습니다. 당근은 90 g, 밥은 360 g, 계란은 단무지의 4배만큼 사용하여 만들었다면, 계란의 무게는 몇 g입니까?

재료별 무게

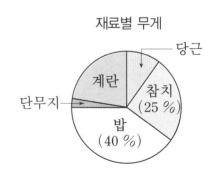

17 오른쪽 원그래프는 경수네 농장에서 수확한 채소의 무 게의 비율을 나타낸 것입니다. 무, 양파, 마늘의 무게의 비는 11 : 6 : 4이고, 양파의 무게는 배추 무게의 $\frac{1}{2}$이며, 고추가 차지하는 중심각은 30°입니다. 이 원그래프를 전체의 길이가 30 cm인 띠그래프로 나타낼 때, 양파가 차지하는 길이는 몇 cm입니까?

18 어느 도시는 ㉮, ㉯, ㉰ 3개의 마을로 이루어져 있습니다. 3개의 마을이 다 음 조건을 모두 만족할 때, 이 도시의 마을별 넓이에 따른 비율을 원그래프 로 나타내려고 합니다. ㉰ 마을의 중심각의 크기를 구하시오.

> ㉮ 마을의 넓이는 ㉯ 마을의 넓이의 $1\frac{2}{5}$배입니다.
> ㉰ 마을의 넓이는 ㉯ 마을의 넓이의 0.6배입니다.

19 띠그래프는 감자의 성분을 나타낸 것입니다. 이 감자를 말려서 포함하고 있는 수분을 절반으로 줄였습니다. 이 말린 감자 안에 포함되어 있는 단백 질은 전체의 몇 %입니까?

〈감자의 성분〉

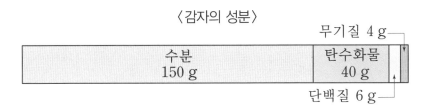

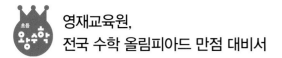

응용
왕수학

정답과 풀이

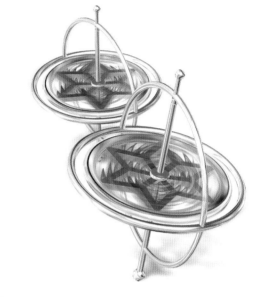

6 학년

(주) 에듀왕
www.왕수학.com

정답
&풀이

6학년

응용왕수학

1. 분수의 곱셈과 나눗셈

풀이

3, 8, 8, 24, 24, 3, 8, 2, 2, 132

답 132

EXERCISE 1

1 100분 **2** $7\frac{34}{45}$

[풀이]

1 (물통의 들이)$=2\frac{1}{2} \times 150=375(\text{L})$

$3\frac{1}{2}$ L 씩 넣은 시간은

$\left(375-2\frac{1}{2} \times 110\right) \div \left(3\frac{1}{2}-2\frac{1}{2}\right)=100(분)$ 동안
입니다.

2 $5\frac{1}{3}+\left(12\frac{3}{5}-5\frac{1}{3}\right) \div 3=7\frac{34}{45}$

풀이

(1) 4, 4 (2) 4, 4, 15, 195, 4, 65, $\frac{1}{65}$

답 (1) 4 (2) $\frac{1}{65}$

EXERCISE 2

1 $\frac{7}{8}$ **2** 432명

[풀이]

1 (준식)$=\frac{1}{1 \times 2}+\frac{1}{2 \times 3}+\frac{1}{3 \times 4}+\cdots+\frac{1}{6 \times 7}+\frac{1}{7 \times 8}$

$=\frac{1}{1}-\frac{1}{2}+\frac{1}{2}-\frac{1}{3}+\frac{1}{3}-\frac{1}{4}+\cdots+\frac{1}{6}-\frac{1}{7}+\frac{1}{7}-\frac{1}{8}$

$=1-\frac{1}{8}=\frac{7}{8}$

2 ⑭ 마을에 살고 있는 6학년 학생은 전체의

$\frac{3}{4} \times \frac{3}{4}=\frac{9}{16}$ 이므로 81명은 전체의 $1-\frac{1}{4}-\frac{9}{16}=\frac{3}{16}$
입니다.

따라서 6학년 학생 수는 $81 \div \frac{3}{16}=432(명)$입니다.

---

1 31 **2** $\frac{1}{20}$

3 8가지 **4** $2\frac{1}{4}$

5 35 **6** $32\frac{1}{4}$

7 3시 $49\frac{1}{11}$분 **8** 945명

9 $2\frac{7}{8}$시간 **10** 295점

11 남학생 : 1120명, 여학생 : 560명

12 6개 **13** 90쪽

14 $\frac{92}{225}$배 **15** 18살

16 5배 **17** 12분

18 32일 **19** $3\frac{3}{5}$

20 $547\frac{1}{2}$ g

[풀이]

1 $1988 \times \left(1+\frac{2}{7}-\frac{47}{71}\right) \times \frac{1}{\square} \div \left(1-\frac{2}{9}-\frac{1}{7}\right)=63$

$\overset{4}{1988} \times \frac{310}{497} \times \frac{1}{\square} \div \frac{40}{63}=63$

$1240 \times \frac{1}{\square}=40, \ \square=31$

2 (준식)

$=\frac{1}{10 \times 11}+\frac{1}{11 \times 12}+\frac{1}{12 \times 13}+\cdots+\frac{1}{18 \times 19}+\frac{1}{19 \times 20}$

$=\frac{1}{10}-\frac{1}{11}+\frac{1}{11}-\frac{1}{12}+\frac{1}{12}-\frac{1}{13}+\cdots+\frac{1}{19}-\frac{1}{20}$

$=\frac{1}{10}-\frac{1}{20}=\frac{1}{20}$

3 $6 \div \frac{\blacktriangle}{9}=6 \times \frac{9}{\blacktriangle}=\frac{54}{\blacktriangle}=\blacksquare$ 이므로 $\blacksquare$가 자연수가 되
려면 $\blacktriangle$는 54의 약수이어야 합니다.

54의 약수는 1, 2, 3, 6, 9, 18, 27, 54이므로
($\blacktriangle$, $\blacksquare$)는 (1, 54), (2, 27), (3, 18), (6, 9),
(9, 6), (18, 3), (27, 2), (54, 1)로 모두 8가지입
니다.

4 ㉮$=\frac{3}{4} \times \frac{6}{5} \times \frac{14}{9}=\frac{7}{5}$ 이므로 $\frac{7}{5}=2\frac{1}{4} \div \square \times 1\frac{2}{5}$입
니다.

따라서 $\square=2\frac{1}{4} \times 1\frac{2}{5} \div \frac{7}{5}$ 에서

$\square = \dfrac{9}{4} \times \dfrac{7}{5} \times \dfrac{5}{7} = 2\dfrac{1}{4}$ 입니다.

5 $\dfrac{1}{35} = \dfrac{1}{36} \times 36$ 이므로

$$\dfrac{1}{35} - \dfrac{1}{36} = \dfrac{1}{36} \times 36 - \dfrac{1}{36}$$
$$= \dfrac{1}{36} \times (36-1)$$
$$= \dfrac{1}{36} \times 35$$

6 4개의 수를 각각 ㉠, ㉡, ㉢, ㉣이라고 하면
3개씩을 골라 내는 방법은
㉠＋㉡＋㉢, ㉠＋㉡＋㉣, ㉠＋㉢＋㉣
㉡＋㉢＋㉣의 4가지입니다.

$50\dfrac{1}{4} \times 3 = 150\dfrac{3}{4}$, $53\dfrac{23}{36} \times 3 = 160\dfrac{11}{12}$,

$54\dfrac{17}{36} \times 3 = 163\dfrac{5}{12}$, $63\dfrac{1}{18} \times 3 = 189\dfrac{1}{6}$ 이므로

㉠＋㉡＋㉢＋㉣은

$\left(150\dfrac{3}{4} + 160\dfrac{11}{12} + 163\dfrac{5}{12} + 189\dfrac{1}{6}\right) \div 3 = 221\dfrac{5}{12}$ 입니다.

따라서 가장 작은 수는 $221\dfrac{5}{12} - 189\dfrac{1}{6} = 32\dfrac{1}{4}$ 입니다.

7 긴바늘이 1분에 돌아가는 각도 : $360° \div 60 = 6°$

짧은바늘이 1분에 돌아가는 각도 : $30° \div 60 = \dfrac{1}{2}°$

일직선이 되는 데 걸리는 시간이

$(3 \times 30 + 180) \div \left(6 - \dfrac{1}{2}\right) = 270 \times \dfrac{2}{11} = 49\dfrac{1}{11}$ (분)

이므로 시각은 3시 $49\dfrac{1}{11}$ 분입니다.

8 $130 + 20 = 150$ (명)이 전체의 $1 - \left(\dfrac{5}{9} + \dfrac{2}{7}\right) = \dfrac{10}{63}$ 에
해당합니다.

따라서 전체 학생 수는 $150 \div \dfrac{10}{63} = 945$ (명)입니다.

9 전체 일의 양을 1이라 하면 1시간 동안에 A 기계는
전체의 $\dfrac{1}{12}$, B 기계는 전체의 $\dfrac{1}{4}$ 을 합니다.

6시간 15분 동안 A 기계만을 사용하면

전체 일의 $\dfrac{1}{12} \times 6\dfrac{1}{4} = \dfrac{25}{48}$ 밖에 끝내지 못합니다.

따라서 B 기계를 사용한 시간은

$\left(1 - \dfrac{25}{48}\right) \div \left(\dfrac{1}{4} - \dfrac{1}{12}\right) = 2\dfrac{7}{8}$ (시간)입니다.

10

그림에서 색칠된 두 부분의 넓이는 같습니다.
합격자 평균과 불합격자 평균의 차가
$55 + 15 = 70$ (점)이므로
합격자의 평균 점수는 $239 + 70 \times \dfrac{4}{5} = 295$ (점)입니다.

별해

합격자의 수를 1이라 하면 불합격자 수는 4입니다.

(합격최저점수) $- \dfrac{55 \times 4 - 15 \times 1}{5} = 239$ (점)이므로 합격최저점수는 $239 + 41 = 280$ (점)입니다.

따라서 합격자의 평균 점수는
$280 + 15 = 295$ (점)입니다.

11 만일 남학생도 $\dfrac{1}{5}$ 만큼 줄었다면 전체 학생 수는

$1660 \times \dfrac{1}{5} = 332$ (명)이 줄었을 것입니다.

그런데 오히려 학생 수가 20명 늘어난 까닭은
남학생이 $\dfrac{1}{5}$ 만큼 줄지 않고 $\dfrac{1}{6}$ 만큼 늘었기 때문
입니다.

(작년의 남학생 수) $= (332 + 20) \div \left(\dfrac{1}{6} + \dfrac{1}{5}\right)$
$= 960$ (명)

(올해 남학생 수) $= 960 \times 1\dfrac{1}{6} = 1120$ (명)

(올해 여학생 수) $= 1660 + 20 - 1120 = 560$ (명)

12 $\dfrac{3}{4} \div \dfrac{\square}{84} = \dfrac{3}{4} \times \dfrac{84}{\square} = \dfrac{63}{\square}$ 에서 $\dfrac{63}{\square}$ 이 자연수가 되기 위해서는 $\square$ 가 63의 약수이어야 합니다.

따라서 $\square$ 안에 들어갈 수 있는 자연수는 1, 3, 7, 9, 21, 63으로 모두 6개입니다.

13

3일 동안 전체의 $\dfrac{4}{5}$ 를 읽었으므로 남은 쪽수는 전

체의 $\frac{1}{5}$이고, 셋째 날에 읽은 쪽수는 전체의 $\frac{1}{10}$에 해당합니다.

따라서 27쪽이 전체의 $1-\frac{2}{5}-\frac{3}{10}=\frac{3}{10}$이므로

전체 쪽수는 $27 \div \frac{3}{10} = 90$(쪽)입니다.

14 달리는 속도를 1이라 하면 자전거의 속도는 $3\frac{3}{4}$,

자동차의 속도는 $3\frac{3}{4} \times 3\frac{1}{3} = 12\frac{1}{2}$입니다.

전체 거리를 1이라 하면

전체를 달려갈 때는 $1 \div 1 = 1$만큼의 시간이 걸리고

자전거, 자동차, 달려서 갈 때는

$\left(\frac{2}{3} \div 3\frac{3}{4}\right) + \left(\frac{1}{3} \times \frac{1}{3} \div 12\frac{1}{2}\right) + \left(\frac{1}{3} \times \frac{2}{3} \div 1\right) = \frac{92}{225}$만큼

걸립니다. 따라서 $\frac{92}{225}$배입니다.

15 아버지

형

동생

따라서 $\left(2\frac{5}{9}\right) + \left(1\right) + \left(\frac{7}{9}\right) = \left(4\frac{1}{3}\right)$이 $79-1=78$(살)에

해당되므로 형의 나이는 $78 \div 4\frac{1}{3} = 18$(살)입니다.

16 처음에 가영이가 가진 돈을 ☐원, 한초가 가진 돈을 △원이라 하면

$☐ + △ = \left(\frac{3}{4} \times △ + \frac{1}{4} \times ☐\right) \times 3$

$= \frac{9}{4} \times △ + \frac{3}{4} \times ☐$

따라서 $☐ \times \frac{1}{4} = △ \times \frac{5}{4}$, $☐ = △ \times 5$이므로

5배입니다.

17 연못의 둘레를 1이라 하면 갑은 1분에 $\frac{1}{14}$씩,

을은 1분에 $\frac{1}{8}$씩 돕니다.

을이 $4\frac{4}{5}$분 동안 돈 거리는 전체의 $4\frac{4}{5} \times \frac{1}{8} = \frac{3}{5}$

이므로 병이 $4\frac{4}{5}$분 동안 돈 거리는 전체의 $\frac{2}{5}$입니다.

따라서 병이 한 바퀴 도는 데 걸린 시간은

$4\frac{4}{5} \div \frac{2}{5} = 12$(분)입니다.

18 전체 일의 양을 1이라 하면

처음에 하루에 하는 일의 양 : $\frac{3}{4} \div 16 = \frac{3}{64}$

사람 수를 $\frac{2}{3}$만큼 줄인 후 하루에 하는 일의 양 :

$\frac{3}{64} \div 3 = \frac{1}{64}$

일을 시작하여 끝낸 날수 : $\left(\frac{1}{4} \div \frac{1}{64}\right) + 16 = 32$(일)

19 $\frac{8}{15} ★ \frac{4}{21} = \frac{8}{15} \div \frac{2}{3} + \frac{8}{15} \div \frac{4}{21}$

$= \frac{8}{15} \times \frac{3}{2} + \frac{8}{15} \times \frac{21}{4}$

$= \frac{4}{5} + \frac{14}{5} = 3\frac{3}{5}$

20 (병에 가득 넣은 물의 무게)

$= (345 - 210) \div \left(\frac{5}{8} \times \frac{2}{5}\right) = 540$(g)

(병의 무게) $= 345 - 540 \times \frac{5}{8} = 7\frac{1}{2}$(g)

따라서 빈 병에 물을 가득 넣었을 때의 무게는

$540 + 7\frac{1}{2} = 547\frac{1}{2}$(g)입니다.

왕중왕문제 **15~20**

1 40   **2** 24일

3 (1) $4\frac{4}{5}$ km (2) 12 km

4 5800 g   **5** $7\frac{5}{8}$

6 $\frac{98}{225}$ **7** 11개

8 616 m²   **9** $1\frac{10}{13}$배

10 22일   **11** 10시 46분 $9\frac{3}{13}$초

12 4860

13 상권 : 160쪽, 하권 : 120쪽

14 96 L   **15** 9 km

16 예슬 : 3600원, 호승 : 2700원

17 48 cm   **18** 8분

[풀이]

1 $★ \div ▲ \div ▲ = ★ \times \frac{1}{▲} \times \frac{1}{▲} = \frac{★}{▲ \times ▲} = \frac{1}{90}$입니다.

$90 = 2 \times 3 \times 3 \times 5$이므로

$\frac{1}{90} = \frac{1}{2 \times 3 \times 3 \times 5} = \frac{2 \times 5}{(2 \times 3 \times 5) \times (2 \times 3 \times 5)}$

입니다. 따라서 가장 작은 자연수

★$=2×5=10$, ▲$=2×3×5=30$이므로

★ $+$ ▲ $=10+30=40$입니다.

2 전체 일의 양을 1이라 하면

(A군이 21일 동안 일한 양)$+$(B군이 10일 동안 일한 양)$=1$

(A군과 B군이 21일씩 일한 양)$=\dfrac{5}{72}×21=1\dfrac{11}{24}$

이므로 B군이 11일 동안 일한 양은 $\dfrac{11}{24}$입니다.

즉, B군이 1일 동안 일한 양은 $\dfrac{1}{24}$입니다.

따라서 B군이 혼자 일하면 24일 만에 끝낼 수 있습니다.

3 (1) (평균 속도)$=$(총 간 거리)$÷$(총 걸린 시간)

㉮, ㉯ 지역 사이의 거리를 6과 4의 최소공배수인 12 km라 하면, 갈 때는 2시간, 올 때는 3시간 걸리므로 영수는 왕복하는 데 평균적으로 한 시간에 $\dfrac{12+12}{2+3}=4\dfrac{4}{5}$(km)씩 간 것입니다.

(2) 한초는 왕복하는데 평균적으로 한 시간에 $\dfrac{24+24}{3+8}=4\dfrac{4}{11}$(km)씩 간 것입니다.

영수가 한초보다 30분 먼저 도착했으므로 한초가 왕복하는 데 걸린 시간은

$4\dfrac{4}{5}×\dfrac{1}{2}÷\left(4\dfrac{4}{5}-4\dfrac{4}{11}\right)=5\dfrac{1}{2}$(시간)입니다.

따라서 영수는 5시간 걸렸고, ㉮ 지역과 ㉯ 지역 사이의 거리는 $4\dfrac{4}{5}×5÷2=12$(km)입니다.

4 금을 물 속에 넣으면 1 g당 $\dfrac{1}{20}$ g 가벼워지고

은을 물 속에 넣으면 1 g당 $\dfrac{2}{21}$ g이 가벼워집니다.

물에 넣은 10 kg이 모두 금이라면 $10000×\dfrac{1}{20}=500$(g)이 가벼워져야 합니다. 그런데 690 g이 가벼워졌으므로 은이 포함되어 있습니다. 물에 넣은 은의 무게는 $(690-500)÷\left(\dfrac{2}{21}-\dfrac{1}{20}\right)=4200$(g)이므로 금의 무게는 $10000-4200=5800$(g)입니다.

5 주어진 조건을 수직선에 나타내면 다음과 같습니다.

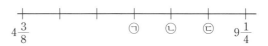

㉠은 $4\dfrac{3}{8}$과 $9\dfrac{1}{4}$ 사이를 2등분하고, ㉡은 ㉠과 $9\dfrac{1}{4}$ 사이를 3등분합니다.

따라서 ㉡은 $4\dfrac{3}{8}$과 $9\dfrac{1}{4}$을 6등분할 때 $9\dfrac{1}{4}$부터 2번째 수입니다.

㉡$=9\dfrac{1}{4}-\left(9\dfrac{1}{4}-4\dfrac{3}{8}\right)×\dfrac{2}{6}=9\dfrac{1}{4}-1\dfrac{5}{8}=7\dfrac{5}{8}$

6 늘어놓은 수의 규칙을 알아보면

$\dfrac{1}{2}, \dfrac{3}{3}, \dfrac{5}{4}, \dfrac{7}{5}, \dfrac{9}{6}, \dfrac{11}{2}, \dfrac{13}{3}, \dfrac{15}{4}, \dfrac{17}{5}, \dfrac{19}{6}, \cdots$이므로 분자는 1, 3, 5, 7, $\cdots$과 같이 2씩 커지고 분모는 2, 3, 4, 5, 6이 반복되는 규칙입니다.

25번째 분수의 분자는 $25×2-1=49$, 분모는 $25÷5=5$에서 5번째 숫자인 6입니다. ➡ $\dfrac{49}{6}$

38번째 분수의 분자는 $38×2-1=75$, 분모는 $38÷5=7\cdots3$에서 4입니다. ➡ $\dfrac{75}{4}$

따라서 25번째 수를 38번째 수로 나눈 몫은 $\dfrac{49}{6}÷\dfrac{75}{4}=\dfrac{98}{225}$입니다.

7 $\dfrac{1}{㉠}÷㉡=\dfrac{1}{㉠×㉡}$이므로 $\dfrac{1}{㉠×㉡}×1000>4$가

되려면 $\dfrac{1}{㉠×㉡}>\dfrac{4}{1000}=\dfrac{1}{250}$에서 ㉠$×$㉡은 250보다 작아야 합니다.

$5×6=30$, $6×7=42$, $7×8=56$, $\cdots\cdots$, $15×16=240$, $16×17=272$이므로 ㉠$×$㉡이 250보다 작은 것은 $15-5+1=11$(개)입니다.

8

$\begin{cases} 갑+을=832 \\ 갑×\dfrac{2}{9}-을×\dfrac{1}{4}=166 \end{cases}$ ➡ $\begin{cases} 갑+을=832 \\ 갑×\dfrac{8}{9}-을=664 \end{cases}$

갑 $+$ 갑 $×\dfrac{8}{9}=832+664=1496$이므로

지난해 갑이 가지고 있었던 밭의 넓이는 $1496÷\left(1+\dfrac{8}{9}\right)=792$(m²)입니다.

따라서 현재 갑이 가지고 있는 밭의 넓이는 $792×\dfrac{7}{9}=616$(m²)입니다.

9 (석기)$×\dfrac{4}{5}+$(영수)$×\dfrac{1}{5}$

$=\left\{(영수)×\dfrac{4}{5}+(석기)×\dfrac{1}{5}\right\}×3$

$$=(영수)\times\frac{12}{5}+(석기)\times\frac{3}{5}$$

$$(석기)\times\frac{1}{5}=(영수)\times\frac{11}{5}$$

따라서 석기는 영수의 11배만큼 구슬을 가지고 있습니다. 영수가 가진 구슬 수를 1, 석기가 가진 구슬 수를 11이라 하면 $\frac{1}{3}$씩 교환한 후 남는 구슬 수는 석기가 $11\times\frac{2}{3}+1\times\frac{1}{3}=\frac{23}{3}$, 영수가 $11\times\frac{1}{3}+1\times\frac{2}{3}=\frac{13}{3}$이므로 $\frac{23}{3}\div\frac{13}{3}=1\frac{10}{13}$(배)가 됩니다.

10

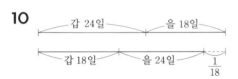

갑이 6일 동안 한 일의 양과 을이 6일 동안 한 일의 양의 차가 전체의 $\frac{1}{18}$이므로 갑과 을의 하루의 작업량의 차는 전체의 $\frac{1}{18}\div6=\frac{1}{108}$입니다.

(을의 하루의 작업량)
$$=\left(1-\frac{1}{108}\times24\right)\div(24+18)=\frac{1}{54}$$

(갑의 하루의 작업량)$=\frac{1}{54}+\frac{1}{108}=\frac{1}{36}$

따라서 갑과 을이 함께 일하면 $1\div\left(\frac{1}{36}+\frac{1}{54}\right)=21\frac{3}{5}$이므로 22일 만에 끝낼 수 있습니다.

11 긴바늘이 1분 동안 돌아가는 각도는 $6°$, 짧은바늘이 1분 동안 돌아가는 각도는 $\frac{1}{2}°$입니다.

10의 눈금을 끼고 긴바늘과 짧은바늘이 좌우대칭이되므로 짧은바늘과 긴바늘이 돌아간 각도의 합은 $30°\times10=300°$입니다. 따라서 긴바늘이 이동한 시간은 $300°\div\left(6°+\frac{1}{2}°\right)=46\frac{2}{13}$(분)이므로 시각은 10시 46분 $9\frac{3}{13}$초입니다.

12 $5\frac{2}{5}\div㉠=\frac{27}{5\times㉠}=\frac{1}{㉡}$

$5\frac{1}{7}\div㉠=\frac{36}{7\times㉠}=\frac{1}{㉢}$

계산 결과가 모두 단위분수가 되어야 하므로 ㉠은 27과 36의 최소공배수가 되어야 합니다. 27과 36의 최소공배수는 108이므로 ㉠의 가장 작은 수는 108, 두 번째 작은 수는 108×2, 세 번째 작은 수는 108×3, $\cdots$이고 1000보다 작은 수 중 가장 큰 수는 108×9이므로 모든 수의 합은 $108\times(1+2+3+\cdots+9)=108\times45=4860$입니다.

13 (A가 매일 읽는 쪽수)$=(5\times14-10)\div4=15$(쪽)
(처음 동화책의 전체 쪽수)$=15\times18+10$
$$=280(쪽)$$

상권	├───────────────┤20쪽 줄임
하권	├──┼──┼──┼──┼──┼──┤ 늘임

(처음 상권의 쪽수)$=(280-20)\times\frac{7}{13}+20=160$(쪽)
(처음 하권의 쪽수)$=280-160=120$(쪽)

14 휘발유값이 5% 오르지 않았다면 3일 동안 사용한 휘발유값은 $36960\div1.05=35200$(원)입니다.
3일 동안 사용하고 남은 휘발유의 양은 전체의 $\frac{48000-35200}{48000}=\frac{4}{15}$입니다.

전체의 $\frac{1}{4}$ ─ $14\frac{2}{5}$L ─ 나머지의 $\frac{5}{9}$ ─ 나머지의 $\frac{4}{9}$
전체의 $\frac{5}{15}$ ─ 전체의 $\frac{4}{15}$

(자동차 기름 탱크익 들이)
$$=14\frac{2}{5}\div\left\{1-\left(\frac{1}{4}+\frac{5}{15}+\frac{4}{15}\right)\right\}=96(L)$$

15 전체 거리의 $\frac{3}{4}$을 가는 데 한 시간에 $4\frac{1}{2}$ km씩 가는 것과 한 시간에 $5\frac{2}{5}$ km씩 가는 데 걸린 시간의 차는 $3+12=15$(분)$=\frac{1}{4}$(시간)입니다.

따라서 한 시간에 $4\frac{1}{2}$ km씩 전체의 $\frac{3}{4}$을 가는 데 걸린 시간은 $\left(5\frac{2}{5}\times\frac{1}{4}\right)\div\left(5\frac{2}{5}-4\frac{1}{2}\right)=1\frac{1}{2}$(시간)이므로 ㉮에서 ㉯까지의 거리는 $\left(4\frac{1}{2}\times1\frac{1}{2}\right)\div\frac{3}{4}=9(km)$입니다.

16 $\begin{bmatrix}(예슬)+(호승)=6300\\(예슬)\times\frac{7}{9}-(호승)\times\frac{3}{5}=1180\end{bmatrix}$

$\rightarrow\begin{bmatrix}(예슬)\times\frac{3}{5}+(호승)\times\frac{3}{5}=3780\\(예슬)\times\frac{7}{9}-(호승)\times\frac{3}{5}=1180\end{bmatrix}$

$(예슬) \times \dfrac{3}{5} + (예슬) \times \dfrac{7}{9} = 3780 + 1180 = 4960$

$(예슬) = 4960 \div \left(\dfrac{3}{5} + \dfrac{7}{9} \right) = 3600 (원)$

$(호승) = 6300 - 3600 = 2700 (원)$

17 $(A막대) \times \dfrac{1}{4} = (B막대) \times \dfrac{3}{7} = (C막대) \times \dfrac{4}{5}$ 이므로
연못의 깊이를 1이라 하면

A막대의 길이는 4, B막대의 길이는 $\dfrac{7}{3}$, C 막대의

길이는 $\dfrac{5}{4}$입니다. 따라서 연못의 깊이는

$364 \div \left(4 + \dfrac{7}{3} + \dfrac{5}{4} \right) = 364 \div \dfrac{91}{12} = 48 (cm)$입니다.

18 수도꼭지 1개에서 1분 동안 빠지는 물의 양을 ①
이라 가정하고, 1분 동안 흘러 들어가는 물의 양
을 □라 하면

$26 \times ① - □ = 1 \div 10 = \dfrac{1}{10}$, $14 \times ① - □ = \dfrac{1}{40}$

수도꼭지 1개에서 1분 동안 빠지는 물의 양은

$\left(\dfrac{1}{10} - \dfrac{1}{40} \right) \div (26 - 14) = \dfrac{1}{160}$입니다.

1분 동안에 흘러 들어가는 물의 양은

$\dfrac{1}{160} \times 26 - \dfrac{1}{10} = \dfrac{1}{16}$입니다.

따라서 30개의 수도꼭지를 모두 열면

$1 \div \left(\dfrac{1}{160} \times 30 - \dfrac{1}{16} \right) = 8 (분)$ 만에 물탱크가 비게

됩니다.

별해

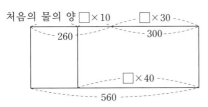

수도꼭지 1개에서 1분당 빠지는 물의 양을 1이라
하고, 1분 동안 흘러 들어가는 물의 양을 □라 하면
$1 \times 26 \times 10 = 260$
$1 \times 14 \times 40 = 560$ 이므로
$□ \times 30 = 300$, $□ = 10$
따라서 처음의 물의 양은 $560 - 10 \times 40 = 160$ 이고,
수도꼭지 30개를 모두 열면 $160 \div (30 - 10) = 8 (분)$
만에 물탱크가 비게 됩니다.

2. 소수의 곱셈과 나눗셈

s earch 탐구 22

풀이
0.9, 0.9, 0.9, 0.1, 0.1, 0.505, 5

답 5

EXERCISE 1

1 40.15   **2** 3.6 cm
3 52.296 kg

[풀이]

1 $(준식) = 7.3 \times 3.4 - 7.3 \times 0.17 + 7.3 \times 2.27$
$\qquad = 7.3 \times (3.4 - 0.17 + 2.27)$
$\qquad = 7.3 \times 5.5 = 40.15$

2 $(윗변의 길이) + (아랫변의 길이)$
$\qquad = 14.56 \times 2 \div 3.2 = 9.1 (cm)$
$(아랫변의 길이) = (9.1 - 1.9) \div 2$
$\qquad\qquad\qquad = 3.6 (cm)$

3 $(지혜) = 36 kg$
$(한초) = 36 \times 1.2 + 4 = 47.2 (kg)$
$(한별) = 47.2 \times 1.2 = 56.64 (kg)$
$(한솔) = 56.64 \times 1.4 - 27 = 52.296 (kg)$

s earch 탐구 23

풀이
1.44, 1.45, 1.44, 1.45, 7.25, 0.38, 0.38, 38

답 38

EXERCISE 2

1 5.9   **2** 6.42
3 7

[풀이]

1 $(어떤 수) = 81.42 \div (1.38 + 12.42)$
$\qquad\qquad = 5.9$

2 $(어떤 수) = (72.325 - 0.0358) \div 11.26$
$\qquad\qquad = 6.42$

3 소수점 아래의 숫자는 5, 7, 1, 4, 2, 8의 6개의
숫자가 반복되고 있습니다.
$50 \div 6 = 8 \cdots 2$이므로 50째 번의 숫자는 7입니다.

왕 문제 **24~29**

1 25	**2** 72점
3 16 m	**4** 136명
5 28000 원	**6** 81 km
7 1722	**8** 18명
9 2948.4 m	**10** 112.5 km
11 2.47	**12** 11시 40분 48초
13 24분 45초	**14** 41세
15 295명	**16** 22.412
17 30	**18** 71개

[풀이]

1 $A+B=14.5\times2=29$, $A+C=17\times2=34$, B+C와
$A+D$는 $18.5\times2=37$ 또는 $19\times2=38$입니다.
$C+D=23\times2=46$, $B+D=20.5\times2=41$
$(C+D)-(A+C)=D-A=46-34=12$
$A+D$가 37일 때, $D=(37+12)\div2=24.5$
D가 자연수가 아니므로 A+D는 38이며
$D=(38+12)\div2=25$입니다.

2 전체 학생 수의 합 : $48+32=80$(명)
전체 학생의 점수의 합 : $80\times68.4=5472$(점)
남학생 각각에 6점씩을 더해주면 여학생의 평균
점수와 같아지므로 여학생 평균 점수는
$(5472+6\times48)\div80=72$(점)입니다.

3 공 ㉮의 두 번째 튀어 오른 높이는
$9\times0.8\times0.8=5.76$(m)이므로 공 ㉯의 떨어뜨린 높
이는 $5.76\div0.6\div0.6=16$(m)입니다.

4 남지 승객 전체를 100으로 가정하면 한국인 남자
승객은 80, 외국인 남자 승객은 20입니다.
여자 승객 전체는 $80\div1.6=50$입니다.
(외국인 남자 승객)$=720\times\dfrac{20}{150}=96$(명)
(외국인 여자 승객)$=96\times\dfrac{52}{48}=104$(명)
(한국인 여자 승객)$=720\times\dfrac{50}{150}-104=136$(명)

5 (정가)$=22050\div(1+0.05)\div0.75=28000$(원)

6 기차는 1초에 $(255-120)\div(16.2-10.2)=22.5$(m)
가는 빠르기이므로 1시간에
$22.5\times3600=81000$(m)$=81$(km)를 가는 빠르기입
니다.

7 $11.5\leqq$(몫)<12.5
$11.5\times12\leqq$(어떤 자연수)$<12.5\times12$

$138\leqq$(어떤 자연수)<150
따라서 어떤 자연수들의 합은
$138+139+\cdots+149$
$=(138+149)\times12\div2=1722$입니다.

8 여학생 수를 □명이라 하면

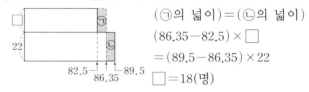

(㉠의 넓이)$=$(㉡의 넓이)
$(86.35-82.5)\times□$
$=(89.5-86.35)\times22$
$□=18$(명)

9 한 바퀴 돌 때마다 0.4 m씩 차이가 나므로 앞바퀴
가 돈 횟수는 $468\times1.4\div(1.8-1.4)=1638$(번)입니다.
따라서 자전거로 달린 거리는
$1638\times1.8=2948.4$(m)입니다.

10 A는 한 시간에 $22.5\times\dfrac{60}{15}=90$(km), B는 한 시
간에 $90-15=75$(km)를 가는 빠르기입니다.
B가 출발해서 다리에 도착하는 데 걸린 시간 :
$22.5\div(90-75)=1.5$(시간)
따라서 출발점에서 다리까지의 거리는
$75\times1.5=112.5$(km)입니다.

11 소수점이 오른쪽으로 한 칸 옮겨지면 원래 수의
10배가 되므로 바른 답과 잘못 적은 답의 차인
22.23은 바른 답의 $10-1=9$(배)가 됩니다.
따라서 바른 답은 $22.23\div9=2.47$입니다.

12 24분은 0.4시간이므로 한솔이가 출발할 때 유승
이는 $12.8\times0.4=5.12$(km)를 앞서 있습니다. 두
사람이 한 시간에 4 km씩 간격이 좁혀지므로 한
솔이가 출발하고 $5.12\div4=1.28$(시간) 후에 만나
게 됩니다.
1.28시간은 1시간 16분 48초이므로 만난 시각은
11시 40분 48초입니다.

13 연못 주위의 둘레를 1이라 하면 한 번 만날 때까
지 2명이 걸은 거리의 합은 1이고, 한 번 따라잡
기까지 2명이 걸은 거리의 차도 1입니다.
A와 C가 1분 동안 걸은 거리의 합 :
$1\div4.5=\dfrac{2}{9}$
B와 C가 1분 동안 걸은 거리의 합 :
$1\div5.5=\dfrac{2}{11}$
A와 B가 1분 동안 걸은 거리의 차 :
$\dfrac{2}{9}-\dfrac{2}{11}=\dfrac{4}{99}$

따라서 A가 B를 따라잡는 데 걸리는 시간은

$1 \div \frac{4}{99} = \frac{99}{4} = 24\frac{3}{4}$분 = 24분 45초입니다.

14 (현재 어머니의 연세) = (12+4) × 2.5−4
　　　　　　　　　　　 = 36(세)

　　(현재 아버지의 연세) = (36+14) × 1.1−14
　　　　　　　　　　　 = 41(세)

15 550명이 모두 남학생이었다면 올해 학생 수는
550 × 0.91 = 500.5(명)입니다. 그런데 568명이 된
것은 여학생 수는 9 %가 줄지 않고 18 %가 늘었
기 때문입니다.

　　(작년 여학생 수) = (568−500.5) ÷ (0.09+0.18)
　　　　　　　　　　 = 250(명)

따라서 올해 여학생 수는 250 × 1.18 = 295(명)입니
다.

16 ㉠.㉡ ㉢
　 × ㉣.㉤

가장 큰 숫자 5는 ㉣에 놓여야 하
고, 두 번째로 큰 숫자 4는 ㉠에 놓
여야 합니다.

가장 큰 곱 ➡
```
     4.3 1
   ×  5.2
  22.4 1 2
```

17 주어진 식의 계산 결과를 ㉮라 하면

㉮ = 9 + 6.3 + 4.41 + 3.087 + …… 에서
　　　 ×0.7 ×0.7 ×0.7

(앞의 수) × 0.7의 수를 더하는 규칙입니다.

　　　　㉮ = 9 + 6.3 + 4.41 + 3.087 + ……
−) 0.7 × ㉮ = 6.3 + 4.41 + 3.087 + ……
　　0.3 × ㉮ = 9
　　　　㉮ = 9 ÷ 0.3 = 30

18 ・△가 0부터 5까지일 때 □는 0부터 9까지 모두
들어갈 수 있으므로 10 × 6 = 60(개)입니다.

・△가 6일 때 43.□4 > 43.23에서 □는 2부터 9
까지 8개입니다.

・△가 7일 때 43.□4 > 43.73에서 □는 7, 8, 9로
3개입니다.

・△가 8일 때 43.□4 > 44.23에서 □에 알맞은
숫자는 없습니다.

따라서 (□, △)의 쌍은 60 + 8 + 3 = 71(개)입니다.

왕중왕 문제 30~35

1 가 : 0.7, 나 : 0.9, 다 : 1.1

2 20 명

3 20000 원

4 15.95 초

5 3.04 m²

6 14.115

7 180 cm

8 530000 원

9 A : 97 점, B : 63 점

10 75 개

11 9.5초

12 6000 개

13 71 km

14 1.386 km

15 6.75분

16 1.1초

17 68.4

14 8.64 m

[풀이]

1 $\dfrac{(가 \times 나) \times (나 \times 다)}{(가 \times 다)}$ = 나 × 나

나 × 나 = $\dfrac{0.63 \times 0.99}{0.77}$ = 0.81, 나 = 0.9

가 = 0.63 ÷ 0.9 = 0.7

다 = 0.99 ÷ 0.9 = 1.1

2 반의 평균 키가 148.5 cm이므로 키가 가장 큰 학생
과의 차이는 168 − 148.5 = 19.5(cm)입니다.

따라서 모든 학생들과 각각 19.5 cm씩 차이가 나는
것과 같으므로 이 반의 학생 수는
390 ÷ 19.5 = 20(명)입니다.

3 동민이의 남은 돈은 처음의 0.9 × 1.1 = 0.99
석기의 남은 돈은 처음의 0.85 × 1.1 = 0.935이므로
(처음 동민이 돈의 0.01) + (처음 석기의 돈의 0.065)
= 1600 원
(처음 동민이 돈의 1) + (처음 석기의 돈의 6.5)
= 160000 원
(처음 동민이 돈의 1) + (처음 석기의 돈의 1)
= 50000 원

따라서 처음 석기의 돈은
(160000 − 50000) ÷ (6.5 − 1) = 20000(원)입니다.

4 첫 번째 경적이 역까지 들리는 데 걸린 시간은
2788 ÷ 340 = 8.2(초)이고, 첫 번째 경적을 울린 후
17 초 동안 기차가 간 거리는
75.6 ÷ 3600 × 17 = 0.357(km) ➡ 357 m 입니다.

따라서 두 번째 경적이 역까지 들리는 데 걸린 시간
은 (2788 − 357) ÷ 340 = 7.15(초)이므로
첫 번째 경적을 들은 지 17 + 7.15 − 8.2 = 15.95(초)
후입니다.

5

㉰의 넓이 : $(16.44-2.84\times3)\div3=2.64(\text{m}^2)$

㉮의 넓이 : $2.84+(2.84-2.64)=3.04(\text{m}^2)$

6 $A+B+D+E=9.8775\times4=39.51$

$A+B+C$, $D+E+F$, $A+D+G$, $B+E+H$가 모두 같으므로

$A+B+C$

$=\{(A+B+C)+(D+E+F)+(A+D+G)$

$\quad+(B+E+H)\}\div4$

$=\{(A+B+D+E)\times2+(C+F+G+H)\}\div4$

$=(39.51\times2+22.56)\div4=25.395$

또, $C+F+I$와 $G+H+I$가 같으므로

$(C+F)=(G+H)=22.56\div2=11.28$ 입니다.

따라서 $I=25.395-11.28=14.115$ 입니다.

7 수면 위로 나온 막대의 길이의 차 45 cm가 막대의 0.15에 해당합니다.

따라서 막대의 길이는 $45\div0.15=300(\text{cm})$이므로

A 에서 연못의 깊이는 $300\times0.6=180(\text{cm})$입니다.

8 A은행에 예금한 금액을 ☐원이라 하면 B은행에 예금한 금액은 $(10000000-☐)$원입니다.

$☐\times0.06-(10000000-☐)\times0.04=250000$

$☐\times0.06+☐\times0.04=650000$

$☐=650000\div0.1=6500000$

따라서 두 은행의 이자의 합은

$6500000\times0.06+3500000\times0.04=530000(원)$입니다.

9 $C+D+E=66+78+87=231(점)$

$A+B+C+D+E=78.2\times5=391(점)$

$A+B=391-231=160(점)$

그런데 A, C, D, E의 평균 점수가 B, C, D, E의 평균 점수보다 8.5점이 높으므로

$A-B=8.5\times4=34(점)$입니다.

$A=(160+34)\div2=97(점)$

$B=(160-34)\div2=63(점)$

10 상품 1개의 사 온 값을 1이라 하면 정가는 1.2, 10 % 할인한 값은 1.08, 20 % 할인한 값은 0.96

입니다.

전체 이익과 사 온 값의 합 :

$600\times(1+0.115)=669$

250 개를 판 값 : $250\times1.2=300$

따라서 350 개를 10 % 또는 20 %를 할인하여 팔아 369만큼 받았습니다.

20 %를 할인하여 판 상품의 개수:

$(350\times1.08-369)\div(1.08-0.96)=9\div0.12=75(개)$

11 첫 번째 경적을 울린 후 들은 시간은

$2550\div340=7.5(초)$ 후이고,

첫 번째 경적을 울린 후 10초 동안 기차가 간 거리는 $61200\div3600\times10=170(\text{m})$입니다.

두 번째 경적을 울린 후 들은 시간은

$(2550-170)\div340=7(초)$ 후이므로

첫 번째 경적과 두 번째 경적을 들은 간격은

$10+7-7.5=9.5(초)$입니다.

12 현재 가지고 있는 과일의 개수를 ☐개라고 하면

$\dfrac{(☐+4000\times30)}{30}\times1.25=\dfrac{☐+4000\times20}{20}$

$(☐+120000)\times25=(☐+80000)\times30$

$25\times☐+3000000=30\times☐+2400000$

$600000=5\times☐$

$120000=☐$

현재 하루 판매량 : $120000\div30+4000=8000(개)$

따라서 30 일 동안 판매를 하기 위해 매일 가져오는 과일의 개수는

$(8000\times1.25\times30-120000)\div30=6000(개)$로 해야 합니다.

13 갑이 출발하기 전 을이 간 거리 : $6\times2.5=15(\text{km})$

전체 거리의 반을 ☐ km라 하면 갑이 출발한 후 두 사람이 만날 때까지 갑이 간 거리는

$(☐-3.5)$km, 을이 간 거리는

$☐-15+3.5=(☐-11.5)$km 이므로

$(☐-3.5)\div8=(☐-11.5)\div6$

양변에 48을 곱하면

$6\times☐-21=8\times☐-92$, $2\times☐=71$

따라서 동서 양쪽 사이의 거리는 71 km 입니다.

14 배는 한 시간에 36 km를 가므로 1초에 10 m를 가는 빠르기입니다.

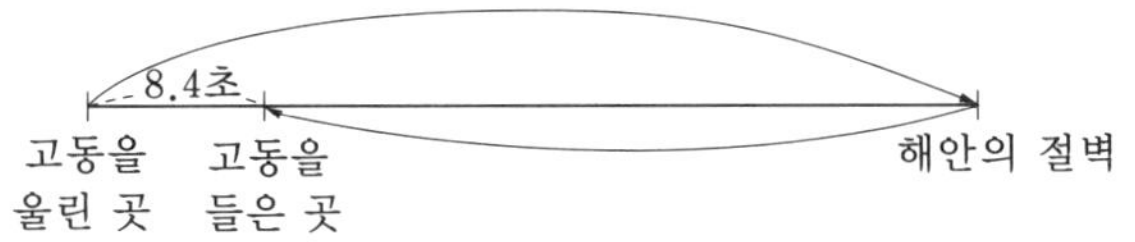

배와 소리가 진행한 거리의 합은

$8.4\times(10+340)=2940(\text{m})$입니다.

따라서 $2940\div2-8.4\times10=1386(\text{m})=1.386(\text{km})$

15 효근이와 석기가 만난 지점까지 간 거리의 비는 석기가 걸린 시간을 1이라 하면 효근이가 걸린 시간은 0.75이므로

$(6.4\times0.75):(4\times1)=6:5$입니다.

석기가 간 거리 : $360\div(6-5)\times5=1800(\text{m})$

석기가 걸린 시간 : $1800\div4000=0.45$(시간)

$=27$(분)

따라서 효근이는 석기보다

$27\times(1-0.75)=6.75$(분) 늦게 출발했습니다.

16 A팀의 총 걸린 시간 : $14.5\times4\times4=232$(초)

B팀의 나머지 한 명이 100 m를 달리는 시간:

$\{232-(13.5+14+14.5)\times4\}\div4=16$(초)

시간을 줄이려면 빨리 달리는 사람이 오래 달려야 하므로 B팀의 순번은 14.5초가 380 m, 13.5초가 440 m, 16초가 360 m, 14초가 420 m를 순서대로 달려야 합니다. 이때, 걸린 시간은

$14.5\times3.8+13.5\times4.4+16\times3.6+14\times4.2=230.9$(초)

이므로 $232-230.9=1.1$(초) 줄일 수 있습니다.

17 각각의 수를 3번씩 더한 합이 712.8이므로 네 수의 합은 $712.8\div3=237.6$입니다.

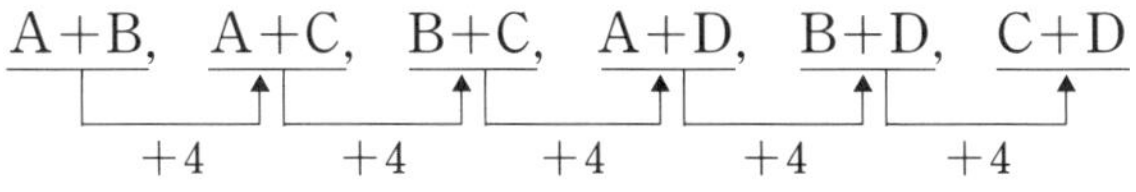

C와 B의 차는 4, B와 A의 차는 4, D와 C의 차는 8이므로

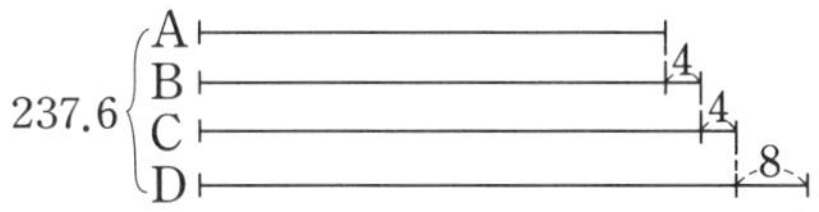

$D=(237.6+8+12+16)\div4=68.4$입니다.

18 개미 ㉮와 ㉯가 4시간 30분 동안 움직인 거리의 합은 $(4.2+5.4)\times4.5=43.2(\text{m})$입니다.

개미가 3번 만날 때까지 움직인 거리의 합은 ㉠과 ㉡ 사이의 거리의 5배이므로 ㉠과 ㉡ 사이의 거리는 $43.2\div5=8.64(\text{m})$입니다.

II 도형

1. 각기둥과 각뿔

search 탐구 39

풀이

2, 2, 3

답 10, 16, 24, 팔각형, 직사각형 / 2, 2, 3

EXERCISE 1

1 (1) 사각뿔 (2) 사각기둥
  (3) 오각뿔 (4) 육각기둥

2 (1) 이십각뿔 (2) 팔각기둥
  (3) 십각뿔

[풀이]

1 각기둥의 옆면은 직사각형이고, 각뿔의 옆면은 삼각형입니다.

2 (1) □+1=21, □=20 ➡ 이십각뿔
  (2) □×2+□×3=40, □=8 ➡ 팔각기둥
  (3) □×2+□+1+□+1=42, □=10 ➡ 십각뿔

search 탐구 40

풀이

(1) ㉯, ㉰, ㉮, 3, 12, 6 (2) 7, 3, 4, 163

답 (1) 3, 12, 6 (2) 163

EXERCISE 2

1 선분 ㄱㄴ, 선분 ㄴㄷ, 선분 ㄹㅈ, 선분 ㅈㅇ
  선분 ㅈㅊ, 선분 ㄴㅋ

[풀이]

1 정육면체에서 한 모서리에 수직인 모서리는 4개 있습니다.

왕문제 41~46

1 ②, ④, ⑤ 2 140 cm
3 ②, ⑤ 4 풀이 참조
5 20개 6 풀이 참조

---

7 (1) 8개 (2) 16개
8 (가) : 십각기둥 (나) : 사각기둥
9 60 cm 10 ②, ④, ⑤
11 (1) 풀이 참조 (2) 풀이 참조
12 18개 13 56개
14 32 cm 15 삼각형, 8개
16 4가지
17 (1) 720° (2) 7 cm
18 22 cm

[풀이]

1 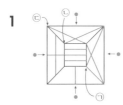 전개도에서 ▤ 면을 윗면에 오도록 하여 접으면 왼쪽 그림과 같이 각 면이 나타납니다. ②번은 ㉠의 위치, ④번은 ㉡의 위치, ⑤번은 ㉢의 위치에서 본 모양입니다.

2 가로, 세로, 높이가 각각 a cm, b cm, c cm일 때
$a×b=168$
$a×c=126$
$b×c=108$
$c×c=126×108÷168=81$, $c=9$이므로
$a=14$, $b=12$입니다.
따라서 모서리의 길이의 합은
$(14+12+9)×4=140$(cm)입니다.

3 접었을 때 주어진 입체도형과 같은 모양이 되는 전개도를 찾으면 ②, ③, ⑤이고, 이 중 주어진 입체도형이 되는 것은 ②, ⑤입니다.

4

5 오른쪽 그림과 같이 쌓을 경우 작은 삼각기둥이 가장 적게 필요합니다.
따라서 높이는
$(132-2×3×2)÷3=40$(cm)이고,
필요한 삼각기둥은
$40÷2=20$(개)입니다.

6 (1) 　(2)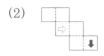

(3) 　(4)

7 접었을 때 맞닿은 부분을 한 개로 생각하여 꼭짓점과 모서리를 세어 봅니다.

(1) 꼭짓점의 개수는 그림에서 표시된 점의 개수와 같습니다. ➡ 8개

(2) 모서리의 개수는 그림에서 표시된 굵은 선분의 개수와 같습니다. ➡ 16개

참고 전개도로 만든 입체도형은 오른쪽과 같습니다.

8 (가)를 □각기둥, (나)를 △각기둥이라 하면

$$\begin{cases} □×2-△×3=8 \\ □×3+△×3=42 \end{cases}$$ 또는 $$\begin{cases} △×3-□×2=8 \\ □×3+△×3=42 \end{cases}$$

두 식 중 □, △의 값이 자연수로 나오는 식은 왼쪽 식으로 □=10, △=4입니다.

따라서 (가)는 십각기둥, (나)는 사각기둥입니다.

9 사각형 EFGH는 마름모입니다.

선분 EH의 길이가 20÷4=5(cm)이므로

선분 BC의 길이는 5×2=10(cm)입니다.

따라서 삼각뿔의 모든 모서리의 길이의 합은

10×6=60(cm)입니다.

10 평행한 3쌍의 면의 수의 합이 각각 7이 되는지 확인해 봅니다.

11 (1) 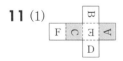　(2)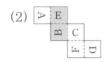

12 밑면에서 3가지 모양의 직사각형을 6개 그릴 수 있습니다.

 옆면 1개에서 1가지 모양의 직사각형을 3개 그릴 수 있습니다.

따라서 면 위에 그릴 수 있는 직사각형은 모두

6+3×4=18(개)입니다.

13 각뿔의 밑면의 변의 수를 □개라 하면

(□+1)+(□×2)+(□+1)=38에서

□=9이므로 구각뿔입니다.

따라서 구각기둥의 면의 수, 모서리의 수, 꼭짓점의 수의 합은

(9+2)+(9×3)+(9×2)=56(개)입니다.

14 둘레가 가장 긴 전개도는 가장 긴 모서리를 모두 자른 전개도입니다.

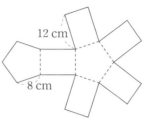

8×4×2+(12×2)×5=184(cm)

둘레가 가장 짧은 전개도는 가장 짧은 모서리를 모두 자른 전개도입니다.

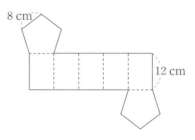

(8×4×2)×2+12×2=152(cm)

따라서 둘레의 차는

184-152=32(cm)입니다.

15 삼각형 AFC, 삼각형 DEG
삼각형 AEF, 삼각형 CFG
삼각형 EFG, 삼각형 DAC
삼각형 AED, 삼각형 DGC

16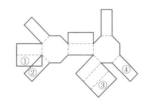

17 (1) 내각의 합이 가장 크게 되도록 자를 때의 단면은 육각형이며 그 때의 내각의 합은

180°×4=720°입니다.

(2) 오른쪽 그림과 같이 F로
부터 3cm 떨어져 있는
지점을 지날 때이므로 B
로부터는 10-3=7(cm)
떨어져 있습니다.

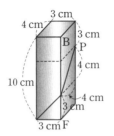

18 [그림 1]의 종이의 둘레는
30×4+104×2=328(cm)입니다.
따라서 선분 AB의 길이는
(328-30×8)÷4=22(cm)입니다.

왕중왕 문제 47~52

1 5가지   **2** 풀이 참조
3 16개   **4** 188 cm
5 (가)-B, (나)-A, (다)-B, (라)-A, (마)-B
6 풀이 참조   **7** 풀이 참조
8 5가지
9 막대 : 540개, 찰흙 구슬 : 216개
10 풀이 참조
11 (1) 점 ㉢, 점 ㉧, 점 ㉤
     (2) 18 cm
12 5가지   **13** 30 가지
14 36 개   **15** 27 cm
16 (4개, 30 cm), (4개, 39 cm), (6개, 26 cm),
     (6개, 28 cm), (6개, 34 cm), (8개, 24 cm)
17 약 12 cm   **18** 36 가지

[풀이]

1 8+8+8+7+7+7=45
8+8+8+7+7+6=44
8+8+8+7+7+5=43
8+8+8+7+7+4=42
8+8+8+7+6+6=43
8+8+8+7+6+5=42
8+8+8+7+6+4=41

2
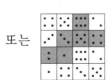
또는

3
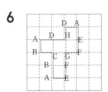
왼쪽 그림과 같이 한 층을 만드는
데 4개의 입체도형이 필요하므로 4
층까지 쌓으려면 4×4=16(개)가 필
요합니다.

4 15×4+12×4+9×4+2×4+4×4+5×4
=188(cm)

5 전개도의 빈 곳에 점을 그려 넣고 어느 한 면을
기준으로 잡아 접은 모양을 생각해 봅니다.

6
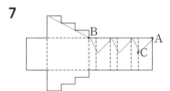

7
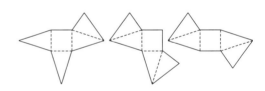

8 제시한 전개도 이외에 밑면이 정사각형인 사각뿔
의 서로 다른 전개도는 다음과 같습니다.
① 옆면이 2개 붙어 있는 경우

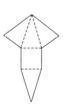

② 옆면이 3개 붙어 있는 경우

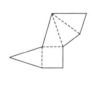

모두 5가지가 더 있습니다.

9 ① 찰흙 구슬의 개수 : 6×6×6=216(개)
② 막대의 개수
  • 가로로 놓이는 막대의 개수
    5×6×6=180(개)
  • 세로로 놓이는 막대의 개수
    5×6×6=180(개)
  • 높이로 놓이는 막대의 개수
    5×6×6=180(개)
  ➡ 180+180+180=540(개)

10 전개도를 접어 만들 수 있는 주사위를 나타내면 다음 그림과 같습니다.

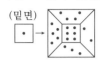 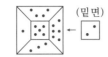

서로 붙어 있는 면의 눈의 수가 3과 4이므로 위에서 보이는 면의 눈의 수는 2와 5입니다.
따라서 수와 방향을 모두 고려하여 그리면 다음과 같습니다.

11 (1) 전개도를 접었을 때 점 A와 맞닿는 점은 점 ㉠입니다. 따라서 점 B가 되는 점은 점 ㉢, 점 ㉤, 점 ㉥입니다.

(2) 오각기둥의 모든 모서리의 길이의 합 :
$(6+8+10+10+10) \times 2 + 10 \times 5 = 138 (cm)$
전개도의 둘레의 길이 :
$(10+6+8+8+6+10+10+10+10) \times 2$
$= 156 (cm)$
➡ $156 - 138 = 18 (cm)$

12 제시된 전개도 이외에도 아래와 같이 5가지를 더 그릴 수 있습니다.

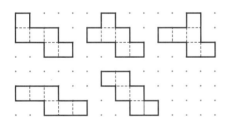

13

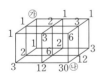

14

 만든 입체도형은 왼쪽 그림과 같습니다.

꼭짓점의 수 : $(4 \times 6 + 3 \times 8) \div 4 = 12 (개)$
모서리의 수 : $(4 \times 6 + 3 \times 8) \div 2 = 24 (개)$
따라서 꼭짓점의 수와 모서리의 수의 합은 $12 + 24 = 36 (개)$입니다.

15 가 × 나 $= 945 \times \dfrac{16}{15} = 1008$

가 × 다 $= 1155 \times \dfrac{16}{15} = 1232$

나 × 다 $= 1485 \times \dfrac{16}{15} = 1584$

따라서 도려낸 작은 직육면체의 각각의 면의 넓이는
$1008 - 945 = 63$
$1232 - 1155 = 77$
$1584 - 1485 = 99$

따라서 ㄱ + ㄴ + ㄷ $= (7 + 9 + 11) = 27 (cm)$

16 자르는 방법은 다음과 같이 6가지입니다.

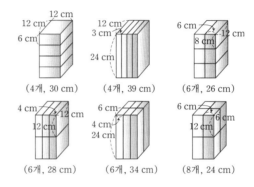

17 옆면을 지날 때마다 밑면에 대하여 같은 각도로 움직이므로 한 면을 지날 때마다 높이의 $\dfrac{1}{4}$씩 올라가게 됩니다.

모서리 ㅇㄷ을 지날 때의 높이 :
$4 + 12 \times \dfrac{1}{4} = 7 (cm)$

모서리 ㅇㄹ을 지날 때의 높이 : $7 + 9 \times \dfrac{1}{4} = \dfrac{37}{4}$

모서리 ㅇㅁ을 지날 때의 높이 :
$\dfrac{37}{4} + \dfrac{27}{4} \times \dfrac{1}{4} = \dfrac{175}{16}$

모서리 ㅇㄱ을 지날 때의 높이 :
$\dfrac{175}{16} + \dfrac{81}{16} \times \dfrac{1}{4} = \dfrac{781}{64} = 12\dfrac{13}{64}$ (약 12 cm)

18 각 모서리에 번호를 붙인 후 생각합니다.

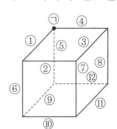 ①번 모서리로 출발하는 경우
① - ② - ③ - ④
① - ⑥ - ⑨ - ⑤ } 2가지

①－②－⑦－⑪－⑧－④ ⎤
①－②－⑦－⑪－⑫－⑤ ⎥ 4가지
①－②－⑦－⑩－⑨－⑤ ⎥
①－②－③－⑧－⑫－⑤ ⎦

①－⑥－⑩－⑦－③－④ ⎤
①－⑥－⑩－⑪－⑧－④ ⎥ 4가지
①－⑥－⑩－⑪－⑫－⑤ ⎥
①－⑥－⑨－⑫－⑧－④ ⎦

①－②－③－⑧－⑪－⑩－⑨－⑤ ⎤ 2가지
①－⑥－⑩－⑦－③－⑧－⑫－⑤ ⎦

①번 모서리로 출발하는 경우는 모두 12가지이고 ④번 모서리, ⑤번 모서리로 출발하는 경우도 각각 12가지이므로 모두 12×3＝36(가지)입니다.

2. 쌓기나무

search 탐구 54

풀이

9, 19, 10, 19, 10, 190

답 190

EXERCISE 1

1 16개 **2** 100개

3 15째 번

[풀이]

1 첫째 번 : 1개(1×1), 둘째 번 : 4개(2×2), 셋째 번 : 9개(3×3), 넷째 번 : 16개(4×4)

2 10×10＝100(개)

3 225＝15×15이므로 15째 번에 놓이는 모양을 만들 수 있습니다.

search 탐구 55

풀이

5, 20, 10, 5, 20, 10, 35

답 35

EXERCISE 2

1 풀이 참조 **2** 풀이 참조

[풀이]

1

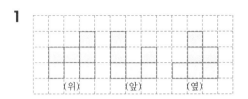

2

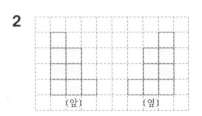

왕 문제 **56~61**

1 204개 **2** 1000개
3 14개 **4** 21번
5 3.55배 **6** 92개
7 29개, 19개 **8** 17층
9 2.0736 L **10** 3.15 L
11 15개, 11개 **12** 2550 cm²
13 62개 **14** 62개
15 21개 **16** 72개
17 361개 **18** 100개

[풀이]

1 8층에 1개, 7층에 4개, 6층에 9개, 5층에 16개, 4층에 25개, 3층에 36개, 2층에 49개, 1층에 64개이므로 1＋4＋9＋16＋25＋36＋49＋64＝204(개)입니다.

2 가로로 찾을 수 있는 변의 개수 : 1＋2＋3＋4＝10(개)
세로로 찾을 수 있는 변의 개수 : 1＋2＋3＋4＝10(개)
높이로 찾을 수 있는 변의 개수 : 1＋2＋3＋4＝10(개)
따라서 모든 직육면체의 개수는
10×10×10＝1000(개)입니다.

3

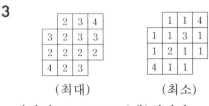

따라서 37－23＝14(개)입니다.

4 216개는 가로로 6개, 세로로 6개, 높이로 6개씩 쌓은 것입니다.

따라서 자른 횟수는 $(5+2)×3=21$(번)입니다.

5 페인트가 칠해진 부분의 면의 개수 :
$(1+2+3+4+5+6)×4+6×6=120$(개)

페인트가 칠해지지 않은 부분의 면의 개수 :
$91×6-120=426$(개)

따라서 $426÷120=3.55$(배)입니다.

6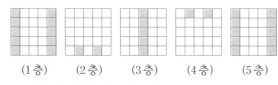

$125-(5×5+4×2)$
$=92$(개)

7 최대일 경우

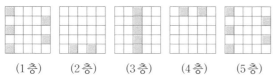

(1층) (2층) (3층) (4층) (5층)

➡ $10+2+5+2+10=29$(개)

최소일 경우

(1층) (2층) (3층) (4층) (5층)

➡ $5+2+5+2+5=19$(개)
(단, 놓이는 위치는 달라질 수 있습니다.)

8 $1×1+2×2+3×3+4×4+5×5+6×6+7×7$
$+8×8+9×9+10×10+11×11+12×12+13×13$
$+14×14+15×15+16×16+17×17+18×18$
$=2109$

따라서 쌓기나무 2000개로는 최대 17층까지 쌓을 수 있습니다.

9 색칠된 면의 수 : $4×4×6=96$(개)
색칠되지 않은 면의 수 : $64×6-96=288$(개)
따라서 노란색 페인트는
$288×12×12÷100×5÷1000=2.0736$(L) 필요합니다.

10 $(1+2+3+ … +20)×5=1050$(개)의 면에 페인트를 칠해야 하므로 $1050×3÷1000=3.15$(L)의 페인트가 필요합니다.

11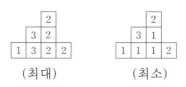

(최대) (최소)

따라서 최대 15개, 최소 11개입니다.

12 파란색 면의 넓이가 최대가 되게 하려면 3면이 파란색이 되도록 8개, 2면이 파란색이 되도록 36개, 한 면이 파란색이 되도록 6개를 놓아야 합니다.
따라서 $5×5×(3×8+2×36+1×6)=2550(cm^2)$입니다.

13 여섯 방향에서 본 모양을 생각해 보면 다음과 같습니다.

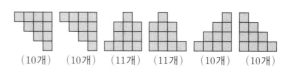

(10개) (10개) (11개) (11개) (10개) (10개)

➡ $10+10+11+11+10+10=62$(개)

14

위와 아래에 칠해야 하는 면 :
$13×2=26$(개)

앞, 뒤, 왼쪽, 오른쪽에 칠해야 하는 면 : $9×4=36$(개)

페인트를 칠해야 할 면은 모두
$26+36=62$(개)입니다.

15 한 면도 색칠되지 않은 쌓기나무의 수는
$(5-2)×(5-2)×(5-1)=36$(개)입니다.
1개의 면이 색칠된 것은 1층, 2층, 3층, 4층에 각각 12개씩 있으므로 $12×4=48$(개)이고, 5층에는 9개가 있습니다. 즉, $48+9=57$(개)입니다.
따라서 개수의 차는 $57-36=21$(개)입니다.

16 $1cm^3$짜리 쌓기나무를 빈틈없이 담기 위해서는 철판을 1 cm 단위 길이로 오려야 합니다. 다음과 같이 표를 만들어서 조사해 보면 높이가 2 cm 일 때 쌓기나무를 가장 많이 담을 수 있고, 그 개수는 72개입니다.

높이(cm)	밑면의 한 변(cm)	부피(cm^3)
1	8	64
2	6	72
3	4	48

17

층 수	20	19	18	17	16	15	…	1
보이지 않는 쌓기나무의 수	0	1	3	5	7	9	…	37

따라서 보이지 않는 쌓기나무의 수는
$1+3+5+7+\cdots+37=361$(개)입니다.

18 한 층씩 내려갈수록 쌓기나무가 2개씩 늘어나는 규칙입니다.

10번째에는 10층까지 쌓은 것이므로
$1+3+5+7+9+11+13+15+17+19$
$=(1+19)\times10\div2=100$(개)의 쌓기나무가 필요합니다.

왕중왕 문제 62~68

1 256 cm²	**2** 2650 cm²
3 (1) 435개	(2) 3576
4 12개	
5 (1) 640 cm³	(2) 864 cm²
6 (1) 64개	(2) 96개
7 10층	**8** 43000 cm³
9 최대 : 34개, 최소 : 22개	
10 1622개	**11** 16개
12 1872 cm²	**13** 512개
14 421개	**15** 799
16 6가지	**17** 16가지
18 93개	

[풀이]

1 (쌓기나무의 겉넓이)=(한 면의 넓이)×(보이는 면의 개수)입니다.

주어진 쌓기나무에서 보이는 면의 개수는 위와 아래, 왼쪽과 오른쪽, 앞과 뒤의 면의 개수의 합이 됩니다.

위와 아래의 면의 개수는 $10\times2=20$(개), 왼쪽과 오른쪽의 면의 개수는 왼쪽 10개, 오른쪽 10개, 앞과 뒤의 면의 개수는 $12\times2=24$(개)입니다.

보이는 모든 면의 개수는 64개이므로
(쌓기나무의 겉넓이)$=4\times64=256$(cm²)입니다.

2 위, 아래의 방향에서 본 면의 개수 :
$(5+4+4+3+2+1)\times2=38$(개)
앞, 뒤의 방향에서 본 면의 개수 :
$(6+4+2+3+1+1)\times2=34$(개)
왼쪽, 오른쪽의 방향에서 본 면의 개수 :
$(6+4+3+2+1)\times2+2=34$(개)
따라서 $5\times5\times(38+34+34)=2650$(cm²)입니다.

3 (1)
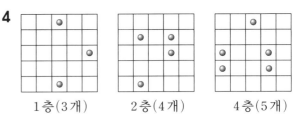

1째 번　　2째 번　　3째 번　　4째 번 …
　1　　　　6　　　　15　　　　28
　　$1+4$　　$1+4+4$　$1+4+4+4$
$(1+2+3+\cdots+14)\times4+15=435$(개)

(2) 5개의 면이 보이는 주사위 : 15층에 1개
4개의 면이 보이는 주사위 :
1층부터 14층까지 $4\times14=56$(개)
2개의 면이 보이는 주사위 : 1층부터 13층까지
$(1+2+3+\cdots+13)\times4=364$(개)
따라서 눈의 수의 합은
$(6+5+4+3+2)+(6+5+4+3)\times56+7\times364$
$=20+1008+2548=3576$입니다.

4

1층(3개)	2층(4개)	4층(5개)

3층과 5층에는 공이 들어 있는 정육면체가 없으므로 $3+4+5=12$(개)입니다.

5 (1) 세 수의 합이 5 이하인 경우 :
$(1,1,1)$, $(1,1,2)$, $(1,2,1)$, $(2,1,1)$,
$(1,1,3)$, $(1,3,1)$, $(3,1,1)$, $(1,2,2)$,
$(2,1,2)$, $(2,2,1)$ ➡ 10개
따라서 부피의 합은 $4\times4\times4\times10=640$(cm³)입니다.

(2) 세 수가 모두 홀수인 경우 :
$(1,1,1)$, $(1,1,3)$, $(1,3,1)$, $(3,1,1)$,
$(1,3,3)$, $(3,1,3)$, $(3,3,1)$, $(3,3,3)$
➡ 8개
8개를 모두 빼내어도 겉넓이는 변하지 않으므로 $(4\times3)\times(4\times3)\times6=864$(cm²)입니다.

6 (1) 자른 단면은 8층에 $8+7=15$(개),
7층에 $7+6=13$(개), 6층에 $6+5=11$(개),
5층에 $5+4=9$(개), 4층에 $4+3=7$(개),
3층에 $3+2=5$(개), 2층에 $2+1=3$(개),
1층에 1개를 잘랐으므로 모두 64개를 잘랐습니다.

(2) 자른 단면은 8층에 $1+2=3$(개),
7층에 $2+3+4=9$(개),
6층에 $4+5+6=15$(개),
5층에 $6+7+8=21$(개),
4층에 $8+7+6=21$(개),

3층에 6+5+4=15(개),

2층에 4+3+2=9(개),

1층에 2+1=3(개)를 잘랐으므로 모두 96개를 잘랐습니다.

7 그릇 한 개의 들이는 4×4×4=64(mL)이므로 10 L의 물을 담으려면 10000÷64=156.25에서 적어도 157개의 물을 받을 수 있는 그릇이 있어야 합니다.

1+4+8+12+16+20+24+28+32+36=181(개)이므로 적어도 10층까지 쌓아야 합니다.

8 위쪽으로부터 각 층에 남아 있는 부분은 다음의 흰색 부분입니다.

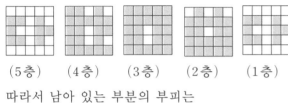

(5층)　　(4층)　　(3층)　　(2층)　　(1층)

따라서 남아 있는 부분의 부피는

10×10×10×(16+5+2+4+16)=43000(cm³)입니다.

9

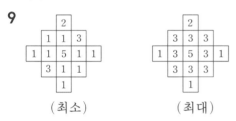

(최소)　　　　　　(최대)

따라서 최소 22개, 최대 34개입니다.

10

㉠=(째 번 수)+1

㉢=(째 번 수)×(째 번 수)

㉡=㉠+㉢

㉣=㉢×2, ㉤=㉣×2, ㉥=㉤×2

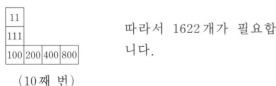

(10째 번)

따라서 1622개가 필요합니다.

11 ㉠=(위)+(앞)×2+(오른쪽 옆)+(왼쪽 옆)

　　=6+11×2+6+8=42(개)

㉡=(5층)+(4층)+(3층)+(2층)+(1층)

　　=6+4+8+4+4=26(개)

➡ ㉠-㉡=42-26=16(개)

12

(4, 2, 3)은 ㉣의 위치에서 3층에 있는 쌓기나무입니다.

이 쌓기나무와 앞뒤, 좌우, 상하에 있는 쌓기나무를 붙인 모양은 왼쪽과 같습니다.

직육면체에서 작은 정사각형은

(4×5+5×8+8×4)×2=184(개)이므로

작은 정사각형 한 개의 넓이는 1656÷184=9(cm²)입니다.

따라서 남아 있는 부분의 겉넓이는

1656+9×(5×6-3×2)=1872(cm²)입니다.

13

한 면이 색칠된 쌓기나무는 여섯 면에 □×□(개)씩, 두 면이 색칠된 쌓기나무는 각 모서리에 □개씩 있습니다.

□×□×6=□×12×3, □=6

따라서 한 모서리에 8개씩 8×8×8=512(개)를 쌓은 것입니다.

14 둘째 번 모양은 첫째 번 모양에서 쌓기나무가 4(4의 1배)개 늘어난 것입니다.

셋째 번 모양은 둘째 번 모양에서 쌓기나무가 8(4의 2배)개 늘어난 것입니다.

첫째 번 : 1개

둘째 번 : 5개 (1+4×1)

셋째 번 : 13개 {1+4×(1+2)}

넷째 번 : 25개 {1+4×(1+2+3)}

⋮

15째 번 : 421개 {1+4×(1+2+3+…+14)}

따라서 421개가 필요합니다.

15 63의 약수는 1, 3, 7, 9, 21, 63이므로 1과 63, 3과 21, 7과 9가 마주 보는 면의 수입니다.

모든 겉면에 적힌 수의 합이 가장 크려면 두 수 중 큰 수가 겉면으로 와야 합니다.

겉면의 수의 합은 9개의 정육면체의 면의 수의 합에서 가려진 면의 수의 합을 빼어 구합니다.

3층의 정육면체에서 가려진 수 : 1

2층의 정육면체에서 가려진 수의 합 :

(1+3)+(1+3)+(1+3+7+9)=28

1층의 정육면체에서 가려진 수의 합 :
$(1+3)\times2+(3+7+9+21)\times2+(1+3+7+9)$
$=108$

따라서 겉면의 수의 합은
$(1+3+7+9+21+63)\times9-(1+28+108)$
$=936-137=799$ 입니다.

16 쌓기나무를 쌓는 것이므로 2층에 놓이는 것은 1층 위에 놓이고, 3층 아래에는 반드시 2층이 있습니다.

15개 쌓기나무 중 1층에 7개, 3층에 3개를 놓았으므로 2층에는 5개가 놓이고 3층에 놓이는 자리 외에 2개를 놓는 방법을 생각해 봅니다.

(①, ②), (①, ③), (①, ④)
(②, ③), (②, ④), (③, ④)

➡ 6가지

17 쌓기나무 7개를 위에서 본 모양의 각 자리에 한 개씩 놓고 남은 2개를 놓는 방법을 알아봅니다.

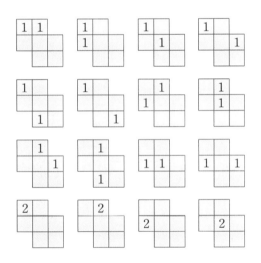

➡ 16가지

18 한 모서리의 길이가 10 cm인 정육면체의 개수
: $64-2=62$(개)

한 모서리의 길이가 20 cm인 정육면체의 개수
: $(3\times3)\times3-2=25$(개)

한 모서리의 길이가 30 cm인 정육면체의 개수
: $(2\times2)\times2-2=6$(개)

따라서 찾을 수 있는 정육면체는 모두
$62+25+6=93$(개)입니다.

Ⅲ 측정

1. 원과 원의 응용 문제

s e a r c h 탐구 **71**

풀이

3.14, 57 / 3.14, 57 / 3.14, 57

답 57

EXERCISE 1

1 (1) 456 cm²   (2) 1548 cm²

2 (1) 400 cm²   (2) 100 cm²

[풀이]

1 (1) $\left(10\times10\times3.14\times\dfrac{1}{4}-10\times10\div2\right)\times2\times8$
$=456$(cm²)

(2) $\left(30\times30-30\times30\times3.14\times\dfrac{1}{4}\right)\times2\times4=1548$(cm²)

2 (1) $40\times40\times3\times\dfrac{1}{4}-40\times40\div2=400$(cm²)

(2) $\left(10\times10\times3\times\dfrac{1}{4}-10\times10\div2\right)\times2\times2=100$(cm²)

s e a r c h 탐구 **72**

풀이

4, 2, 4, 2, 3.14, 2, 1.14

답 1.14

EXERCISE 2

1 14.25 cm²   **2** 27.5 cm²

3 36 cm²

[풀이]

1

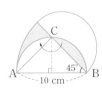

A와 C를 이어 등적이동시킵니다.

$10\times10\times3.14\times\dfrac{45}{360}-10\times5\div2$
$=39.25-25=14.25$(cm²)

2 $5\times5\times3.1-10\times10\div2=27.5$(cm²)

3 원에서 색칠한 부분을 등적이동을 시켜 보면 색칠된 부분의 넓이가 삼각형의 넓이와 같음을 알 수 있습니다. ➡ $12\times6\div2=36$(cm²)

왕 문제 **73~78**

1 48 cm²　　　　　　**2** 1.5 cm

3 (1) 31.4 cm　　　　(2) 14.25 cm²

4 800 cm²　　　　　　**5** 43 cm²

6 157 : 150　　　　　**7** 155 cm²

8 75°　　　　　　　　**9** 16 cm²

10 46.76 cm²　　　　**11** 314 cm²

12 25.12 m²

13 (1) 4710 cm²　　　(2) 254 cm

14 40.5 cm²　　　　　**15** 30°

16 (1) $104\frac{2}{3}$ cm²　　(2) 57 cm²

17 144 cm²　　　　　**18** 13.16 cm²

[풀이]

1 (색칠한 부분의 넓이)

= (직사각형의 넓이) + (반원 4개의 넓이)
　- (원의 넓이)

$= 8 \times 6 + (4 \times 4 + 3 \times 3) \times 3.14 - 5 \times 5 \times 3.14$

$= 48 \, (\text{cm}^2)$

2 (가)와 (나) 부분의 넓이가 같으므로 직사각형의 넓이는 반원의 넓이와 같습니다.

$4 \times (\text{변 BC}) = 2 \times 2 \times 3 \times \frac{1}{2}$

　　(변 BC) = 1.5 cm

3 (1) $20 \times 3.14 \times \frac{1}{4} + 10 \times 3.14 \times \frac{1}{4} \times 2 = 31.4 \, (\text{cm})$

(2) $10 \times 10 \times 3.14 \times \frac{1}{4} - 5 \times 5 \times 3.14 \times \frac{1}{2} - 5 \times 5$

$= 14.25 \, (\text{cm}^2)$

4 (정사각형의 넓이)

= (변 AB의 길이) × (변 AD의 길이)

= (선분 AC의 길이) × (선분 BD의 길이) ÷ 2

$= 40 \times 40 \div 2 = 800 \, (\text{cm}^2)$

(변 AB의 길이) × (변 AD의 길이) = 800 cm²
이므로 색칠한 부분의 넓이는

$20 \times 20 \times 3.14 - \left(800 \times 3.14 \times \frac{1}{4} - 400\right) \times 2 = 800 \, (\text{cm}^2)$

입니다.

5

 ➡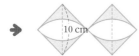

(색칠한 부분의 넓이)

$= \left(10 \times 10 \div 2 - 50 \times 3.14 \times \frac{1}{4}\right) \times 4 = 43 \, (\text{cm}^2)$

6

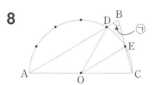

다각형은 합동인 6개의 삼각형으로 나누어지고, 삼각형의 높이는 9 cm가 됩니다.

(반원의 넓이) : (다각형의 넓이)

$= \left(18 \times 18 \times 3.14 \times \frac{1}{2}\right) : \left(18 \times 9 \times \frac{1}{2} \times 6\right)$

$= 3.14 : 3 = 157 : 150$

7 색칠한 부분을 이동시키면 반원의 넓이와 같아집니다.

$10 \times 10 \times 3.1 \times \frac{1}{2} = 155 \, (\text{cm}^2)$

8

각 DAC의 크기는 30°, 각 EOC의 크기는 30°, 각 ECO의 크기는 $(180° - 30°) \div 2 = 75°$입니다.
따라서 각 ㉠의 크기는 $180° - (30° + 75°) = 75°$입니다.

9 색칠한 부분을 이동시키면 직사각형의 절반이 됩니다.

$4 \times 8 \times \frac{1}{2} = 16 \, (\text{cm}^2)$

10

 를 구합니다.

$10 \times 10 \times 3.14 \times \frac{1}{4} + 6 \times 6 \times 3.14 \times \frac{1}{4} - 10 \times 6$

$= 46.76 \, (\text{cm}^2)$

11

사각형 AOBC가 평행사변형이므로 원의 반지름은 10 cm가 됩니다.

$10 \times 10 \times 3.14 = 314 \, (\text{cm}^2)$

12

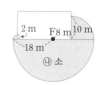

㉯소가 뜯을 수 있는 풀밭의 넓이가 ㉮소가 뜯

을 수 있는 풀밭의 넓이보다

$\{(10 \times 10 + 2 \times 2) - (6 \times 6 + 6 \times 6)\} \times 3.14 \times \dfrac{1}{4}$
$= 25.12 (m^2)$ 더 넓습니다.

13 (1) $60 \times 60 \times 3.14 \times \dfrac{150}{360} = 4710 (cm^2)$

(2)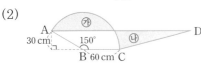

㉠와 ㉡의 넓이가 같으면 사다리꼴 ABCD 의 넓이는 부채꼴 ABC의 넓이와 같게 됩니다. 그림에서 사다리꼴의 높이가 30 cm 이므로 $\{60 + (선분 AD)\} \times 30 \div 2 = 4710$

(선분 AD) $= 4710 \times 2 \div 30 - 60 = 254 (cm)$

14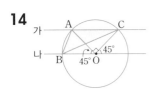

삼각형 ABC의 넓이는 삼각형 AOC의 넓이와 같습니다.

$9 \times 9 \div 2 = 40.5 (cm^2)$

15 직각삼각형의 넓이와 부채꼴의 넓이가 같으므로

$20 \times 20 \times 3 \times \dfrac{\square}{360} = 20 \times 20 \div 2$

$3 \times \square = 180, \square = 60$

따라서 각 ㉠의 크기는 $90° - 60° = 30°$입니다.

16 (1) ㉡의 일부분을 ㉠으로 이동시키면 반지름이 10 cm, 중심각의 크기가 60°인 부채꼴 2개가 됩니다.

$10 \times 10 \times 3.14 \times \dfrac{60}{360} \times 2 = 104\dfrac{2}{3} (cm^2)$

(2) 정사각형에서 색칠되지 않은 부분을 합해서 생각해 봅니다.

$(\text{㉡} - \text{㉢})$
$= (\text{㉡} + \text{㉣}) - (\text{㉢} + \text{㉣})$
$= 10 \times 10 \times 3.14 \times \dfrac{1}{4}$
$\quad - \left\{10 \times 10 - \left(10 \times 10 \times 3.14 \times \dfrac{1}{4}\right)\right\}$
$= 78.5 - 21.5 = 57 (cm^2)$

17 그림에서 ㉠과 ㉡을 더하면 한 변의 한 변이 12 cm인 정삼각형이 되고 ㉠과 ㉡과 ㉢을 더하면 반지름이 12 cm이고 중심각이 60°인 부채꼴이 됩니다.

따라서 색칠한 부분의 넓이

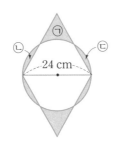

는 $12 \times 12 \times 3 \times \dfrac{60}{360} \times 2 = 144 (cm^2)$입니다.

18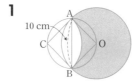

$8 \times 4 - 4 \times 4 \times 3.14 \times \dfrac{1}{4}$
$\quad - 2 \times 2 \times 3.14 \times \dfrac{1}{2}$
$= 13.16 (cm^2)$

왕중왕문제 79~84

1 128.5 cm² **2** 290 m²

3 75.36 cm

4 (1) 6 cm (2) 56.52 cm²

5 64.68 cm² **6** 325 cm²

7 13.7 cm² **8** 28.5 cm²

9 13 cm² **10** 50.24 cm²

11 666.24 cm²

12 (1) 120° (2) 314 cm²

13 414 m²

14 (1) 135° (2) 1487.625 cm²

15 1365 cm² **16** 44 cm²

17 50 cm² **18** 30 cm²

[풀이]

1

색칠한 부분을 이동시키면 그림과 같이 됩니다. 정사각형 ACBO의 넓이가 $10 \times 10 \div 2 = 50 (cm^2)$ 이므로 (선분 AO의 길이) × (선분 OB의 길이) $= 50 cm^2$입니다.

큰 원에서 색칠되지 않은 부분의 넓이는

$\left(50 \times 3.14 \times \dfrac{1}{4} - 25\right) \times 2 = 28.5 (cm^2)$입니다.

따라서 색칠한 부분의 넓이는

$50 \times 3.14 - 28.5 = 128.5 (cm^2)$입니다.

2 철사와 줄 끝이 고리로 연결되어 있어 고리가 철사의 양 끝을 오갈 수 있음을 생각합니다.

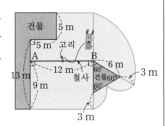

(강아지가 움직일 수 있는 범위의 넓이)

$=(18 \times 12 - 5 \times 5)$

$\quad + (9 \times 9 \times 3 + 3 \times 3 \times 3 \times 2) \times \dfrac{1}{3}$

$=191 + 99 = 290 (m^2)$

3 큰 원의 지름과 작은 원의 지름의 합이 24 cm 이므로 큰 원과 작은 원의 원주의 합은

$24 \times 3.14 = 75.36 (cm)$ 입니다.

4 색칠한 부분을 이동시키면 반원이 됩니다.

(1) 반지름의 길이를 □cm 라 하면

$\quad □ \times 2 \times 5 + □ \times 2 \times 3.14 \times \dfrac{1}{2} = 78.84$

$\quad 13.14 \times □ = 78.84, \quad □ = 6$

(2) $6 \times 6 \times 3.14 \times \dfrac{1}{2} = 56.52 (cm^2)$

5 (색칠한 부분의 넓이)

$\quad = (삼각형 AOB의 넓이)$

$\quad + (삼각형 AOC의 넓이)$

$\quad + (부채꼴 BOC의 넓이)$

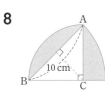

$= 6 \times 6 \times \dfrac{1}{2} + 6 \times 3 \times \dfrac{1}{2}$

$\quad + 6 \times 6 \times 3.14 \times \dfrac{4}{12} = 64.68 (cm^2)$

6

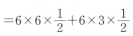

중심각이 150°인 두 개의 부채꼴의 넓이, 삼각형 AOB의 넓이, 삼각형 OCO′의 넓이의 합에서 색칠되지 않은 두 개의 부채꼴의 넓이를 빼 줍니다.

$10 \times 10 \times 3 \times \dfrac{150}{360} \times 2 + 30 \times 5 \times \dfrac{1}{2} + 20 \times 5 \times \dfrac{1}{2}$

$\quad - 10 \times 10 \times 3 \times \dfrac{30}{360} \times 2 = 325 (cm^2)$

7

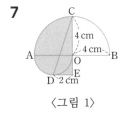 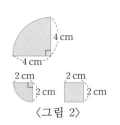

〈그림 1〉　　　　〈그림 2〉

〈그림 1〉에서 색칠한 부분은 〈그림 2〉와 같은 3개의 도형으로 나눌 수 있습니다.

$4 \times 4 \times 3.14 \times \dfrac{1}{4} + 2 \times 2 \times 3.14 \times \dfrac{1}{4} + 2 \times 2 - 2 \times 6 \times \dfrac{1}{2}$

$= 13.7 (cm^2)$

8

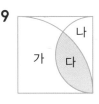

삼각형 ABC의 넓이가

$10 \times 5 \times \dfrac{1}{2} = 25 (cm^2)$ 이므로 (선분 AC의 길이) × (선분 BC의 길이) $= 50 cm^2$ 입니다.

(색칠한 부분의 넓이)

$= \left(10 \times 10 \times 3.14 \times \dfrac{1}{8} - 25\right) + \left(50 \times 3.14 \times \dfrac{1}{4} - 25\right)$

$= 28.5 (cm^2)$

9

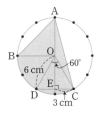

정사각형의 한 변의 길이를 2라고 하면

(가 + 다의 넓이)

$= 2 \times 2 \times 3.14 \times \dfrac{1}{4} = 3.14$

(나 + 다의 넓이) $= 1 \times 1 \times 3.14 \times \dfrac{1}{2} = 1.57$

따라서 가 + 다의 넓이가 나 + 다의 넓이의 2배이므로

$25.6 + (다의 넓이) = \{6.3 + (다의 넓이)\} \times 2,$

(다의 넓이) $= 25.6 - 6.3 \times 2 = 13 (cm^2)$ 입니다.

10 $8 \times 8 \times 3.14 \times \dfrac{1}{2} + 20 \times 20 \times 3.14 \times \dfrac{15}{360}$

$\quad - 8 \times 8 \times 3.14 \times \dfrac{1}{2} - 4 \times 4 \times 3.14 \times \dfrac{15}{360}$

$\quad = (20 \times 20 - 4 \times 4) \times 3.14 \times \dfrac{15}{360}$

$\quad = 50.24 (cm^2)$

11

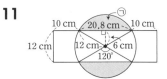

그림에서 ㉠ 부분의 넓이는

$12 \times 12 \times 3.14 \times \dfrac{120}{360} - 20.8 \times 6 \times \dfrac{1}{2}$

$= 150.72 - 62.4 = 88.32 (cm^2)$ 입니다.

따라서 ㉯의 넓이는

$40.8 \times 12 + 88.32 \times 2$

$= 489.6 + 176.64$

$= 666.24 (cm^2)$ 입니다.

12 (1)

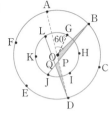

삼각형 BOP와 삼각형 QDP에서
(각 OBP)＝(각 PDQ)
(각 OPB)＝(각 QPD)이므로
(각 PQD)＝(각 BOP)＝180°－60°＝120°

(2) $20 \times 20 \times 3.14 \times \dfrac{120}{360} - 10 \times 10 \times 3.14 \times \dfrac{120}{360}$

$= 314 (\text{cm}^2)$

13

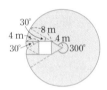

$12 \times 12 \times 3 \times \dfrac{300}{360} + 8 \times 8 \times 3 \times \dfrac{30}{360} \times 2$

$+ 4 \times 3.5 \times \dfrac{1}{2} \times 2 + 4 \times 4 \times 3 \times \dfrac{30}{360} \times 2$

$= 414 (\text{m}^2)$

14 (1) 사각형 AECF에서
(각 AEC)＋(각 AFC)
＝360°－90°－45°＝225°이므로
(각 a)＋(각 b)＝360°－225°＝135°

(2) $16 \times 16 \times 3 \times \dfrac{135}{360} + 30 \times 56 \div 2 + 40 \times 63 \div 2$

$\qquad - 49 \times 49 \times 3 \times \dfrac{45}{360}$

$= 288 + 840 + 1260 - 900.375$

$= 1487.625 (\text{cm}^2)$

15

개미가 움직일 수 있는 부분은 그림에서 색칠된 부분입니다.

$10 \times 10 \times 3.1 \times \dfrac{1}{4} \times 6 + 10 \times 10$

$\times 3 \times 3 = 1365 (\text{cm}^2)$

16

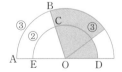

반지름의 길이의 비가 3：2이면 같은 중심각에서 호의 길이의 비는 3：2, 넓이의 비는
(3×3)：(2×2)＝9：4입니다.
따라서 작은 반원의 넓이는 40 cm²이고 호 EC

와 호 CD의 길이의 비는 2：3이 됩니다.
따라서 각 AOB의 크기는 $180° \times \dfrac{2}{5} = 72°$입니다.
색칠한 부분을 이동시키면 그림에서와 같이
2개의 부채꼴이 되므로 넓이는

$90 \times \dfrac{72}{180} + 40 \times \dfrac{36}{180} = 44 (\text{cm}^2)$입니다.

17 큰 원의 반지름을 ㉠이라 하면

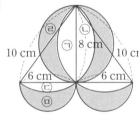

$(㉠ \times 2) \times (㉠ \times 2) \div 2$
＝200에서 ㉠×㉠＝100입니다.
작은 원의 반지름을 ㉡이라 하면
$(㉡ \times 2) \times (㉡ \times 2) \div 2 = 200$에서 ㉡×㉡＝50입니다.
(색칠한 부분의 넓이)
＝(삼각형 ㄷㄹㅁ의 넓이)＋(작은 원의 넓이)
$\qquad \times \dfrac{1}{2} -$ (큰 원의 넓이)$\times \dfrac{1}{4}$이므로
(색칠한 부분의 넓이)
$= 100 \times \dfrac{1}{2} + 50 \times 3.14 \times \dfrac{1}{2} - 100 \times 3.14 \times \dfrac{1}{4}$
$= 50 (\text{cm}^2)$

18

지름이 10 cm인 반원에서 직각삼각형의 넓이를 빼면 ㉡과 ㉢의 넓이의 합과 같습니다.

㉣과 ㉤의 넓이의 합은 지름이 8 cm, 6 cm인 반원의 넓이의 합에서 ㉠과 ㉡의 넓이를 빼어 구할 수 있습니다.
㉠과 ㉡의 넓이는 같으므로
(㉡＋㉢의 넓이)＝(㉠＋㉢의 넓이)
$= 5 \times 5 \times 3 \times \dfrac{1}{2} - 6 \times 8 \times \dfrac{1}{2} = 13.5 (\text{cm}^2)$
$(㉣ + ㉤의 넓이) = 4 \times 4 \times 3 \times \dfrac{1}{2} + 3 \times 3 \times \dfrac{1}{2} - 13.5$
$\qquad\qquad = 15 (\text{cm}^2)$
(색칠한 부분의 전체 넓이)＝15＋15＝30 (cm²)

2. 도형에서 점의 이동

s earch 탐구 **86**

풀이

2, 6, 2, 14, 6, 14

답 6, 14

EXERCISE 1

1 (1) 24초　　　　　(2) 60초

[풀이]

1 (1) 점 P와 점 R이 첫 번째 만나는 것은
$12 \div (3-1) = 6$(초) 후이고,
첫 번째부터 두 번째 만날 때까지 걸리는 시간은 $12 \times 3 \div (3-1) = 18$(초)입니다.
따라서 $6+18 = 24$(초) 후입니다.

(2) 점 P와 점 R이 만나는 것은 6초 후, 24초 후, 42초 후, 60초 후, … 입니다.
점 P와 점 Q가 첫 번째 만나는 것은
$12 \times 2 \div (2-1) = 24$(초) 후이고, 점 P와 점 Q가 첫 번째부터 두 번째 만날 때까지 걸린 시간은 $12 \times 3 \div (2-1) = 36$(초)이므로 점 P와 점 Q가 만나는 것은 24초 후, 60초 후, 96초 후, … 입니다.
따라서 세 점이 두 번째 만나는 것은 60초 후입니다.

s earch 탐구 **87**

풀이

150, 3, 90, 6, 150, 19.5

답 19.5

EXERCISE 2

1 31 cm　　　　　**2** 18.84 cm

[풀이]

1

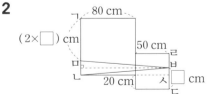

5 cm　원주의 $\frac{1}{2}$

$5 \times 2 \times 3.1 = 31$(cm)

2

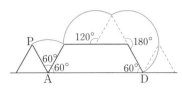

$60° + 120° + 180° = 360°$

$3 \times 2 \times 3.14 \times \dfrac{360}{360} = 18.84$(cm)

왕 문제 **88~93**

1 (1) 30 cm²　　　　(2) 6초, 90 cm²

2 30초　　　　　**3** 38.56 cm

4 13 cm　　　　　**5** 58.84 cm

6 (1) 변 AD　　　　(2) 8.2초

7 (1) 12초　　　　(2) ① 4초　② 72 cm²

8 96 cm　　　　　**9** 165.6 cm

10 $26\frac{2}{3}$분　　　　**11** 30 cm

12 (1) 12 cm²　　　(2) 5초
　　(3) 5.4초　　　(4) 7.5초

13 32 cm

14 (1) 4 cm　　　　(2) 13

15 14초

[풀이]

1 (1) 28초 후의 점 P가 움직인 거리는
$2 \times 28 = 56$(cm)이므로 B로부터 4 cm 떨어진 위치입니다.
$4 \times 15 \times \dfrac{1}{2} = 30$(cm²)

(2) $30 \div (3+2) = 6$(초) 후이므로 점 P는 점 B로부터 $2 \times 6 = 12$(cm) 떨어진 위치에 있습니다.
$12 \times 15 \times \dfrac{1}{2} = 90$(cm²)

2

점 ㅁ은 1초에 2 cm씩 가ᄆ로 □초 동안 움직인 거리는 $(2 \times □)$ cm이고, 점 ㅂ은 1초에 1 cm씩 가ᄆ로 □초 동안 움직인 거리는 □ cm입니다.
삼각형 ㅂㅁㄴ은 이등변삼각형이므로 선분 ㅁㄴ의

길이는 선분 ㅂㅅ의 길이의 2배입니다.

$80 - 2 \times \square = (\square - 20) \times 2$

$80 - 2 \times \square = 2 \times \square - 40$

$4 \times \square = 120, \square = 30$

따라서 30초 후입니다.

3

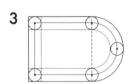

$9 + 8 + 9 + 8 \times 3.14 \times \dfrac{1}{2}$

$= 38.56 \text{(cm)}$

4

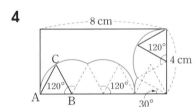

$120° + 120° + 30° + 120° = 390°$

$2 \times 2 \times 3 \times \dfrac{390}{360} = 13 \text{(cm)}$

5

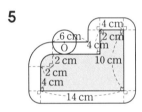

(직선 부분의 길이) $= 6 + 2 + 4 + 10 + 14 + 4 = 40 \text{(cm)}$

(곡선 부분의 길이)

$= 2 \times 2 \times 3.14 \times \dfrac{90}{360} \times 4 + 4 \times 2 \times 3.14 \times \dfrac{1}{4}$

$= 4 \times 3.14 + 2 \times 3.14 = 18.84 \text{(cm)}$

따라서 원의 중심 O가 움직인 전체의 거리는

$40 + 18.84 = 58.84 \text{(cm)}$입니다.

6 (1) 점 P는 $3 \times 6 = 18 \text{(cm)}$ 이동했습니다.

따라서 변 AD 위에 있습니다.

(2)

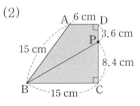

사각형 ABCD의 넓이 :

$(6 + 15) \times 12 \div 2$

$= 126 \text{(cm}^2)$

삼각형 PBC의 넓이는

$126 \div 2 = 63 \text{(cm}^2)$이여야

하므로 (선분 PC) $= 63 \times 2 \div 15 = 8.4 \text{(cm)}$입니다. 따라서 점 P가 움직이는 데 걸린 시간은

$(15 + 6 + 3.6) \div 3 = 8.2 \text{(초)}$입니다.

7 (1) 삼각형 APE가 직각이등변삼각형이 되려면 점 P가 점 B에 도착할 때입니다.

따라서 $12 \div 1 = 12 \text{(초)}$ 후입니다.

(2)

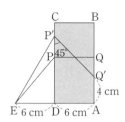

① 점 P가 점 C에서 움직인 거리와 점 Q가 점 A에서 움직인 거리의 합이 12 cm이여야 합니다. 따라서

$12 \div (1 + 2) = 4 \text{(초)}$

후입니다.

② 각 Q'P'D의 크기가 45°일 때는 점 Q가 출발한 지 $(12 - 6) \div (2 + 1) = 2 \text{(초)}$ 후입니다.

(선분 P'D) $= 12 - (1 \times 2) = 10 \text{(cm)}$

따라서 사각형 AQ'P'E의 넓이는

$(4 + 10) \times 6 \div 2 + 6 \times 10 \div 2 = 72 \text{(cm}^2)$입니다.

8 $12 \times 2 \times 3 \times \dfrac{240}{360} \times 2 = 96 \text{(cm)}$

9 중심 O가 움직인 모양은 다음과 같습니다.

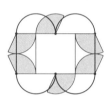

점이 움직인 거리는

$20 \times 3.14 \times 2 + 20 \times 2 = 165.6 \text{(cm)}$입니다.

10 점 P는 1분에 $\dfrac{1}{16}$바퀴씩 가고 점 Q는 1분에 $\dfrac{1}{10}$바퀴씩 갑니다.

점 P, Q, O가 처음으로 일직선이 되려면 간 거리의 차가 1바퀴일 때이므로

$1 \div \left(\dfrac{1}{10} - \dfrac{1}{16} \right) = 26\dfrac{2}{3} \text{(분)}$입니다.

11 $\left(6 \times 2 \times 3 \times \dfrac{1}{4} + 4 \times 2 \times 3 \times \dfrac{1}{4} \right) \times 2 = 30 \text{(cm)}$

12 (1) $6 \times 4 \div 2 = 12 \text{(cm}^2)$

(2)

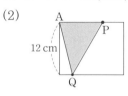

(선분 AP) $\times 12 \div 2 = 60$,

(선분 AP) $= 10 \text{ cm}$

따라서 $10 \div 2 = 5 \text{(초)}$ 후입니다.

(3)

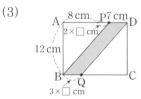

점 Q가 점 B까지 움직이는 데 $12 \div 3 = 4 \text{(초)}$

걸립니다. 4초 후 평행사변형이 될 때까지 점 P, Q가 움직인 시간을 □초라고 하면

$7-2\times\square=3\times\square$, $\square=1.4$

따라서 $4+1.4=5.4$(초) 후입니다.

(4) 삼각형 PQA의 넓이가 가장 클 때는 점 P가 점 D에 올 때입니다.

따라서 $15\div2=7.5$(초) 후에는 넓이가 줄어들기 시작합니다.

13

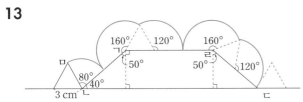

$80°+160°+120°+160°+120°=640°$

$3\times2\times3\times\dfrac{640}{360}=32$

따라서 점 ㅁ이 움직인 거리는 32 cm 입니다.

14 (1) 점 P가 점 C에 올 때 넓이가 가장 넓습니다.

따라서 점 B에서 점 C까지 8초 걸렸으므로 선분 BC의 길이는 8 cm이고

사다리꼴의 높이는 $16\times2\div8=4$(cm)입니다.

(2) 삼각형 ABD의 넓이가 8 cm²이므로 선분 AD의 길이는 4 cm입니다.

따라서 점 P가 점 D까지 오는 데 걸린 시간은 $17-4=13$(초)이므로 ㉠은 13입니다.

15 점 P가 출발한지 1초 뒤 삼각형 CPD의 넓이는

$72-(1+46)=25$(cm²),

2초 뒤는 $72-(2+44)=26$(cm²),

3초 뒤는 $72-(3+42)=27$(cm²), … 이므로

매초 1 cm² 증가합니다.

따라서 $38-25+1=14$(초) 후입니다.

왕중왕문제 94~99

1 (1) 6초   (2) $\dfrac{1}{12}$, $\dfrac{1}{3}$, $\dfrac{7}{12}$ (3) 5초

2 22분 45초   **3** 134초

4 33.3 cm   **5** 67.12 cm

6 50분

---

7 (1) 선분 AB : 14 cm, 선분 CD : 8 cm, 선분 EF : 4 cm

(2) ㉠ : 14, ㉡ : 216   (3) $14\dfrac{6}{11}$초

8 (1) 5.4초   (2) 13초

9 60초 후, 120초 후   **10** 8.4분

11 (1) 점 P : 매초 4 cm, 점 Q : 매초 6 cm

(2) 24초 뒤, 240 cm²

12 31.4 cm

13 (1) 0.3 cm   (2) 6.3 cm

(3) 높이 : 3.6 cm, 넓이 : 34.02 cm²

[풀이]

1 (1) 매초 3 cm의 차이가 나므로 점 P, Q가 처음으로 만나는 것은 $18\div3=6$(초) 후입니다.

(2) 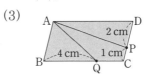   2초 후의 점 P와 Q의 위치는 왼쪽 그림과 같습니다.

삼각형 ABP는 전체의 $\dfrac{1}{2}\times\dfrac{1}{6}=\dfrac{1}{12}$,

삼각형 AQD는 전체의 $\dfrac{1}{2}\times\dfrac{2}{3}=\dfrac{1}{3}$,

사각형 APCQ는 전체의 $1-\dfrac{1}{12}-\dfrac{1}{3}=\dfrac{7}{12}$입니다.

(3) 평행사변형의 넓이가 똑같이 3등분 하는 경우 점 P와 Q의 위치는 왼쪽 그림과 같습니다.

점 P가 10 cm 진행하고, 점 Q가 25 cm 진행한 경우이므로 $10\div2=5$(초) 후입니다.

2 20분 동안 움직인 거리는

$\dfrac{3}{4}\times10+\dfrac{2}{3}\times10=14\dfrac{1}{6}$(바퀴)이고,

$\dfrac{1}{6}$바퀴 도는 데는 $\dfrac{1}{6}\div\dfrac{2}{3}=\dfrac{1}{4}$(분) 걸리므로

$10+3+10-\dfrac{1}{4}=22\dfrac{3}{4}$(분)

따라서 22분 45초 후입니다.

3 선분 PQ의 길이가 120 cm가 될 때 삼각형 POQ는 정삼각형이 되므로

$\left(240\times3.14\times\dfrac{300}{360}-1.2\times60\times5\right)\div(1.2+0.8)$

$=134$(초) 후입니다.

4

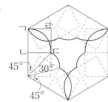

점 ㄱ이 움직인 거리는 왼쪽의 굵은 선과 같습니다.

$3 \times 2 \times 3 \times \frac{1}{4} \times 6 + 4.2 \times 2 \times 3$

$\times \frac{30}{360} \times 3 = 33.3 \text{(cm)}$

5

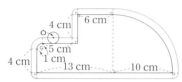

원의 중심 ㅇ이 움직인 거리를 알아보면 위의 그림과 같습니다.

(직선 부분의 길이)$=5+4+6+23+4=42\text{(cm)}$

(곡선 부분의 길이)

$=1 \times 2 \times 3.14 \times \frac{1}{4} \times 3 + 11 \times 2 \times 3.14 \times \frac{1}{4}$

$\qquad + 2 \times 2 \times 3.14 \times \frac{1}{4}$

$=25.12\text{(cm)}$

따라서 중심 ㅇ이 움직인 거리는

$42+25.12=67.12\text{(cm)}$입니다.

6 ㉠이 처음으로 90°가 되었을 때까지 걸린 시간은

$120 \div 4 \div (5-3)=15\text{(분)}$이고

점 Q가 멈춘 뒤 20분 후의 점 P와 점 Q의 떨어진 거리는 $20 \times 3 - 120 \div 4 = 30\text{(cm)}$입니다.

따라서 점 P와 점 Q가 다시 만난 시간은 처음부터 $30 \div (5-3)+15+20=50\text{(분)}$ 후입니다.

7 (1) 그래프와 도형을 비교해 보면 점 P는 10초 후에 C, ㉠초 후에 D, 16초 후에 E, 18초 후에 F에 가 있습니다.

(선분 EF의 길이)$=(18-16) \times 2 = 4\text{(cm)}$

(선분 CD의 길이)$=(18-10) \times 2 \div 2 = 8\text{(cm)}$

(선분 AB의 길이)$=(10 \times 2 + 8) \div 2 = 14\text{(cm)}$

(2) 점 P가 점 D에 오는 데 걸린 시간이 ㉠초입니다.

㉠$=(20+8) \div 2 = 14\text{(초)}$

삼각형 EOF의 넓이가 $4 \times 4 \div 2 = 8\text{(cm}^2)$이므로 ㉡$=224-8=216\text{(cm}^2)$입니다.

(3) 전체 넓이의 $\frac{2}{3}$는

$(14 \times 14 + 8 \times 8 + 4 \times 4) \times \frac{2}{3} = 184\text{(cm}^2)$입니다.

점 D까지 왔을 때 넓이가 172 cm^2이고,

점 D에서 점 E쪽으로

$(184-172) \times 2 \div 22 = 1\frac{1}{11}\text{(cm)}$ 가야 넓이가 184 cm^2가 됩니다.

따라서 출발한 지 $14 + \frac{6}{11} = 14\frac{6}{11}\text{(초)}$ 후입니다.

8 (1) $63 + \square = 90 - 4 \times \square$

$\square = (90-63) \div (4+1) = 5.4\text{(초)}$

(2) 선분 BQ의 길이와 선분 PB의 길이의 비가 $2:1$일 때 직각삼각형이 됩니다.

$(63+\square):(90-4 \times \square)=2:1$

$180 - 8 \times \square = 63 + \square$

$\square = (180-63) \div (8+1) = 13\text{(초)}$

9 점 ㉮는 1초에 $2 \div 180 = \frac{1}{90}\text{(바퀴)}$씩, 점 ㉯는 1초에 $1 \div 180 = \frac{1}{180}\text{(바퀴)}$씩 올라갑니다.

처음으로 반지름과 같아지는 데 걸린 시간 :

$\left(\frac{1}{2} - \frac{1}{6}\right) \div \left(\frac{1}{90} - \frac{1}{180}\right) = 60\text{(초)}$ 후

두 번째로 반지름과 같아지는 데 걸린 시간 :

$\left(\frac{1}{2} + \frac{1}{6}\right) \div \left(\frac{1}{90} - \frac{1}{180}\right) = 120\text{(초)}$ 후

10 점 ㄱ은 1분에 큰 원의 $\frac{3}{54} = \frac{1}{18}$씩 돌고,

점 ㄴ은 1분에 작은 원의 $\frac{3}{24} = \frac{1}{8}$씩 돕니다.

따라서 처음으로 일직선에 놓일 때는

$\frac{210}{360} \div \left(\frac{1}{8} - \frac{1}{18}\right) = 8.4\text{(분)}$ 후입니다.

11 (1) 점 Q가 C의 위치에 왔을 때 도형 ABQP의 넓이는 최대인 500 cm^2입니다. 따라서 선분 AP와 선분 BQ의 길이의 합은 $500 \times 2 \div 10 = 100\text{(cm)}$에서 선분 AP의 길이는 $100 - 60 = 40\text{(cm)}$입니다.

점 P의 빠르기는 매초 $40 \div 10 = 4\text{(cm)}$, 점 Q의 빠르기는 매초 $60 \div 10 = 6\text{(cm)}$입니다.

(2)

A ─ P_2 ─ P_1 ─ D
B ─ Q_2 ─ Q_1 ─ C

첫 번째로 직사각형이 되는 경우는 점 P와 Q가 움직인 거리의 합이 $60 \times 2 = 120\text{(cm)}$, 두 번째로 직사각형이 되는 경우는 점 P와 Q가 움직인 거리의 합이 $60 \times 4 = 240\text{(cm)}$이므로

$240 \div (4+6) = 24$(초) 뒤입니다.

이 때의 넓이는 $(120-24 \times 4) \times 10 = 240(\text{cm}^2)$ 입니다.

12 점 ㈜가 움직이며 생긴 선의 길이는 반지름이 20 cm인 원주의 $\dfrac{1}{4}$과 같습니다.

$20 \times 2 \times 3.14 \times \dfrac{1}{4} = 31.4(\text{cm})$

13 (1) 그래프에서 선분 AB를 지나는 데 13초, 선분 BC를 지나는 데 42초, 선분 CD를 지나는 데 20초, 선분 DA를 지나는 데는 21초 걸리므로 1초에

$28.8 \div (13+42+20+21) = 0.3(\text{cm})$씩 이동한 것입니다.

(2) $21 \times 0.3 = 6.3(\text{cm})$

(3) (높이) $= 7.56 \times 2 \div \left(6.3 \times \dfrac{2}{3}\right) = 3.6(\text{cm})$

(넓이) $= (6.3+12.6) \times 3.6 \div 2 = 34.02(\text{cm}^2)$

3. 도형의 이동

풀이

25, 15, 25, 25, 15, 15, 72, 251.2

답 251.2

EXERCISE 1

1 (1) 26.28 cm   (2) 23.14 cm²

2 103.275 cm²

[풀이]

1 (1) 원의 중심이 움직인 거리는 직선 부분과 곡선 부분으로 나누어 구합니다.

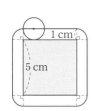

(직선 부분의 길이)
$= 5 \times 4 = 20(\text{cm})$

(곡선 부분의 길이)
$= 1 \times 2 \times 3.14$
$= 6.28(\text{cm})$

따라서 $20 + 6.28 = 26.28(\text{cm})$

(2) $5 \times 1 \times 4 + (1 \times 1 \times 3.14) = 23.14(\text{cm}^2)$

2

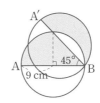

색칠한 두 부분의 넓이는 같습니다.

$9 \times 9 \times 3.1 \times \dfrac{1}{4} + 9 \times 9 \times \dfrac{1}{2}$
$= 62.775 + 40.5$
$= 103.275(\text{cm}^2)$

풀이

16 / 2, 4, 6 / 2, 6, 4, 16

답 16

EXERCISE 2

1 (1) 16 cm²   (2) 2 : 7

[풀이]

1 (1)

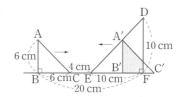

겹쳐진 부분은 사다리꼴이며 넓이는

$(6+2) \times 4 \times \dfrac{1}{2} = 16(\text{cm}^2)$입니다.

(2) 삼각형 DEF를 고정시키고 삼각형 ABC의 속력을 2배로 생각합니다.

삼각형 ABC는 4초 후면 8 cm 이동하고 겹쳐진 부분은 삼각형이며 넓이는

$4 \times 2 \times \dfrac{1}{2} = 4(\text{cm}^2)$입니다.

6초 후에는 12 cm 이동하고 겹쳐진 부분의 넓이는

$6 \times 6 \times \dfrac{1}{2} - 4 \times 2 \times \dfrac{1}{2} = 14(\text{cm}^2)$입니다.

따라서 4 : 14 = 2 : 7입니다.

1 (1) 18 cm²   (2) 1 cm

2 3.5초, 13초

3 (1) 75°   (2) 31.4 cm   (3) 141.3 cm²

4 (1) 25.12 cm²   (2) 6.28 cm²   (3) 4.86 cm²

5 22 cm²	**6** 5 cm²
7 735.5 cm²	**8** 163.5 cm²
9 222.24 cm²	**10** 92.56 cm²
11 16 cm²	**12** 211.95 cm²
13 18.84 cm²	**14** 186 cm²
15 424 cm²	**16** 72.56 cm²

[풀이]

1 (1) $(8+10) \times 2 \div 2 = 18(\text{cm}^2)$

(2) 삼각형 ABC의 넓이의 $\frac{1}{3}$은

$12 \times 8 \times \frac{1}{2} \times \frac{1}{3} = 16(\text{cm}^2)$입니다.

$18-16=2(\text{cm}^2)$의 넓이가 줄어들어야 하므로 삼각형 ABC를 왼쪽으로 $2 \div 2 = 1(\text{cm})$ 이동시켜야 합니다.

2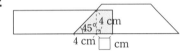

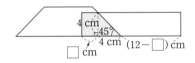

색칠한 부분의 넓이가 20 cm²이므로

$\square = \left(20 - 4 \times 4 \times \frac{1}{2}\right) \div 4 = 3$

따라서 직사각형 ㄱㄴㄷㄹ이 움직인 거리가 $4+3=7(\text{cm})$, $17+12-3=26(\text{cm})$일 때이므로 $7 \div 2 = 3.5(\text{초})$, $26 \div 2 = 13(\text{초})$ 후입니다.

3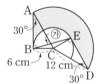

(1) 삼각형 BCE는 이등변삼각형이므로

(각 EBC)$=(180° - 90° - 60°) \div 2 = 15°$

(각 ㉮)$= 180° - 30° - 75° = 75°$

(2) $12 \times 2 \times 3.14 \times \dfrac{90+60}{360} = 31.4(\text{cm})$

(3) $(12 \times 12 - 6 \times 6) \times 3.14 \times \dfrac{150}{360} = 141.3(\text{cm}^2)$

4 (1) 정사각형 ABCD의 넓이가 원의 (반지름)×(반지름)과 같습니다.

$4 \times 4 \times \frac{1}{2} \times 3.14 = 25.12(\text{cm}^2)$

(2) $4 \times 4 \times 3.14 \times \dfrac{45}{360} = 6.28(\text{cm}^2)$

(3) (부채꼴 CAC′의 넓이)＋(정사각형 ABCD의 넓이)－(부채꼴 DAB′의 넓이)와 같습니다.

$6.28 + 8 - 8 \times 3.14 \times \dfrac{135}{360} = 4.86(\text{cm}^2)$

5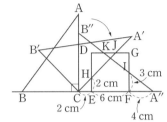

45° 기울였을 때 겹쳐진 부분은 직각이등변삼각형 DHJ이므로 넓이는 $4 \times 4 \times \frac{1}{2} = 8(\text{cm}^2)$입니다.

90° 기울였을 때 겹쳐진 부분은 오각형 DEFIK입니다.

그림에서 삼각형 KIG와 삼각형 A″IF는 합동입니다.

$6 \times 6 - 4 \times 3 \times \frac{1}{2} = 30(\text{cm}^2)$

➡ $30 - 8 = 22(\text{cm}^2)$

6 점 ㄷ과 ㅁ 사이의 거리는 $15 - (4+6) = 5(\text{cm})$입니다. 삼각형 ㄹㅁㅂ을 고정시키고 삼각형 ㄱㄴㄷ의 속력을 2배로 생각합니다.

삼각형 ㄱㄴㄷ은 4초에 8 cm를 이동하므로 겹쳐진 부분은 왼쪽의 색칠한 부분과 같습니다.

$(1+4) \times 3 \times \frac{1}{2} - 1 \times 1 \times \frac{1}{2} \times \frac{1}{2} = 7.25(\text{cm}^2)$

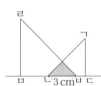

삼각형 ㄱㄴㄷ은 6초에 12 cm를 이동하므로 겹쳐진 부분은 왼쪽의 색칠한 부분과 같습니다.

$3 \times 3 \times \frac{1}{2} \times \frac{1}{2} = 2.25(\text{cm}^2)$

따라서 넓이의 차는 $7.25 - 2.25 = 5(\text{cm}^2)$입니다.

7 원 P가 지나간 부분의 넓이 :

$10 \times (60+25) \times 2 + 10 \times 10 \times 3.14$

$= 1700 + 314 = 2014(\text{cm}^2)$

원 Q가 지나간 부분의 넓이 :

$50 \times 10 \times 2 + 15 \times 10 \times 2 - 5 \times 5 \times 4 + 5 \times 5 \times 3.14$

$= 1278.5(\text{cm}^2)$

따라서 원 P와 원 Q가 지나간 부분의 넓이의 차는 $2014-1278.5=735.5(\text{cm}^2)$입니다.

8

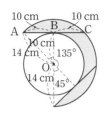

반지름이 14 cm, 중심각이 225°인 부채꼴의 넓이에서 반지름이 10 cm, 중심각 135°인 부채꼴의 넓이와 2개의 직각이등변삼각형의 넓이를 뺀 넓이입니다.

$14\times14\times3.1\times\dfrac{225}{360}$

$\qquad-\left(10\times10\times3.1\times\dfrac{135}{360}+10\times10\times\dfrac{1}{2}\times2\right)$

$=163.5(\text{cm}^2)$

9

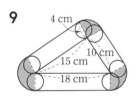

색칠한 부분의 넓이의 합은 반지름이 4 cm인 원의 넓이와 같습니다.

$(15+18+10)\times4+4\times4\times3.14$
$=222.24(\text{cm}^2)$

10 꼭짓점에서 회전한 각의 합은 360°입니다.

$2\times(5+10\times2+15)+2\times2\times3.14=92.56(\text{cm}^2)$

11 (색칠한 부분의 넓이)

$\quad=\{($직각삼각형의 넓이$)$

$\qquad\quad+($반지름이 10 cm인 부채꼴의 넓이$)\}$

$\qquad-\{($직각삼각형의 넓이$)$

$\qquad\quad+($반지름이 6 cm인 부채꼴의 넓이$)\}$

$\quad=($반지름이 10 cm인 부채꼴의 넓이$)$

$\qquad-($반지름이 6 cm인 부채꼴의 넓이$)$

$\quad=(10\times10-6\times6)\times3\times\dfrac{30}{360}=16(\text{cm}^2)$

12

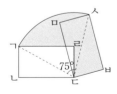

삼각형 ㅅㄷㅂ의 넓이는 삼각형 ㄱㄷㄹ의 넓이와 같으므로 색칠한 부분의 넓이는 부채꼴 ㄱㄷㅅ의 넓이와 같습니다.

호 ㄱㅅ의 길이가 23.55 cm이므로 반지름 ㄱㄷ의 길이는 $23.55\div\dfrac{75}{360}\div3.14\div2=18(\text{cm})$입니다.

따라서 색칠한 부분의 넓이는

$18\times18\times3.14\times\dfrac{75}{360}=211.95(\text{cm}^2)$입니다.

13

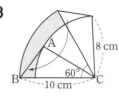

$(10\times10-8\times8)\times3.14$

$\times\dfrac{60}{360}=18.84(\text{cm}^2)$

14

반원이 지나간 부분의 넓이는 색칠한 부분의 넓이와 같습니다.

$4\times4\times3\times\dfrac{1}{2}+(20\times20-16\times16)\times3\times\dfrac{135}{360}$

$=186(\text{cm}^2)$

15

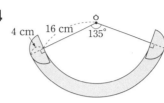

(안쪽의 색칠한 부분의 넓이)

$\quad=(12+36+12)\times8-4\times4\times2$

$\qquad+4\times4\times3\times\dfrac{1}{4}\times2$

$\qquad+(18\times18-10\times10)\times3\times\dfrac{1}{2}$

$\quad=808(\text{cm}^2)$

(바깥쪽의 색칠한 부분의 넓이)

$\quad=(20+36+20)\times8+8\times8\times3\times\dfrac{1}{4}\times2$

$\qquad+(26\times26-18\times18)\times3\times\dfrac{1}{2}=1232(\text{cm}^2)$

따라서 넓이의 차는

$1232-808=424(\text{cm}^2)$입니다.

16 원이 지나는 부분의 넓이는 가로 5 cm, 세로 2 cm인 직사각형 6개와 반지름이 2 cm이고 중심각이 60°인 부채꼴 6개의 넓이를 합한 것과 같습니다.

$5\times2\times6+2\times2\times3.14\times\dfrac{60}{360}\times6=72.56(\text{cm}^2)$

왕중왕 문제 **109~114**

1 34.71 cm²	**2** 122.88 cm²
3 2841 cm²	**4** 1188 cm²
5 73.25 cm²	**6** 297.12 cm²

7 179 cm²

8 (1) 125 cm²　　　　　　　(2) 43.75 cm²

9 24.39 cm²

10 (1) 10°　　(2) 18 cm　　(3) 11

11 (1) 11초　　　　　　　(2) 1.92 cm²

12 (1) 27 cm²　　　　　　(2) 6분 20초

13 67.2 cm

14 (1) 14.13 cm²　　　　　(2) 100.48 cm²
　　 (3) 10초, 20초, 130초, 140초

[풀이]

1

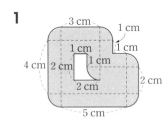

원판이 지나간 부분은 왼쪽 그림과 같습니다.

$(4 \times 5 - 4) + (4 + 5 + 2 + 3) + (1 \times 1 \times 3.14 \div 4 \times 6) = 34.71 \,(\text{cm}^2)$

2

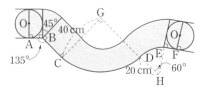

선분 AD의 길이 :

$6 \times 8 \div 10 = 4.8 \,(\text{cm})$

$(8 \times 8 - 4.8 \times 4.8) \times 3$

$= 122.88 \,(\text{cm}^2)$

3 지름 20 cm인 원이 지나간 부분은 다음과 같습니다.

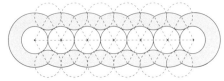

$10 \times 10 \times 3.14 + 20 \times 20 \times 3.14 \times \dfrac{45}{360} + (40 \times 40 - 20 \times 20) \times 3.14 \times \dfrac{90+60}{360} + 20 \times (10 + 20 + 10) = 2841 \,(\text{cm}^2)$

4

$\left\{ (12 \times 12 - 6 \times 6) \times \dfrac{240}{360} + (12 \times 12 - 6 \times 6) \times \dfrac{60}{360} \times 5 + 6 \times 6 \times \dfrac{60}{360} \times 6 \right\} \times 3 \times 2$

$= 1188 \,(\text{cm}^2)$

5

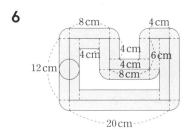

$① + ⑦ = 1 \times 1 \times 3$
$\qquad\quad = 3 \,(\text{cm}^2)$

$② + ④ + ⑥$
$= (14 + 8 + 9) \times 2$
$= 62 \,(\text{cm}^2)$

$③ = 2 \times 2 \times 3 \times \dfrac{135}{360} = 4.5 \,(\text{cm}^2)$

$⑤ = 2 \times 2 - 1 \times 1 + 1 \times 1 \times 3 \times \dfrac{1}{4} = 3.75 \,(\text{cm}^2)$

따라서 원이 지나간 부분의 넓이는
$3 + 62 + 4.5 + 3.75 = 73.25 \,(\text{cm}^2)$입니다.

6

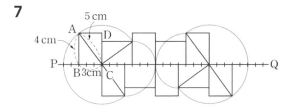

원이 지나간 부분은 색칠한 부분과 같습니다.
도형의 안쪽의 넓이를 구하면

$(12 + 16 + 12 + 6 + 8 + 6 + 4) \times 2 + 2 \times 2 \times 3.14 \times \dfrac{1}{4} \times 2$

$= 134.28 \,(\text{cm}^2)$

도형의 바깥쪽의 넓이를 구하면

$(12 + 20 + 12 + 4 + 4 + 8 + 4 + 8) \times 2 + 2 \times 2 \times 3.14 \times \dfrac{1}{4} \times 6 = 162.84 \,(\text{cm}^2)$

따라서 원이 지나간 부분의 넓이는
$134.28 + 162.84 = 297.12 \,(\text{cm}^2)$

7

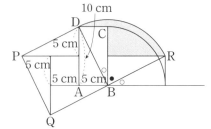

$\left(5 \times 5 \times \dfrac{3}{4} + 4 \times 4 \times \dfrac{1}{4} + 3 \times 3 \times \dfrac{1}{4} \right) \times 3.1 = 77.5 \,(\text{cm}^2)$

$3 \times 4 \div 2 \times 2 = 12 \,(\text{cm}^2)$

따라서 $(77.5 + 12) \times 2 = 179 \,(\text{cm}^2)$입니다.

8 (1)

그림에서와 같이, 선분 BD를 한 변으로 하는 정사각형 PQBD의 넓이는 직각삼각형 4개와 작은 정사각형 1개의 넓이를 합한 값과 같습니다. 따라서 $5 \times 10 \div 2 \times 4 + 5 \times 5 = 125 (cm^2)$입니다.

(2) 풀이 (1)의 그림에서 색칠한 부분의 넓이는 중심각이 $90°$인 부채꼴 DBR에서 직사각형 ABCD만큼의 넓이를 뺀 값과 같습니다.

$(선분 \ BD) \times (선분 \ BR) \times 3 \times \dfrac{90}{360} - 50$에서

$(선분 \ BD) \times (선분 \ BR)$은 정사각형 PQBD의 넓이 $125 \ cm^2$와 같으므로

$125 \times 3 \times \dfrac{90}{360} - 50 = 43.75 (cm^2)$입니다.

9

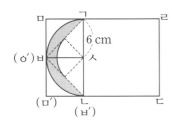

$6 \times 6 \times 3.14 \times \dfrac{1}{2} - \left(6 \times 3 \times \dfrac{1}{2}\right) \times 2$

$- 6 \times 6 \times \dfrac{1}{2} \times 3.14 \times \dfrac{1}{4} = 24.39 (cm^2)$

10 (1) $(180° \div 6) \times \dfrac{1}{2+1} = 10°$

(2) [그림 2]에서 부채꼴의 넓이는 $18 \ cm^2$

$18 \div \dfrac{60}{360} \div 3 = 36$

$36 = 6 \times 6$이므로 반지름은 $6 \ cm$입니다.

따라서 둘레의 길이는

$6 \times 2 + \left(6 \times 2 \times 3 \times \dfrac{1}{6}\right) = 12 + 6 = 18 (cm)$입니다.

(3) 겹쳐지기 시작하여 완전히 떨어질 때까지 걸린 시간은

$(90 + 60) \div 30 = 5 (초)$ 동안이므로

$⊙ = 6 + 5 = 11$

11 (1) $\left(2 + \dfrac{5}{3}\right) \times 3 = 11 (초)$

(2) $27 \div 3 - (4 + 3) = 2 (cm)$

겹쳐진 부분의 가로의 길이 : $2 \times \dfrac{4}{5} = 1.6 (cm)$

세로의 길이 : $2 \times \dfrac{3}{5} = 1.2 (cm)$

따라서 넓이는 $1.6 \times 1.2 = 1.92 (cm^2)$입니다.

12 (1) 겹쳐진 부분의 세로와 가로의 길이의 비는

$60 : 80 = 3 : 4$이므로 떨어지기 1분 전에

세로는 $21 \div 2 \times \dfrac{3}{3+4} = 4.5 (cm)$

가로는 $4.5 \times \dfrac{4}{3} = 6 (cm)$이었습니다.

따라서 넓이는 $4.5 \times 6 = 27 (cm^2)$입니다.

(2)

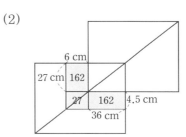

색칠한 부분의 넓이가 $351 \ cm^2$이므로

$(351 - 27) \div 2 = 162 (cm^2)$

$162 \div 6 = 27 (cm), \ 162 \div 4.5 = 36 (cm)$

따라서 $(80 - 6 - 36) \div 6 = 6\dfrac{1}{3} (분)$ ➤ 6분 20초

13 점 A의 자취는 A → A_1 → A_2 → A_3 → A_4 → A_5의 순서로 진행됩니다.

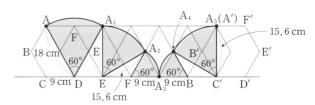

따라서 자취의 길이는

$18 \times 2 \times 3 \times \dfrac{60}{360} + 15.6 \times 2 \times 3 \times \dfrac{120}{360} + 9 \times 2 \times 3$

$\times \dfrac{120}{360} = 67.2 (cm)$입니다.

14 (1)

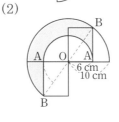

$6 \times 6 \times 3.14 \times \dfrac{45}{360} = 14.13 (cm^2)$

(2) 반원이 1회전 하는 동안 직사각형은 $180°$ 회전합니다.

$(10 \times 10 - 6 \times 6) \times 3.14$

$\times \dfrac{180}{360} = 100.48 (cm^2)$

(3)

$180° \div (1+2+3) = 30°$ $60 \div (1+2) = 20(초)$

$30 \div (1+2) = 10(초)$

$(360+30) \div (1+2)$ $(360+60) \div (1+2)$

$=130(초)$ $=140(초)$

4. 입체도형의 겉넓이와 부피

풀이

(1) 2, 30, 1800 (2) 2, 10, 1256 (3) 6, 395.64

답 (1) 1800 (2) 1256 (3) 395.64

EXERCISE 1

1 (1) 432 cm²   (2) 729.84 cm²

2 (1) 300 cm²   (2) 360 cm²

[풀이]

1 (1) $6 \times 8 \times \frac{1}{2} \times 2 + (6+8+10) \times 16 = 432(\text{cm}^2)$

(2) $6 \times 6 \times 3.14 \times \frac{1}{2} \times 2 + \left(12 \times 3.14 \times \frac{1}{2} + 12\right) \times 20$

$= 729.84(\text{cm}^2)$

2 (1) $(9+6) \times 4 \times \frac{1}{2} \times 2 + (9+4+6+5) \times 10$

$= 300(\text{cm}^2)$

(2) $6 \times 6 \times 3 \times \frac{150}{360} \times 2 + \left(12 \times 3 \times \frac{150}{360} + 6 + 6\right) \times 10$

$= 360(\text{cm}^2)$

풀이

(1) 8, 48 (2) 10, 2009.6

답 (1) 48 (2) 2009.6

EXERCISE 2

1 (1) 2320 cm³   (2) 1888 cm³

2 (1) 192 cm³   (2) 2154.04 cm³

[풀이]

1 (1) $(10 \times 20 - 6 \times 14) \times 20 = 2320(\text{cm}^3)$

(2) $(12 \times 12 - 4 \times 4 \times 3.1) \times 20 = 1888(\text{cm}^3)$

2 (1) $6 \times 4 \times 8 = 192(\text{cm}^3)$

(2) 반지름은 $43.96 \div 3.14 \div 2 = 7(\text{cm})$이므로 부피는

$7 \times 7 \times 3.14 \times 14 = 2154.04(\text{cm}^3)$입니다.

왕 문제 118~123

1 314 cm³   **2** $\frac{2}{3}$배

3 1519 cm³

4 (1) 1182 cm³   (2) 758 cm²

5 (1) 3 cm²   (2) 75 cm²

6 169.56 cm²

7 겉넓이 : 488.2 cm², 부피 : 628 cm³

8 252 cm²   **9** 20.5 cm

10 616 cm³

11 겉넓이 : 450 cm², 부피 : 486 cm³

12 0.9 m   **13** 19200 cm³

14 (1) 15 : 4   (2) 8 : 5

15 13개

16 겉넓이 : 4275.84 cm², 부피 : 18086.4 cm³

17 ㉠ : $18\frac{2}{3}$ cm, ㉡ : 24 cm

18 336 cm³

[풀이]

1 $6 \times 6 \times 3.14 \times 3 - 2 \times 2 \times 3.14 \times 2$

$= (108 - 8) \times 3.14 = 314(\text{cm}^3)$

2 $\dfrac{6 \times 6 \times 3.14 \times 3}{(6 \times 6 - 3 \times 3) \times 3.14 \times 6} = \dfrac{2}{3}(배)$

3 가로가 7 cm, 세로가 10 cm인 직사각형을 선분 AB를 축으로 하여 1회전 시켰을 때 생기는 입체 도형의 부피와 같습니다.

$7 \times 7 \times 3.1 \times 10 = 1519 (\text{cm}^3)$

4 (1) $14 \times 11 \times 9 - 8 \times 7 \times 3 - 4 \times 3 \times 3 = 1182 (\text{cm}^3)$

(2) $(14 \times 11 + 14 \times 9 + 11 \times 9) \times 2 = 758 (\text{cm}^2)$

5 (1) $3 : \bigcirc = 18 : 12$ 이므로

$\bigcirc = 2$ cm

따라서 겹쳐진

부분의 넓이는

$3 \times 2 \times \dfrac{1}{2} = 3 (\text{cm}^2)$

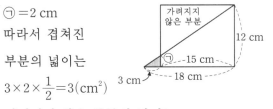

(2) 가려지지 않은 부분의 넓이는

$(12 - 2) \times 15 \times \dfrac{1}{2} = 75 (\text{cm}^2)$

6 $169.56 \div 6 \div 3.14 = 9$ 에서 반지름은 3 cm 입니다.

따라서 원기둥의 겉넓이는

$(3 \times 3 \times 3.14) \times 2 + 3 \times 2 \times 3.14 \times 6 = 169.56 (\text{cm}^2)$

7 (겉넓이)

$= 5 \times 5 \times 3.14 \times 2 + 10 \times 3.14 \times 10 - 10 \times 3.14 \times \dfrac{1}{4} \times 8$

$+ 5 \times 8 \times 2 = 488.2 (\text{cm}^2)$

(부피)

$= 5 \times 5 \times 3.14 \times 10 - 5 \times 5 \times 3.14 \times \dfrac{1}{4} \times 8$

$= 628 (\text{cm}^3)$

8 겹친 부분은 공통이므로 생각하지 않습니다.

$\left(12 \times 12 \times 3 - 6 \times 6 \times \dfrac{1}{2} + 6 \times 12 \times \dfrac{1}{2} \times 2 \right)$

$- \left(12 \times 12 \times 2 + 6 \times 6 \times \dfrac{1}{2} - 6 \times 12 \times \dfrac{1}{2} \times 2 \right)$

$= 252 (\text{cm}^2)$

9 [그림 3]의 각기둥에서 수면 아랫부분의 부피가

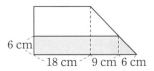

$(18 + 9 + 18 + 9 + 6) \times 6 \times \dfrac{1}{2} \times 30 = 5400 (\text{cm}^3)$ 이므로

물통의 밑넓이는 $5400 \div 4 = 1350 (\text{cm}^2)$ 입니다.

[그림 3]의 각기둥에서 수면 윗부분의 부피는

$(18 + 18 + 9) \times 9 \times \dfrac{1}{2} \times 30 = 6075 (\text{cm}^3)$ 이므로

각기둥을 물 속에 완전히 잠기게 넣었을 때 물의 높이는 $16 + 6075 \div 1350 = 20.5 (\text{cm})$ 입니다.

10 직육면체의 높이를 □cm 라 하면

$8 \times 7 \times 2 = 8 \times 7 \times \square - 8 \times 7 \times \dfrac{1}{2} \times (15.5 - \square)$,

$\square = 6.5$ 입니다.

따라서 그릇의 부피는

$8 \times 7 \times 6.5 + 8 \times 7 \times \dfrac{1}{2} \times 9 = 616 (\text{cm}^3)$

별해

물이 채워지지 않은 삼각기둥의 부피와 물이 채워지지 않은 직육면체의 부피가 같음을 알 수 있습니다. 따라서 삼각기둥의 높이는 물이 채워지지 않은 직육면체의 높이의 2배입니다.

$\triangle + 2 + 2 \times \triangle = 15.5$, $\triangle = 4.5$

따라서 [그림 1]의 직육면체의 높이는 6.5 cm, 삼각기둥의 높이는 9 cm로 그릇의 부피는 616 cm³ 입니다.

11 (겉넓이)

$= (12 \times 9 - 3 \times 3) \times 2 + 12 \times 6 \times 2 + 9 \times 6 \times 2$

$= 450 (\text{cm}^2)$

(부피)

$= (12 \times 9 - 9 \times 6) \times 6 + (6 \times 9 - 6 \times 3) \times 4 + 3 \times 3 \times 2$

$= 486 (\text{cm}^3)$

12 $\{(60 + 30) \times \square \div 2\} \times 2 \div (100 \times \square)$

$= 0.9 (\text{m})$

13 삼각기둥의 밑면인 삼각형의 높이를 □cm 라 하면

$20 \times (40 - \square) : 20 \times \square \times \dfrac{1}{2} = 3 : 1$,

$\square = 16$

따라서 입체도형의 부피는

$\left(20 \times 24 + 20 \times 16 \times \dfrac{1}{2} \right) \times 30 = 19200 (\text{cm}^3)$ 입니다.

별해

입체도형의 부피는 가로, 세로, 높이가 각각 30 cm, 20 cm, 40 cm인 직육면체의 부피의 $\dfrac{4}{5}$ 입니다. 따라서 $30 \times 20 \times 40 \times \dfrac{4}{5} = 19200 (\text{cm}^3)$ 입니다.

14 (1) $5 \times 3 : 2 \times 2 = 15 : 4$

(2) $4 \div 5 : 1 \div 2 = \dfrac{4}{5} : \dfrac{1}{2} = 8 : 5$

15 사각기둥의 개수를 □개라고 하면

$12 \times 5 \times 2 + (5 + 8 + 5 + 8) \times 2 \times \square = 796$

$\square = (796 - 120) \div 52 = 13$

16 (겉넓이) $= (30 \times 30 - 6 \times 6) \times 3.14 \times \dfrac{1}{3} \times 2$

$+ \{(60 + 12) \times 3.14 \times \dfrac{1}{3} + 24 \times 2\} \times 20$

$= 4275.84 (\text{cm}^2)$

$$(부피)=(30\times30-6\times6)\times3.14\times\frac{1}{3}\times20$$
$$=18086.4(cm^3)$$

17 면 ㉮를 바닥에 닿도록 넣는 경우 :
$$18\times18\times3.14\times8$$
$$=6\times6\times3.14\times㉠+12\times12\times3.14\times(32-㉠),$$
$$3\times㉠=56,\ ㉠=18\frac{2}{3}(cm)$$
면 ㉯를 바닥에 닿도록 넣는 경우 :
$$18\times18\times3.14\times12$$
$$=12\times12\times3.14\times㉡+6\times6\times3.14\times(36-㉡),$$
$$3\times㉡=72,\ ㉡=24(cm)$$

18 (면 ㄱㄴㄷㄹ의 넓이)$=84\div2=42(cm^2)$
(면 ㄱㅁㅂㄴ의 넓이)$=96\div2=48(cm^2)$
(면 ㄴㅂㅅㄷ의 넓이)$=112\div2=56(cm^2)$
변 ㄱㄴ의 길이는 6 cm, 변 ㄱㅁ의 길이는 8 cm, 변 ㄴㄷ의 길이는 7 cm이므로 〈그림 1〉의 직육면체의 부피는 $6\times8\times7=336(cm^3)$입니다.

왕중왕문제 124~129

1 $14592\ cm^2$
2 $1328.22\ cm^3$
3 (1) $557\ cm^2$ (2) $1000\ cm^3$ (3) 27.85
4 겉넓이 : $1170.5\ cm^2$, 부피 : $1766.25\ cm^3$
5 $6\frac{2}{3}\ cm$
6 (1) $198\ cm^2$ (2) $156\ cm^3$
7 (1) $82000\ cm^3$ (2) $13000\ cm^2$
8 $4648.08\ cm^2$
9 $1024.1\ cm^2$
10 $29.3\ cm^3$
11 겉넓이 : $462\ cm^2$, 부피 : $190\ cm^3$
12 $575\ cm^2$
13 (1) $4:8:9$ (2) $4:1$ (3) $4:3:2$
14 ㉠ $12.56\ cm$, ㉡ $75.36\ cm$
15 $480\ cm^2$
16 $41.04\ cm^2$
17 (1) $926.3\ cm^3$ (2) $16:59$
18 $2448\ cm^2$

[풀이]

1 (B의 개수)$=1+5+9+13+17=45(개)$
(A의 개수)$=3+7+11+15=36(개)$이므로
$$(4\times4\times3)\times17\times2+8\times3\times(45\times8+36\times5)$$

$$=14592(cm^2)입니다.$$

2
$$9\times9\times3.14\times9\times\frac{1}{3}\times2$$
$$-3\times3\times3.14\times6$$
$$-3\times3\times3.14\times3\times\frac{1}{3}$$
$$=1328.22(cm^3)$$

3 (1) $(5\times5\times3.14+10\times20)\times2$
$$=557(cm^2)$$
(2) 오른쪽 도형에서 ㉠의 길이는
$$\left(20-10\times3.14\times\frac{1}{2}\right)\times\frac{1}{2}=2.15(cm)$$
구하고자 하는 부피는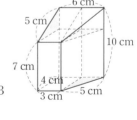
$$5\times5\times3.14\times10\times\frac{1}{2}\times2+2.15\times10\times10$$
$$=1000(cm^3)$$
(3) A의 둘레와 B의 둘레가 같습니다.
$$10\times3.14+20\times2=5\times3.14+\square\times2,$$
$$\square=27.85$$

4 $\frac{1}{2}$회전하였으므로 반원기둥 3개가 생깁니다.
(겉넓이)
$$=10\times10\times3.14\times2+20\times3.14\times5+10\times3.14\times\frac{1}{2}\times5$$
$$+10\times2\times5+(10-5)\times5\times2=1170.5(cm^2)$$
(부피)
$$=10\times10\times3.14\times5\times\frac{1}{2}\times2+5\times5\times3.14\times5\times\frac{1}{2}$$
$$=1766.25(cm^3)$$

5 (원기둥 모양의 그릇에 옮겨진 물의 부피)
$$=20\times20\times\frac{1}{2}\times10=2000(cm^3)$$
(원기둥 모양의 그릇의 물의 높이)
$$=2000\div(10\times10\times3)=6\frac{2}{3}(cm)$$

6 (1) $(3+6)\times4\times\frac{1}{2}$
$$+(3+5+6+4)\times7$$
$$+5\times3\times\frac{1}{2}+4\times3\times\frac{1}{2}$$
$$+(6+3)\times5\times\frac{1}{2}+6\times3$$
$$=198(cm^2)$$
(2) $(3+6)\times4\times\frac{1}{2}\times7+4\times3\times\frac{1}{2}\times3+3\times3\times4\times\frac{1}{3}$
$$=156(cm^3)$$

7 (1) 입체도형을 5개로 나누어 부피를 구합니다.

$50 \times 10 \times 10 + 40 \times 20 \times 10 + 40 \times 30 \times 10$
$+ 30 \times 40 \times 10 + 30 \times 30 \times 50 = 82000 (\text{cm}^3)$

(2) 위, 아래에서 본 넓이
$50 \times 50 \times 2 = 5000 (\text{cm}^2)$
앞, 뒤에서 본 넓이
$(50 \times 50 - 10 \times 20 - 20 \times 10) \times 2 = 4200 (\text{cm}^2)$
양 옆에서 본 넓이
$(50 \times 50 - 20 \times 20 - 20 \times 10) \times 2 = 3800 (\text{cm}^2)$
따라서 겉넓이는
$5000 + 4200 + 3800 = 13000 (\text{cm}^2)$

8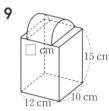
바깥쪽의 겉넓이 :
$25 \times 25 \times 6 - 8 \times 8 \times 2 - 4 \times 4$
$\times 3.14 \times 2 = 3521.52 (\text{cm}^2)$

안쪽의 겉넓이 :
$8 \times 25 \times 4 + 8 \times 3.14 \times (25-8) - 4 \times 4 \times 3.14 \times 2$
$= 1126.56 (\text{cm}^2)$
따라서 겉넓이는 $3521.52 + 1126.56 = 4648.08 (\text{cm}^2)$
입니다.

9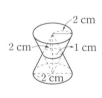
$12 \times 10 \times 15 + 5 \times 5 \times 3.14 \times \frac{1}{2} \times \square$
$= 2114$
$\square = 8$
따라서 입체도형의 겉넓이는
$12 \times 10 + (12 + 10 + 12 + 10)$
$\times 15 + 10 \times (12 - 8) + 5 \times 5$
$\times 3.14 \times \frac{1}{2} \times 2 + 5 \times 2 \times 3.14 \times \frac{1}{2} \times 8$
$= 1024.1 (\text{cm}^2)$

10 $\left(2 \times 2 \times 3.14 \times 4 \times \frac{1}{3} \right.$
$\left. - 1 \times 1 \times 3.14 \times 2 \times \frac{1}{3} \right) \times 2$
$= 29.30 \cdots$ ➡ 29.3 cm^3
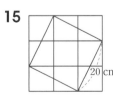

11 겉넓이 :
$(12 + 7 + 6 + 10) \times 1 \times 2 + (8 + 12 + 8 + 10) \times 6$
$+ (10 + 7 + 6 + 9) \times 6 + 6 \times 1 \times 2 - 4 \times 5 \times 2$
$= 462 (\text{cm}^2)$
부피 : $(12 + 7 + 6 + 5) \times 6 \times 1 + 5 \times 2 \times 1 = 190 (\text{cm}^3)$

12 자른 단면인 삼각형 ㉮㉯㉰의 넓이를 먼저 알아봅니다.
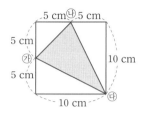

단면의 넓이는
$10 \times 10 - \left(5 \times 5 \times \frac{1}{2} + 5 \times 10 \times \frac{1}{2} \times 2 \right) = 37.5 (\text{cm}^2)$
따라서 큰 부분의 겉넓이는
$10 \times 10 \times 3 + 10 \times 10 \times \left(\frac{7}{8} + \frac{3}{4} + \frac{3}{4} \right) + 37.5$
$= 575 (\text{cm}^2)$입니다.

13 (1) 밑넓이의 비는
$\text{A} : \text{B} : \text{C} = (1 \times 1) : (2 \times 2) : (3 \times 3)$
$= 1 : 4 : 9$
부피의 비는
$(1 \times 4) : (4 \times 2) : (9 \times 1) = 4 : 8 : 9$

(2) B와 D의 부피를 8이라 하면
D의 부피는 $4 \times 4 \times (\text{높이})$이므로
높이는 $8 \div (4 \times 4) = \frac{1}{2}$
따라서 높이의 비는
$2 : \frac{1}{2} = 4 : 1$입니다.

(3) B, C, D의 반지름의 비가 $2 : 3 : 4$이므로
B, C, D의 밑면의 원주의 비도
$2 : 3 : 4$입니다.
높이의 비가 $2 : 1 : \frac{1}{2}$이므로
옆면의 넓이의 비는
$(2 \times 2) : (3 \times 1) : \left(4 \times \frac{1}{2} \right) = 4 : 3 : 2$입니다.

14 ㉠의 길이는 원주와 같습니다.
$2 \times 2 \times 3.14 = 12.56 (\text{cm})$
㉡의 길이는 평행사변형의 넓이가 원기둥의 옆면의 넓이와 같음을 착안하여 계산합니다.
$2 \times 2 \times 3.14 \times 30 = ㉡ \times 5,$
㉡ $= 75.36 \text{ cm}$

15 정육면체의 겉넓이는 한 면의 넓이의 6배입니다. 왼쪽 그림에서 한 변이 20 cm인 정사각형의 넓이는 정육면체의 겉넓이의 $\frac{5}{6}$와 같습니다.
따라서 $20 \times 20 \div \frac{5}{6} = 480 (\text{cm}^2)$입니다.

16 원뿔의 옆면의 전개도는 부채꼴이며

중심각은 $\dfrac{3}{12} \times 360° = 90°$ 입니다.

구하는 넓이는

$12 \times 12 \times 3.14 \times \dfrac{1}{4} - 12 \times 12 \times \dfrac{1}{2}$

$= 41.04 (\text{cm}^2)$

17 (1) $(10 \times 10 \times 10 + 6 \times 6 \times 5) \times 3.14 \times \dfrac{1}{4}$

$= 926.3 (\text{cm}^3)$

(2) $(10 \times 10 - 6 \times 6) \times 5 : 10 \times 10 \times 10 + 6 \times 6 \times 5$

$= 320 : 1180 = 16 : 59$

18 (밑넓이의 합) $= (12 \times 12 \times 3) \times 2 = 864 (\text{cm}^2)$

(옆넓이의 합) $= (12 \times 2 \times 3 \times 12) + (8 \times 2 \times 3 \times 6)$

$\times 2 + (4 \times 2 \times 3 \times 3) \times 2$

$= 1584 (\text{cm}^2)$

(입체도형의 겉넓이) $= 864 + 1584 = 2448 (\text{cm}^2)$

5. 불규칙한 입체의 부피와 들이

풀이

30, 10, 20, 30, 10, 20, 6000

답 6000

EXERCISE 1

1 450 cm^3　　　　**2** 5273.1 mL

[풀이]

1 $15 \times 10 \times (13 - 10) = 450 (\text{cm}^3)$

2 $\left(9 \times 9 \times 12 + 9 \times 9 \times 18 \times \dfrac{1}{2}\right) \times 3.1 = 5273.1 (\text{mL})$

풀이

6, 6, 8

답 8

EXERCISE 2

1 2.4 cm　　　　**2** 2.8 mL

[풀이]

1 처음의 물의 높이를 □cm라 하면

$(5 \times 5 - 1 \times 1 \times 3) \times □ = 440$, $□ = 20$

막대를 밖으로 들어낸 후의 물의 높이를 △ cm라 하면

$5 \times 5 \times △ = 440$, $△ = 17.6$

따라서 $20 - 17.6 = 2.4 (\text{cm})$ 낮아집니다.

2 $2 \times 2 \times 3.14 \times 0.5 \times 10 - 5 \times 6 \times 2 = 2.8 (\text{cm}^3)$

➡ 2.8 mL

1 2756 cm^3　　　　**2** 150.72 mL

3 (1) $3 : 2$　　　　(2) $9 : 8$

4 0.6 cm　　　　**5** 41분 48초

6 0.5 cm　　　　**7** 4.8 cm

8 10 cm　　　　**9** 27 cm

10 8 cm　　　　**11** 1128 cm^3

12 8 cm　　　　**13** 13분

14 95 cm^3

15 (1) 420 mL　　　　(2) 120 mL

16 1.075 cm　　　　**17** 810000 L

18 4 cm

[풀이]

1 $(13 - 0.5 \times 2) \times (32.5 - 0.5 \times 2) = 378$

$2000 + 378 \times (10.5 - 0.5 - 8) = 2756 (\text{cm}^3)$

2 $4 \times 4 \times 3.14 \times 10 + 251.2 - 4 \times 4 \times 3.14 \times 12$

$= 150.72 (\text{mL})$

3 (1) $A \times \dfrac{1}{3} = C \times \dfrac{1}{2}$, $A : C = 3 : 2$

(2) $A \times \dfrac{2}{3} = B \times \dfrac{3}{4}$, $A : B = 9 : 8$

4 수조의 밑면의 넓이는

$(3 \times 4 \times 10) \div 3 = 40 (\text{cm}^2)$

수면의 높이의 차는

$(3 \times 4 \times 2) \div 40 = 0.6 (\text{cm})$

5 1분당 들어가는 물의 양은

$1 \times 1.5 \times 0.6 \times 1000 \div 18 = 50 (\text{L})$

물이 가득 채워지는 데는

$(1 \times 1 - 0.5 \times 0.6 \div 2) \times 1.4 \times 1000 \div 50 + 18$

$=41.8$(분) 즉, 41분 48초 걸립니다.

6 처음의 물의 양 : $10 \times 6 \times 5 = 300$(mL)

남은 물의 양 : $300 - 75 = 225$(mL)

선분 AB의 길이를 $\square$ cm라 하면

$(\square + 7) \times 10 \times \dfrac{1}{2} \times 6 = 225$, $\square = 0.5$

7 같은 양의 물을 넣어 높이의 비가 $6 : 4$이면 밑면의 넓이의 비는 $4 : 6$입니다.

따라서 수면의 높이는 $\dfrac{4 \times 6 + 6 \times 4}{4 + 6} = 4.8$(cm)

8 반지름의 비가 $1 : 2$이므로 밑면의 넓이의 비는 $1 : 4$입니다.

높이가 같으므로 수조 A와 수조 B의 들이의 비도 $1 : 4$입니다.

따라서 수조 B에 부은 물의 높이는 $20 \div 2 = 10$(cm)입니다.

9 처음 물의 높이를 $\square$ cm라 하면

$(6 \times 6 - 2 \times 2) \times 3.14 \times \square$

$= 6 \times 6 \times 3.14 \times (\square - 3)$

$32 \times \square = 36 \times (\square - 3)$

$32 \times \square = 36 \times \square - 108$

$4 \times \square = 108$, $\square = 27$

10 ㉠부분의 물의 양과 ㉡부분의 물의 양은 같습니다.

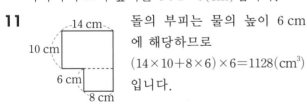

$9 \times 2 \times 5 = \square \times \square \times \dfrac{1}{2} \times 5$

$\square \times \square = 36$, $\square = 6$

따라서 수조의 높이는 $6 + 2 = 8$(cm)입니다.

11 돌의 부피는 물의 높이 6 cm에 해당하므로

$(14 \times 10 + 8 \times 6) \times 6 = 1128$(cm³)입니다.

12 [그림 1]에서 물의 양은

$(14 \times 11 - 1 \times 8) \times 15 = 2190$(mL)

[그림 2]에서

$21 \times 15 \times 6 + 10 \times 15 \times \square = 2190$, $\square = 2$이므로

물의 높이는 $2 + 6 = 8$(cm)입니다.

13 가득 찰 때의 물의 양은

$\left(32 \times 25 - 20 \times 15 \times \dfrac{1}{2}\right) \times 18$

$= 11700$(mL)

그 때까지 걸리는 시간은

$11700 \div 900 = 13$(분)입니다.

14 수조의 밑면의 넓이는

$(40 - 18) \times 10 \div (9 - 5) = 55$(cm²)

돌이 없는 부분의 밑면의 넓이는

$11 \times 10 \div 5 = 22$(cm²)

돌이 들어 있는 부분의 밑면의 넓이는

$55 - 22 = 33$(cm²)

따라서 돌의 부피는

$33 \times 5 - (18 - 11) \times 10 = 95$(cm³)

15 (1) $\{15 \times 2 + (15 - 5) \times (10 - 5) + 5 \times 5\} \times 4$

$= 420$(cm³) ➡ 420 mL

(2) 물이 들어 있는 곳은 색칠된 부분입니다.

$420 - \left(15 \times 15 \times \dfrac{1}{2} - 5 \times 5 - 5 \times 5 \times \dfrac{1}{2}\right) \times 4$

$= 120$(mL)

16 $(4 \times 4 - 2 \times 2 \times 3.14) \times 5 \div (4 \times 4)$

$= 1.075$(cm)

17 1분에 30 m씩 흘러가므로

$(11 + 7) \times 3 \times \dfrac{1}{2} \times 30 = 810$(m³) $= 810000$(L)

18 쇠막대를 넣었을 때의 물의 높이를 $\square$ cm라 하면 $18 \times 18 \times 14 = (18 \times 18 - 6 \times 6 \times 2) \times \square$, $\square = 18$

따라서 수면은 $18 - 14 = 4$(cm) 올라갑니다.

왕중왕 문제 139~144

1 (1) 44 cm (2) 12.5 cm

2 (1) 6 L (2) 0.75 cm (3) 1260 cm³

3 20 cm

4 (1) 20 cm (2) 392초

5 19.4 cm

6 (1) 선분 CD : 15 cm, 선분 AH : 16 cm

(2) 12 cm

7 (1) 54.6 mL (2) 1.615 cm

8 (1) 192 L (2) 24 L (3) 29 cm

9 작은 직육면체 : 250 cm³

큰 직육면체 : 500 cm³

10 1727 mL

11 (1) 20 cm　　　　　　(2) 3300 mL

12 1099 mL

13 (1) 15 cm　　　　　　(2) 5 cm

14 1320 mL

[풀이]

1 (1) A 그릇의 물의 높이는

$2400 \div (8 \times 12) = 25$(cm)

A 그릇의 높이는

$(25 + 2.5) \div \dfrac{5}{8} = 44$(cm)

(2) 그릇 B로 1번 부을 때, 그릇 A의 물의

높이는 $2.5 \div \dfrac{2}{5} = 6.25$(cm) 올라갑니다.

따라서 2번 부으면

$6.25 \times 2 = 12.5$(cm) 올라갑니다.

2 (1) $40 \times 15 \times 10 = 6000$(cm³) ➡ 6 L

(2) $40 \times 15 - 7 \times 6 = 558$

$6000 \div 558 = 10.752\cdots$ ➡ 10.75 cm

따라서 $10.75 - 10 = 0.75$(cm) 올라갑니다.

(3) $40 \times 15 \times 2.1 = 1260$(cm³)

3 A와 B의 밑넓이의 비는 $30 : 45 = 2 : 3$,

A, B, C의 밑넓이의 비는 $2 : 3 : 4$이므로

$(2 \times 45 + 3 \times 30) \div (2 + 3 + 4) = 20$(cm)

4 (1) 1초 동안 들어가는 물의 양은

$10 \times 20 \times 6 \div 48 = 25$(mL)

칸막이의 높이는

$(216 - 48) \times 25 \div (15 \times 20) + 6 = 20$(cm)

(2) $(296 + 24) \div 20 \times 26 = 416$(초)

$416 - 24 = 392$(초)

5 [그림 3]에서 수면 아래의 입체의 부피는

$24 \times 12.5 \times 5 = 1500$(cm³)이므로

물통의 밑넓이는 $1500 \div 2 = 750$(cm²)

[그림 3]에서 수면 위의 입체의 부피는

$(24 \times 4 + 8 \times 6) \times 12.5 = 1800$(cm³)이므로

[그림 4]의 수면의 높이는 $17 + 1800 \div 750 = 19.4$(cm)

6 (1) 물을 10 cm 높이까지 채우는 데 165초 걸렸으

므로 물통의 밑면의 가로의 길이를 □cm라

하면 $165 \times 20 = □ \times 10 \times 10$, $□ = 33$

물을 8 cm 높이까지 채우는 데 72초 걸렸으

로 물통의 밑면의 선분 AC의 길이를 △ cm

라 하면 $72 \times 20 = △ \times 8 \times 10$, $△ = 18$

따라서 선분 CD의 길이는 $33 - 18 = 15$(cm)

또, 선분 AH의 길이를 ☆ cm라 하면

$33 \times 10 \times ☆ = 264 \times 20$, $☆ = 16$

(2) 선분 BC의 길이를 □cm라 하면

141×20

$= 33 \times 10 \times 6 + 18 \times 10 \times 2 + (18 - □) \times 10 \times 8$,

$□ = 12$

7 (1) (직육면체의 부피) − (반원기둥의 부피)

$= \left(3 \times 4 - 2 \times 2 \times 3 \times \dfrac{1}{2}\right) \times 9.1$

$= 54.6$(cm³) ➡ 54.6 mL

(2) [그림 2]의 수면의 높이를 □cm라 하면,

물의 양은 같으므로

$\left\{4 \times □ - \left(2 \times 2 \times 3 \times \dfrac{1}{4} - 2 \times 2 \times \dfrac{1}{2}\right)\right\} \times 10$

$= 54.6$

$(4 \times □ - 1) \times 10 = 54.6$, $□ = 1.615$

8 (1) $60 \times 80 \times 50 - 40 \times 40 \times 30$

$= 192000$(cm³) ➡ 192 L

(2) B가 고장날 때까지 들어간 물의 양은

$192 \div 4.8 \times 1.8 = 72$(L)

그 후에 A는 5시간 걸려서 물을 넣었으므로

$(192 - 72) \div 5 = 24$(L)

(3) A, B로 1.8시간, A만으로 2.2시간 물을 넣었으

므로 물의 양은 $72 + 24 \times 2.2 = 124.8$(L),

$124800 = 60 \times 80 \times 20 + (80 \times 60 - 40 \times 40) \times □$,

$□ = 9$이므로 물의 깊이는 $20 + 9 = 29$(cm)

9 작은 직육면체의 밑넓이를 □cm², 큰 직육면체의

밑넓이를 △ cm²라 하면

$□ \times 4 + △ \times 10 = 10 \times 10 \times 6 \cdots$ ①

$□ \times 10 + △ \times 10 = 10 \times 10 \times 7.5 \cdots$ ②

①과 ②에서 $□ \times 6 = 10 \times 10 \times 1.5$,

$□ = 25$, $△ = 50$

따라서 두 직육면체의 부피는 250 cm³, 500 cm³

입니다.

10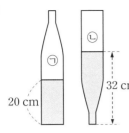

㉠과 ㉡의 들이가 같으므로 전체 들이는

$5 \times 5 \times 3.14 \times 20 + 5 \times 5 \times 3.14 \times (50-32)$
$=2983(\text{mL})$이고,

$5 \times 5 \times 3.14 \times 6$
$=471(\text{mL})$이므로

들어 있는 물의 양은

$(2983+471) \div 2 = 1727(\text{mL})$입니다.

11 (1) 수조의 한 모서리의 길이를 □cm라 하면 물의 양은 일정하므로

$(\square \times \square - 10 \times 10) \times 11$
$=(\square \times \square - 10 \times 15) \times 10 + \square \times \square \times 2,$
$11 \times \square \times \square - 1100$
$=10 \times \square \times \square - 1500 + 2 \times \square \times \square,$
$400 = \square \times \square, \ \square = 20$

(2) $(20 \times 20 - 10 \times 10) \times 11 = 3300(\text{mL})$

12 $5 \times 5 \times 3.14 \times 2 = 157(\text{mL})$

$(2041 + 157) \div 2 = 1099(\text{mL})$

13 (1) 밑넓이의 비는 A : B : C = 5 : 3 : 2이므로 각 그릇에 넣은 물의 양을 □mL라 하면

$\dfrac{\square}{5} + 9 = \dfrac{\square}{2}, \ \square = 30$

따라서 같아진 물의 높이는 $30 \div 2 = 15(\text{cm})$입니다.

(2) B 그릇의 처음 물의 높이를 □cm라 하면
$(15 - \square) \times 3 = 30, \ \square = 5$

14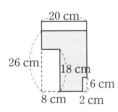

처음에 물통에 들어 있는 물의 양 :

$(20 \times 26 - 8 \times 18 - 2 \times 6) \times 15$
$=5460(\text{mL})$

물통에 남아 있는 물의 양 :

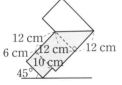

$\left(12 \times 12 \times \dfrac{1}{2} + 12 \times 12 + 10 \times 6 \right) \times 15$
$=4140(\text{mL})$

따라서 쏟아진 물의 양은 $5460 - 4140 = 1320(\text{mL})$입니다.

Ⅳ 규칙성과 대응

1. 비와 비율

풀이

(1) 180 (2) 96

답 (1) 180 (2) 96

EXERCISE 1

1 (1) $\dfrac{3}{50}$ (2) 0.125

2 60명

[풀이]

1 (1) (비율) $=\dfrac{(비교하는\ 양)}{(기준량)} = \dfrac{12}{200} = \dfrac{3}{50}$

(2) $(40-35) \div 40 = 0.125$

2 $150 \times (1-0.6) = 60(명)$

풀이

(1) 60, 5 (2) 7500, 22500

답 (1) 5 (2) 7500, 22500

EXERCISE 2

1 3 % **2** 44 %

3 24명

[풀이]

1 $\dfrac{18}{600} \times 100 = 3(\%)$

2 $\dfrac{22}{22+28} \times 100 = 44(\%)$

3 $640 \times 0.75 \times 0.05 = 24(명)$

1 1000원짜리 : 200장, 5000원짜리 : 60장

2 8.3 % **3** $\dfrac{50}{81}$

4 25 % **5** 48 %

6 25 % **7** 10000 원

8 50 g **9** 24 개

10 62.5점 **11** 175 cm^2

12 (1) 180개 (2) 17.5 %

13 $\boxed{53}$, $\boxed{43}$ **14** 12 : 13

15 26자루 **16** 52개

17 68.75 %

18 A : 99 cm, B : 60 cm

19 64 : 61

20 (1) $1\frac{2}{7}$배

(2) B : 160 cm, D : 180 cm

[풀이]

1 1000원짜리가 모두 5000원짜리라고 하면 금액의 비는 10 : 3이 되므로 장수의 비는 10 : 3입니다.

1000원짜리 지폐 : $260 \times \frac{10}{13} = 200$(장)

5000원짜리 지폐 : $260 \times \frac{3}{13} = 60$(장)

2 물의 부피를 1이라 하면

$\frac{9}{100} \div \left(1 + \frac{9}{100}\right) \times 100 = 8.25 \cdots$ ➡ 8.3 %

3 전체 학생 수를 27이라 하면

축구를 좋아하는 남학생은 $14 \times \frac{4}{7} = 8$,

축구를 좋아하는 여학생은 $13 \times \frac{2}{3} = \frac{26}{3}$입니다.

따라서 $\left(8 + \frac{26}{3}\right) \div 27 = \frac{50}{3} \times \frac{1}{27} = \frac{50}{81}$입니다.

4 $1 \div (1 - 0.2) = 1.25$

따라서 높이는 25 % 늘려야 합니다.

5 웅이의 몸무게를 1이라 하면 지혜의 몸무게는 웅이의 몸무게의 $\left(1 - \frac{1}{5}\right) \times \frac{3}{5} \times 100 = 48(\%)$입니다.

6 지원자의 수를 1로 하면,

예정된 합격자는 $1 \div 2.4 = \frac{5}{12}$이고,

실제의 합격자는 $1 \div 1.92 = \frac{25}{48}$입니다.

$\left(\frac{25}{48} - \frac{5}{12}\right) \div \frac{5}{12} \times 100 = 25(\%)$

7 5000원은 형이 가진 돈의 20 %에 해당하므로 형은 동생에게 $5000 \times 2 = 10000$(원)을 주었습니다.

8 약의 40 %의 무게 : $200 - 140 = 60$(g)

약만의 무게 : $60 \div 0.4 = 150$(g)

따라서 병만의 무게는 $200 - 150 = 50$(g)입니다.

9

가영이가 가진 구슬의 개수 : $(21 - 3) \div 2 = 9$(개)

따라서 전체 개수는 $9 \times 2 + 6 = 24$(개)입니다.

10 전체 응시자의 수 : $8 \div 0.125 = 64$(명)

전체 응시자의 점수의 합 : $(90 \times 8) \div 0.18 = 4000$(점)

따라서 전체의 평균 점수는 $4000 \div 64 = 62.5$(점)입니다.

11 둘레의 길이가 같으므로 가로와 세로의 길이의 합도 같습니다.

A의 (가로) : (세로) $= 2 : 1$ ➡ $8 : 4$

B의 (가로) : (세로) $= 7 : 5$

$8 \times 4 = \boxed{32}$가 160 cm² 이므로 $7 \times 5 = \boxed{35}$는 175 cm² 입니다.

12

$\boxed{3} + \boxed{3} + \boxed{1} + \boxed{9} = 320$개, $\boxed{1} = 20$개

(1) D는 $20 \times 9 = 180$(개)

(2) A는 $20 \times 3 - 4 = 56$(개)이므로

$\frac{56}{320} \times 100 = 17.5(\%)$입니다.

13 A 상자의 카드의 합 : 360

B 상자의 카드의 합 : 240

카드를 바꾸어 넣은 후 A 상자는

$(360 + 240) \times \frac{7}{7 + 5} = 350$이 되므로 10이 줄어듭니다.

따라서 두 수의 차가 10인 카드를 바꾸어 넣습니다.

14 산지를 비교해 보면 A의 78 %와 B의 $36 \times 2 = 72(\%)$가 같습니다.

$A \times 78 = B \times 72$ ➡ A : B $= 72 : 78 = 12 : 13$

15 갑의 연필 수를 $\boxed{11}$, 을의 연필 수를 $\boxed{13}$으로 하면 갑이 을에게 준 연필은 $\boxed{24} \times 0.25 = \boxed{6}$입니다.

$\boxed{11} - \boxed{6} = \boxed{5}$ ➡ 10자루

따라서 을이 처음에 가지고 있던 연필은

⑬×2=26(자루)입니다.

16 가영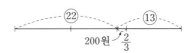

석기가 주운 밤의 개수는 $120 \times \frac{3}{10} + 16 = 52$(개)
입니다.

17 작년 남학생과 여학생 수를 각각 $\frac{3}{4}$, $\frac{1}{4}$이라 하면

(금년 남학생)$=\frac{3}{4} \times (1-0.12)=\frac{33}{50}$

(금년 여학생)$=\frac{1}{4} \times (1+0.2)=\frac{3}{10}$

따라서 $\frac{33}{50} \div \left(\frac{33}{50} + \frac{3}{10}\right) \times 100 = 68.75(\%)$
입니다.

18 $A \times \frac{4}{11} = B \times \frac{3}{5}$ ➡ $A : B = \frac{3}{5} : \frac{4}{11} = 33 : 20$

A의 길이 : $39 \div (33-20) \times 33 = 99$(cm)
B의 길이 : $39 \div (33-20) \times 20 = 60$(cm)

19 한 번씩 덜어 낼 때마다 통에 남은 검은색 페인트의 양은 $\frac{4}{5}$가 됩니다. 따라서 검은색 페인트의 양은 $5 \times \frac{4}{5} \times \frac{4}{5} \times \frac{4}{5} = \frac{64}{25} = 2\frac{14}{25}$(L)이고 흰색 페인트의 양은 $2\frac{11}{25}$L이므로 검은색 페인트의 양과 흰색 페인트의 양의 비는 64 : 61입니다.

20 (1) B의 키를 1로 하면 A는 $\frac{9}{10}$이므로
C는 $\frac{9}{10} \times 1\frac{3}{7} = 1\frac{2}{7}$입니다.

(2) D는 $1\frac{2}{7} \times \frac{7}{8} = 1\frac{1}{8}$

B의 키 : $144 \div \frac{9}{10} = 160$(cm)

D의 키 : $160 \times 1\frac{1}{8} = 180$(cm)

왕중왕 문제 `155~160`

1 남학생 : 6.25 %, 여학생 : 10 %

2 11 : 45

3 100 명　　　**4** 3300 원

5 A과자 : 2000 g, B과자 : 800 g

6 147.2 cm

---

7 (1) 9 : 4　　　(2) 6 L

8 7 : 18　　　**9** 72 m

10 280 cm

11 기차 요금 : 3600 원, 버스 요금 : 1200 원

12 16 : 15　　　**13** 28 km

14 (1) $\frac{1}{10}$　　　(2) 35 : 26

15 28 %　　　**16** 120000 원

17 25 %

[풀이]

1 3년 후 전교생 : $(8+7) \times (1+0.08) = 16.2$

3년 후 남학생 : $16.2 \times \frac{85}{85+77} = 8.5$

3년 후 여학생 : $16.2 \times \frac{77}{85+77} = 7.7$

따라서 남학생은 $\frac{(8.5-8)}{8} \times 100 = 6.25(\%)$,

여학생은 $\frac{(7.7-7)}{7} \times 100 = 10(\%)$ 늘었습니다.

2 지구의 겉넓이를 1로 하면,

육지의 넓이 : $\frac{1}{2} \times \left(\frac{2}{2+5} + \frac{3}{3+25}\right) = \frac{11}{56}$

바다의 넓이 : $1 - \frac{11}{56} = \frac{45}{56}$

(육지) : (바다)$= \frac{11}{56} : \frac{45}{56} = 11 : 45$

3 24명은 전체의 9.6 %에 해당하므로 여학생 수의 9.6 %와 남학생 수의 9.6 %의 합과 같습니다.
전체 남학생과 여학생의 수의 비는
$(12-9.6) : (9.6-8) = 3 : 2$입니다.

따라서 여학생은 $250 \times \frac{2}{5} = 100$(명)입니다.

4 갑과 을이 낸 돈의 합을 ☐원이라 하면

$\frac{2}{3} - \frac{22}{35} = \frac{4}{105}$는 200 원에 해당하므로

$☐ \times \frac{4}{105} = 200$, $☐ = 5250$

따라서 갑이 처음에 낸 돈은
$5250 \times \frac{22}{35} = 3300$(원)입니다.

5

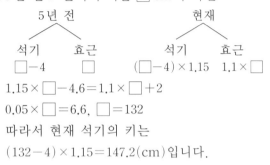

$$③+500 : ①+300=5 : 2$$
$$⑥+1000=⑤+1500$$
$$①=500$$

따라서 A과자는 $500×3+500=2000(g)$,
B과자는 $500+300=800(g)$ 있었습니다.

6 5년 전 효근이의 키를 □ cm라 하면

5년 전		현재	
석기	효근	석기	효근
□−4	□	(□−4)×1.15	1.1×□

$$1.15×□−4.6=1.1×□+2$$
$$0.05×□=6.6, □=132$$

따라서 현재 석기의 키는
$(132−4)×1.15=147.2(cm)$입니다.

7 (1) 퍼낸 물의 양을 비교하면

A는 통의 $\frac{1}{2}−\frac{1}{6}=\frac{1}{3}$, B는 통의 $1−\frac{1}{4}=\frac{3}{4}$

입니다.

$A×\frac{1}{3}=B×\frac{3}{4}$ ➡ $A : B=9 : 4$

(2) 통 A의 들이는 $26×\frac{9}{13}=18(L)$이므로

퍼낸 물의 양은 $18×\frac{1}{3}=6(L)$입니다.

8 $A×(1−0.1)×2 : B×3÷10=7 : 3$
$2.1×B=5.4×A$
$A : B=2.1 : 5.4=7 : 18$

9 종이 테이프 $1 cm$의 무게
: $0.0006×11.5=0.0069(g)$
종이 테이프 $1 m$의 무게 : $0.0069×100=0.69(g)$
따라서 종이 테이프의 길이는
$50÷0.69=72.46\cdots$ ➡ 72 m

10 막대의 길이 : $80÷(0.8−0.6)=400(cm)$
C에서 수면 위로 나온 막대의 길이는

$400×\frac{20}{100}=80(cm)$이므로 B에서 연못의 깊이는

$400−(40+80)=280(cm)$입니다.

11 둘 다 10 %씩 인상되었다면 요금의 합은 5280 원
이므로 $5340−5280=60(원)$은 버스 요금의 5 %
에 해당됩니다.
(버스 요금)$=60÷0.05=1200$ (원)

따라서 인상되기 전의 기차 요금은 3600 원, 버스
요금은 1200 원입니다.

12 가와 나를 섞어 만든 합금에

금속 A는 $15×\frac{2}{5}+16×\frac{5}{8}=16$,

금속 B는 $15×\frac{3}{5}+16×\frac{3}{8}=15$

따라서 $A : B=16 : 15$입니다.

13

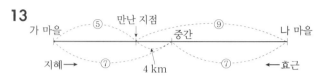

지혜와 효근이의 속력의 비는 $\frac{1}{9} : \frac{1}{5}=5 : 9$이고,

①은 $4÷2=2(km)$에 해당하므로 가마을과 나마
을 사이의 거리는 $2×14=28(km)$입니다.

14 동네의 넓이를 1로 하면

	A	B
전체 넓이	$\frac{7}{12}$	$\frac{5}{12}$
주택지	$\frac{5}{12}×\frac{7}{10}=\frac{7}{24}$	$\frac{13}{60}$
공원	$\frac{7}{30}×\frac{4}{7}=\frac{2}{15}$	$\frac{7}{30}×\frac{3}{7}=\frac{1}{10}$
도로	$\frac{1}{10}$	$\frac{1}{10}×2÷3=\frac{1}{15}$
강	$\frac{7}{120}$	$\frac{1}{30}$

B 지역 주택지의 넓이 : $\frac{5}{12}−\left(\frac{1}{10}+\frac{1}{15}+\frac{1}{30}\right)=\frac{13}{60}$

A 지역 강의 넓이 : $\frac{7}{12}−\left(\frac{7}{24}+\frac{2}{15}+\frac{1}{10}\right)=\frac{7}{120}$

(A 지역 주택지) : (B 지역 주택지)

$=\frac{7}{24} : \frac{13}{60}=35 : 26$

15 5년 전 $1 km^2$에서 사슴의 수 :
$1600÷32=50$(마리)
올해 $1 km^2$에서 사슴의 수 :
$144÷(2×2)=36$(마리)

따라서 $\frac{50−36}{50}×100=28(\%)$ 줄어들었습니다.

16 $0.4×\frac{1}{6}+0.3×\frac{1}{2}+0.15×\frac{1}{3}=\frac{4}{15}$이므로

32000원은 전체 원가의 $\frac{4}{15}$입니다.

$32000÷\frac{4}{15}=120000$ (원)

17 $1.5 \times \dfrac{2}{3} + 1.5 \times \dfrac{1}{3} \times \square = 1.375$

$\square = (1.375 - 1) \times 3 \div 1.5$, $\square = 0.75$

따라서 나머지는 정가의 75 %에 판 것이므로 25 %를 할인하였습니다.

---

2. 비례식과 비례배분

s e a r c h 탐구 162

풀이

45, 21, 66, 66, 33 / 16, 16, 33

답 33

EXERCISE 1

1 $3 : 2$

2 15000 원

3 42 m

[풀이]

1 두 지점 A와 B 사이의 거리를 1이라 하면 가영이와 예슬이의 걷는 빠르기의 비는 $\dfrac{1}{4} : \dfrac{1}{6} = 3 : 2$ 입니다.

2 $A \times \dfrac{3}{4} = B \times \dfrac{5}{8}$ ➡ $A : B = 5 : 6$

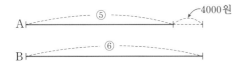

두 사람이 가진 돈의 비가 5 : 6이고, 4000원이 ①에 해당하므로 A는 $4000 \times 5 = 20000$(원)을 가지고 있습니다.

따라서 책값은 $20000 \times \dfrac{3}{4} = 15000$(원)입니다.

3 $108 \div (4 \times 3) = 9$, $9 = 3 \times 3$이므로

$4 : 3$에서 1에 해당하는 길이는 3 m입니다.

둘레의 길이는 $3 \times (4+3) \times 2 = 42$(m)입니다.

---

s e a r c h 탐구 163

풀이

6, 9, 8 / 6, 6, 9, 8, 3

답 3

EXERCISE 2

1 25만 원

2 15 %

[풀이]

1 ㉮, ㉯, ㉰ 세 사람이 낸 돈의 비는 $2 : 3 : 5$이므로

㉮는 $1250000 \times \dfrac{2}{2+3+5} = 250000$(원)을 가져야 합니다.

2 사다리꼴 ABCD의 넓이를 1로 하면

(선분 AD) : (선분 BC) $= 2 : 3$ 이므로

삼각형 BCD의 넓이는 $\dfrac{3}{5}$입니다.

(선분 DE) : (선분 EC) $= 1 : 3$이므로

삼각형 DBE의 넓이는 $\dfrac{3}{5} \times \dfrac{1}{4} = \dfrac{3}{20}$입니다.

따라서 $\dfrac{3}{20} \times 100 = 15$(%)입니다.

왕 문제 164~169

1 A : 65 cm, B : 78 cm

2 (1) 10 cm (2) 24 cm²

3 48 : 32 : 15

4 90

5 A : 80 cm², B : 40 cm²

6 3 : 5 : 8

7 $\dfrac{3}{10}$

8 16 km

9 $\dfrac{3}{13}$

10 81 개

11 120 cm²

12 72 점

13 (1) 1 : 3 (2) 5 : 7 : 2 : 6

14 6480 cm³

15 (1) 2 : 3 (2) 3 : 4 (3) 15 : 16

16 A : B : C : D $=10 : 6 : 5 : 15$

17 300 원

18 30 명

[풀이]

1 $A \times \dfrac{2}{5} = B \times \dfrac{1}{3}$ ➜ $B = A \times \dfrac{6}{5}$

$B + A \times \left(1 - \dfrac{2}{5}\right) = 117$

$A \times \dfrac{6}{5} + A \times \dfrac{3}{5} = 117$, $A \times \dfrac{9}{5} = 117$, $A = 65$

따라서 A는 65 cm, B는 $65 \times \dfrac{6}{5} = 78$(cm)입니다.

2 (1) 가장 큰 직사각형의 가로 : $16 \times \dfrac{3}{2} = 24$(cm)

직사각형 A의 가로는 $24 - 9 = 15$(cm)이므로

㉠의 길이는 $15 \times \dfrac{2}{3} = 10$(cm)입니다.

(2) 색칠한 사각형의 가로는 $15 - 9 = 6$(cm),

세로는 $10 - 6 = 4$(cm)이므로 넓이는

$6 \times 4 = 24(\text{cm}^2)$입니다.

3 $A : B = 3 : 2$, $B : C = \dfrac{4}{5} : \dfrac{3}{8} = 32 : 15$

$A : B : C = 48 : 32 : 15$

4 $A : B : C = 3 : 4 : 8$

$30 \div (8 - 3) = 6$이므로 세 수의 합은

$6 \times (3 + 4 + 8) = 90$입니다.

5 원 B의 넓이를 □cm²라 하면

$(2 \times □ - 30) : (□ - 30) = 5 : 1$

$5 \times □ - 150 = 2 \times □ - 30$

$3 \times □ = 120$

$□ = 40$

따라서 원 A의 넓이는 $40 \times 2 = 80(\text{cm}^2)$, 원 B의 넓이는 40 cm²입니다.

6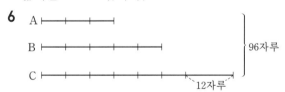

작은 눈금 1개는 $(96 - 12) \div 14 = 6$(자루)이므로

A는 $6 \times 3 = 18$(자루), B는 $6 \times 5 = 30$(자루), C는 $6 \times 6 + 12 = 48$(자루)입니다.

따라서 $18 : 30 : 48 = 3 : 5 : 8$입니다.

7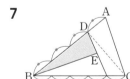

$\dfrac{3}{4} \times \dfrac{4}{5} \times \dfrac{1}{2} = \dfrac{3}{10}$

8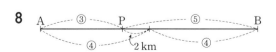

한초와 석기의 속력의 비는 $\dfrac{1}{5} : \dfrac{1}{3} = 3 : 5$이고,

①은 2 km에 해당하므로 A와 B 사이의 거리는 $2 \times 8 = 16$(km)입니다.

9 선분 ED의 길이를 5라고 하면

선분 AE와 선분 BC의 길이의 합은 8이 됩니다.

(선분 AD의 길이) = $(5 + 8) \div 2 = 6.5$

(선분 AE의 길이) = $6.5 - 5 = 1.5$

따라서 $1.5 \div 6.5 = \dfrac{3}{13}$입니다.

10 금액의 비

$(10 \times 25) : (50 \times 12) : (100 \times 9) : (500 \times 16)$

$= 250 : 600 : 900 : 8000$

$= 5 : 12 : 18 : 160$

100원짜리 동전의 총 금액은

$87750 \times \dfrac{18}{(5 + 12 + 18 + 160)} = 8100$(원)

따라서 100원짜리 동전의 개수는

$8100 \div 100 = 81$(개)입니다.

11

삼각형 ABC의 넓이를 1이라 하면, 삼각형 DEF의 넓이는 10입니다.

$12 \times 10 = 120(\text{cm}^2)$

12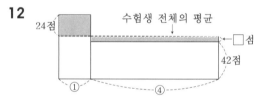

색칠한 두 부분의 넓이가 같으므로

$24 \times ① = □ \times ④$, $□ = 6$

따라서 합격자의 평균 점수는

$42 + 6 + 24 = 72$(점)입니다.

13 선분 AB를 1로 보면

(선분 AC) = $1 \times \dfrac{3}{(3 + 2)} = \dfrac{3}{5}$

(선분 CB) = $1 - \dfrac{3}{5} = \dfrac{2}{5}$

(선분 AD) = $\dfrac{3}{5} \times \dfrac{5}{(5 + 7)} = \dfrac{1}{4}$

(선분 DC) = $\dfrac{3}{5} \times \dfrac{7}{(5 + 7)} = \dfrac{7}{20}$

(선분 DB) = $1 - \dfrac{1}{4} = \dfrac{3}{4}$

(선분 DE) = $\dfrac{3}{4} \times \dfrac{3}{(3 + 2)} = \dfrac{9}{20}$

(선분 EB)=$\dfrac{3}{4}\times\dfrac{2}{(3+2)}=\dfrac{3}{10}$

(선분 CE)=$\dfrac{9}{20}-\dfrac{7}{20}=\dfrac{1}{10}$

(1) (선분 AD) : (선분 DB)=$\dfrac{1}{4}:\dfrac{3}{4}=1:3$

(2) (선분 AD) : (선분 DC) : (선분 CE)
 : (선분 EB)
$=\dfrac{1}{4}:\dfrac{7}{20}:\dfrac{1}{10}:\dfrac{3}{10}=5:7:2:6$

14 (밑면의 세로의 길이)=$15\times\dfrac{6}{5}=18$(cm)

(높이)=$18\times\dfrac{4}{3}=24$(cm)

(직육면체의 부피)=$15\times18\times24=6480$(cm³)

15 (1) 넓이의 비를 생각하면
(선분 BD) : (선분 DC)=$1:3$,
(선분 DE)=(선분 EC)이므로
(선분 BD)=1이면
(선분 EC)=$\dfrac{3}{2}$입니다.

따라서 (선분 BD) : (선분 EC)=$1:\dfrac{3}{2}=2:3$

(2) (선분 AG) : (선분 GC)=$1:4$
(선분 GF) : (선분 FC)=$1:2$이므로
(선분 AG)=1이면
(선분 GF)=$\dfrac{4}{3}$입니다.

따라서 (선분 AG) : (선분 GF)=$1:\dfrac{4}{3}=3:4$

(3) (선분 BD)=(선분 GF)에서
선분 GF를 ④라 하면
(선분 AC)=③+④+⑧=⑮
(선분 BC)=④+⑥+⑥=⑯
따라서 (선분 AC) : (선분 BC)=$15:16$

16 A를 1로 보면 B는 0.6, C는 0.5,
D는 $1+0.5=1.5$입니다.
A : B : C : D=$1:0.6:0.5:1.5=10:6:5:15$

17 (사과의 개수)=$40\times\dfrac{5}{5+3}=25$(개)

(배의 개수)=$40-25=15$(개)
사과 한 개의 값을 $4\times\square$원이라 하면 배 한 개의 값은 $5\times\square$원이므로
$25\times(4\times\square)+15\times(5\times\square)=52500$에서
$\square=300$입니다.
따라서 사과 한 개와 배 한 개의 가격의 차는
$300\times5-300\times4=300$(원)입니다.

18 (전학을 온 후 여학생 수)
$=378\times\dfrac{11}{10+11}=198$(명)

(남학생 수)=$378-198=180$(명)

(처음의 여학생 수)=$180\times\dfrac{14}{15}=168$(명)

따라서 전학을 온 여학생은 $198-168=30$(명)입니다.

왕중왕문제 170~175

1 105 m, A
2 $\dfrac{8}{63}$
3 11 : 14
4 A : 16400 원, B : 15200 원, C : 13400 원
5 가 : 800 상자, 나 : 640 상자
6 41600 원
7 26 : 27 : 29
8 20200 원
9 1440 cm²
10 1800 원
11 800 g
12 2 cm²
13 (1) $\dfrac{11}{30}$ (2) 1 : 2
14 15 배
15 (1) 11 개 (2) 50 개
16 5시간 20분
17 $1\dfrac{2}{3}$시간
18 (1) 1 : 3 (2) 5 : 3

[풀이]

1 A와 B의 보폭의 비는 $\dfrac{1}{8}:\dfrac{1}{7}=7:8$, 걸음 수의 비는 15 : 13이므로 일정한 시간에 두 사람이 걸은 거리의 비는 $(7\times15):(8\times13)=105:104$입니다.
따라서 A가 105 m 걸었을 때입니다.

2 A : B : C=$\dfrac{3}{5}:\dfrac{2}{9}:\dfrac{4}{15}=27:10:12$

가장 작은 분수는 $\dfrac{28}{45}\div(27+10+12)\times10=\dfrac{8}{63}$입니다.

3

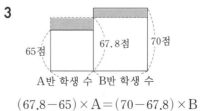

(67.8−65)×A=(70−67.8)×B

$2.8 \times A = 2.2 \times B$

따라서 $A : B = 2.2 : 2.8 = 11 : 14$ 입니다.

4 우선 3명에게 같은 금액을 나누어 준 후 남은 돈은

$3000 \div \left(\dfrac{7}{14} - \dfrac{2}{14}\right) = 8400$ (원)이므로

처음에 똑같이 나누어 준 금액은

$(45000 - 8400) \div 3 = 12200$ (원)씩입니다.

A : $12200 + 8400 \times \dfrac{7}{14} = 16400$ (원)

B : $12200 + 8400 \times \dfrac{5}{14} = 15200$ (원)

C : $12200 + 8400 \times \dfrac{2}{14} = 13400$ (원)

5

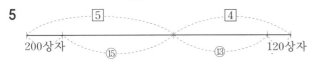

$(⑮ + 200) : (⑬ + 120) = 5 : 4$

$⑥⑤ + 600 = ⑥⓪ + 800$

$⑤ = 200$

가 $= 200 \times 3 + 200 = 800$ (상자)

나 $= 800 \div 5 \times 4 = 640$ (상자)

6

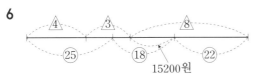

$\dfrac{8}{15} - \dfrac{22}{65} = \dfrac{38}{195}$ 은 $9200 + 6000 = 15200$ (원)에 해당하

므로 세 사람이 낸 돈의 합은 $15200 \div \dfrac{38}{195} = 78000$

(원)입니다.

따라서 예슬이가 처음에 낸 돈은

$78000 \times \dfrac{8}{15} = 41600$ (원)입니다.

7 가와 나를 섞어 만든 합금에

금속 A는 $25 \times \dfrac{2}{10} + 16 \times \dfrac{4}{8} = 13$

금속 B는 $25 \times \dfrac{3}{10} + 16 \times \dfrac{3}{8} = 13.5$

금속 C는 $25 \times \dfrac{5}{10} + 16 \times \dfrac{1}{8} = 14.5$

따라서 $A : B : C = 13 : 13.5 : 14.5 = 26 : 27 : 29$ 입니다.

8 처음에 한초와 영수가 가진 돈의 비는

(한초) : (영수) $= 1 : 0.6 = 5 : 3$ 입니다.

$5 \times \left(1 - \dfrac{4}{7}\right) = \dfrac{15}{7}$, $3 \times \left(1 - \dfrac{1}{4}\right) = \dfrac{9}{4}$ 이므로

두 사람의 남은 돈의 비는 $\dfrac{15}{7} : \dfrac{9}{4} = 20 : 21$ 입니다.

한초의 남은 돈은 $24600 \times \dfrac{20}{20 + 21} = 12000$ (원)이므로

한초가 처음에 가지고 있던 돈은

$12000 \div \left(1 - \dfrac{4}{7}\right) = 28000$ (원)이고,

영수가 처음에 가지고 있던 돈은

$28000 \times 0.6 = 16800$ (원)입니다.

따라서 물건값은 $28000 \times \dfrac{4}{7} + 16800 \times \dfrac{1}{4} = 20200$ (원)

입니다.

9

점 ㄹ과 점 ㅁ의 속도의 비

가 $1 : 2$ 이므로

(선분 ㄴㄹ의 길이) : (선분

ㄱㅁ의 길이) $= 1 : 2$ 이고,

삼각형 ㄱㄹㅁ이 직각이등변

삼각형이므로

(선분 ㄴㄹ의 길이) : (선분 ㄹㄱ의 길이) $= 1 : 2$ 입

니다.

삼각형 ㄴㄹㅂ과 ㅂㄷㅁ의 넓이가 같으므로 삼각

형 ㄴㄱㄷ과 ㄹㄱㅁ의 넓이도 같습니다.

(선분 ㄹㄱ의 길이) $= 90 \times \dfrac{2}{3} = 60$ (cm)

(선분 ㄱㄷ의 길이) $= 60 \times 60 \div 90 = 40$ (cm)

따라서 (선분 ㄱㄷ의 길이) : (선분 ㄷㅁ의 길

이) $= 40 : 20 = 2 : 1$ 이므로 사각형 ㄱㄷㅂㄹ의 넓이

는 $40 \times 90 \times \dfrac{1}{2} \times \dfrac{4}{5} = 1440$ (cm^2)입니다.

10 처음에 A와 B의 가진 돈의 비는

$1 : 1.5 = 2 : 3$ 입니다.

$2 \times \left(1 - \dfrac{1}{3}\right) = \dfrac{4}{3}$, $3 \times \left(1 - \dfrac{2}{5}\right) = \dfrac{9}{5}$ 이므로

두 사람의 남은 돈의 비는 $\dfrac{4}{3} : \dfrac{9}{5} = 20 : 27$ 입니다.

B의 남은 돈은 $1880 \times \dfrac{27}{47} = 1080$ (원)이므로

B가 처음에 가지고 있던 돈은

$1080 \div \left(1 - \dfrac{2}{5}\right) = 1800$ (원)입니다.

11 ㉮ 물감을 400 g 섞을 때 필요한 ㉯ 물감의 양을

□라 하면

$\left(400 \times \dfrac{2}{5} + □ \times \dfrac{4}{5}\right) : \left(400 \times \dfrac{3}{5} + □ \times \dfrac{1}{5}\right) = 3 : 2$

$\left(160 + □ \times \dfrac{4}{5}\right) \times 2 = \left(240 + □ \times \dfrac{1}{5}\right) \times 3$

$320 + □ \times \dfrac{8}{5} = 720 + □ \times \dfrac{3}{5}$, $□ = 400$ (g)

따라서 ㉮ 물감을 400 g 모두를 넣으면 ㉯ 물감

은 400 g을 넣어야 하므로 최대
400+400=800(g)을 만들 수 있습니다.

12 삼각형 FBC의 넓이를 1이라 하면
(선분 AE) : (선분 EC)=4 : 1이므로
삼각형 ABF의 넓이는 4입니다.
또, 삼각형 AFC의 넓이는
(선분 AD) : (선분 DB)=2 : 3이고
삼각형 FBC의 넓이가 1이므로
$1×\dfrac{2}{3}=\dfrac{2}{3}$입니다.
따라서 삼각형 ABC의 넓이는
$1+4+\dfrac{2}{3}=\dfrac{17}{3}$이며
삼각형 CEF의 넓이는
$\dfrac{2}{3}×\dfrac{1}{5}=\dfrac{2}{15}$이므로
$\dfrac{2}{15}÷\dfrac{17}{3}=\dfrac{2}{15}×\dfrac{3}{17}=\dfrac{2}{85}$에서
$85×\dfrac{2}{85}=2(cm^2)$입니다.

13 (1) (선분 BF) : (선분 FC)=3 : 2
평행사변형 ABCD의 넓이를 1로 하면
삼각형 DFC의 넓이는 $\dfrac{2}{5}×\dfrac{1}{2}=\dfrac{1}{5}$입니다.
따라서 삼각형 ADE와 삼각형 BEF의 넓이
의 합은 $1-\dfrac{13}{30}-\dfrac{1}{5}=\dfrac{11}{30}$입니다.

(2) 삼각형 ADE의 넓이는 전체 넓이의
$\dfrac{11}{30}×\dfrac{5}{11}=\dfrac{1}{6}$이므로
선분 AE의 길이는 선분 AB의 길이의
$\dfrac{1}{6}×2=\dfrac{1}{3}$입니다.
(선분 AE) : (선분 EB)=$\dfrac{1}{3}$: $\left(1-\dfrac{1}{3}\right)$=1 : 2

14 삼각형 ABC의 넓이를 1로 하면
삼각형 PQR의 넓이는 $\dfrac{1}{3}×\dfrac{1}{2}×\dfrac{2}{5}=\dfrac{1}{15}$입니다.
따라서 $1÷\dfrac{1}{15}=15$(배)입니다.

15 (1)

B : C : D   12.5-7=5.5
2 : 7 : □ ➡ 3 : 5 : 7=7.5 : 12.5 : 17.5
    7.5-2=5.5

(7-2)÷(5-3)=2.5이므로 과자를 늘린 후
B : C : D=(3×2.5) : (5×2.5) : (7×2.5)입
니다. □는 17.5-5.5=12이므로 1에 해당하
는 과자는 24÷12=2(개)입니다.

따라서 한 종류당 늘린 과자의 개수는
5.5×2=11(개)입니다.
(2) 2×(4+2+7+12)=50(개)

16 가와 나가 타는 길이의 비는 $\dfrac{1}{6}$: $\dfrac{1}{8}$=4 : 3

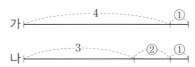

②=1이므로 ①=$\dfrac{1}{2}$입니다.
양초가 타는 시간을 □시간이라 하면
$\left(3+1+\dfrac{1}{2}\right)$: 8=3 : □, □=$5\dfrac{1}{3}$
따라서 5시간 20분입니다.

별해
$1-\dfrac{1}{8}×□=\left(1-\dfrac{1}{6}×□\right)×3$
$1-\dfrac{1}{8}×□=3-\dfrac{1}{2}×□$
$□=(3-1)÷\left(\dfrac{1}{2}-\dfrac{1}{8}\right)=5\dfrac{1}{3}$
따라서 5시간 20분입니다.

17 A는 1시간에 $15÷2\dfrac{1}{2}=6(km)$, B는 1시간에
$15÷3\dfrac{1}{3}=4.5(km)$를 올라갑니다.
물의 속도를 시속 □km라 하면
(6+□) : (4.5+□)=6 : 5, □=3
따라서 A의 속도는 시속
6+3=9(km)이므로 C의 속도는 시속
9 : △=6 : 8, △=12(km)
C가 걸린 시간은
$15÷(12-3)=1\dfrac{2}{3}$(시간)

18 (2) 삼각형 ABM과 삼각형 ABP의 넓이가 같
으므로 선분 AB와 선분 PM은 평행합니다.
삼각형 ABP와 삼각형 PBM의 넓이의 비는
$\dfrac{1}{3}$: $\left(\dfrac{1}{4}×\dfrac{1}{2}\right)$=8 : 3이므로
(선분 AB) : (선분 PM)=8 : 3이고
(선분 DP) : (선분 PM)=(8-3) : 3
=5 : 3입니다.

3. 농도, 속력에 관한 문제

풀이

(1) 6 (2) 70

답 (1) 6 (2) 70

EXERCISE 1

1 10.5 % **2** 7.2 %

[풀이]

1 A의 소금의 양 : $200 \times \dfrac{12}{100} = 24$(g)

B의 소금의 양 : $300 \times \dfrac{8}{100} = 24$(g)

A에서 B로 옮긴 소금의 양 : $24 \times \dfrac{100}{200} = 12$(g)

B에서 A로 옮긴 소금의 양 :

$(12+24) \times \dfrac{100}{300+100} = 9$(g)

A의 소금의 양 : $24-12+9 = 21$(g)

따라서 소금물의 농도는 $21 \div 200 \times 100 = 10.5$(%)

2 소금의 양의 변화 :

$100 \times 0.24 = 24$(g) $\longrightarrow$ $24 \times \dfrac{150}{200} = 18$(g)

소금물의 양의 변화 :

$100+100-50+100 = 250$(g)

따라서 소금물의 농도는 $18 \div 250 \times 100 = 7.2$(%)

풀이

33, 15, 33, 15, 18, 18, 64.8

답 64.8

EXERCISE 2

1 24초, 시속 : 54 km
2 열차의 길이 : 180 m, 시속 : 72 km

[풀이]

1 열차의 초속 : $120 \div 8 = 15$(m)

따라서 $(240+120) \div 15 = 24$(초) 걸립니다.

열차의 시속 : $15 \times 3600 \div 1000 = 54$(km)

2 열차의 초속 : $(600-360) \div (39-27) = 20$(m)

열차의 길이 : $20 \times 27 - 360 = 180$(m)

열차의 시속 : $20 \times 3600 \div 1000 = 72$(km)

풀이

(1) 21, 9, 49, 1   (2) 54, 6, 32, 8

(3) 5, 5, 27, 3, 38, 2, 10, 10

답 (1) 4, 21, $49\dfrac{1}{11}$ (2) 4, 54, $32\dfrac{8}{11}$

(3) 4, 5, $27\dfrac{3}{11}$, 4, 38, $10\dfrac{10}{11}$

1 200 g **2** 48.6 %
3 4.8 % **4** 500 g
5 (1) 5 % (2) 12분 30초
   (3) 25분
6 20분 **7** 48분
8 4.2 km
9 (1) 7시 33분 (2) 160 m
   (3) 7시 39분 (4) 240 m
10 10시 24분, 2.4 km
11 A : 200 m, B : 80 m
12 (1) 8분 후, 24분마다 (2) 56분
13 (1) $53\dfrac{1}{3}$ m (2) 1200걸음
14 124 m **15** 1875 m
16 2시 24분
17 시속 : 33 km, 열차의 길이 : 30 m
18 (1) 125 m (2) 42 km

[풀이]

1 $700 \times 0.025 = 17.5(g)$,
$17.5 \div 0.035 = 500(g)$이므로
$700 - 500 = 200(g)$을 증발시킵니다.

2 10 g을 퍼낸 뒤에 남은 설탕의 양 :
$(100 - 10) \times 0.6 = 54(g)$
물을 10 g 넣었을 때의 설탕의 양 :
$54 \div (90 + 10) \times 100 = 54(g)$
다시 10 g을 퍼낸 뒤에 남은 설탕의 양 :
$(100 - 10) \times 0.54 = 48.6(g)$
따라서 설탕물의 농도는
$48.6 \div (90 + 10) \times 100 = 48.6(\%)$입니다.

3

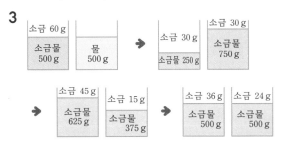

따라서 B 용기의 소금물은 $24 \div 500 \times 100 = 4.8(\%)$
가 됩니다.

4 $(0.8 - 0.7) \times 400$
$= (0.7 - 0.62) \times \square$,
$\square = 500$

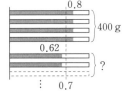

5 (1) $300 \times 0.07 = 21(g)$
$21 \div (300 + 8 \times 15) \times 100 = 5(\%)$
(2) B에는 소금이 1분에 $8 \times 0.09 = 0.72(g)$씩 증
가합니다.
$(21 - 12) \div 0.72 = 12.5(분)$ ➡ 12분 30초
(3) $(6 - 4) \times 300 = (9 - 6) \times \square$, $\square = 200$
따라서 9 %의 소금물이 200 g 필요하므로
$200 \div 8 = 25(분)$ 후입니다.

6 ㉮ 그릇의 농도는 항상 20 %로 일정하므로 ㉯ 그
릇의 농도가 10 % 되는데 걸리는 시간을 알아봅
니다. 옮긴 소금물의 양을 $\square$ g이라 하면
$\dfrac{\square \times 0.2 + 200 \times 0.05}{\square + 200} \times 100 = 10$에서 $\square = 100(g)$
입니다.
따라서 걸린 시간은 $100 \div 5 = 20(분)$입니다.

7 연못의 둘레를 1로 하면

A, B는 1분에 각각 $\dfrac{1}{12}$, $\dfrac{1}{16}$씩 갑니다.
$1 \div \left(\dfrac{1}{12} - \dfrac{1}{16} \right) = 48(분)$

8 A가 약속 장소에 도착할 때, B는 약속 장소에서
$2.8 \times \dfrac{9}{60} = \dfrac{21}{50}(km)$ 떨어진 곳에 있습니다.
A가 도착하는 데 $\dfrac{21}{50} \div (3.5 - 2.8) = \dfrac{3}{5}(시간)$ 걸린
것이므로 두 집 사이의 거리는
$3.5 \times \dfrac{3}{5} \times 2 = 4.2(km)$입니다.

9 (2) A의 분속 : $480 \div 3 = 160(m)$
(4) B의 분속 : $160 + (480 \div 6) = 240(m)$

10 $3000 \div 150 = 20(분)$이므로 형이 3 km를 갔을 때
의 시각은 10시 20분입니다.
이때, 동생은 집에서 $200 \times 8 = 1600(m)$ 떨어진
곳에 있으므로 두 사람이 마주친 시각은
$1400 \div (150 + 200) = 4$에서 10시 24분입니다.
또, 마주친 곳은 집에서 $1600 + 200 \times 4 = 2400(m)$
$= 2.4(km)$ 떨어진 곳입니다.

11 A와 B의 분속의 합 : $4200 \div 15 = 280(m)$
A와 B의 분속의 차 : $4200 \div 35 = 120(m)$
A의 분속 : $(280 + 120) \div 2 = 200(m)$
B의 분속 : $(280 - 120) \div 2 = 80(m)$

12 (1) A는 1분에 $360° \div 8 = 45°$,
B는 1분에 $360° \div 12 = 30°$씩 움직입니다.
따라서 $120° \div (45° - 30°) = 8(분)$ 후에 처음으
로 포개어지고, 이 후에는 $360° \div (45° - 30°) =$
$24(분)$마다 포개어집니다.
(2) C는 1분에 $360° \div 18 = 20°$씩 움직이고
$360° - 160° = 200°$이므로 B와 C는
$200° \div (30° - 20°) = 20(분)$ 후에 처음으로 포개
어지고 이 후에는 $360° \div (30° - 20°) = 36(분)$마다
포개어집니다.
따라서 A, B, C는 $20 + 36 = 56(분)$ 후에 처음
으로 포개어집니다.

13 (1) 동생과 형의 보폭의 비가 $\dfrac{1}{4} : \dfrac{1}{3} = 3 : 4$이므로
1분당 가는 거리의 비는
$(5 \times 3) : (6 \times 4) = 15 : 24 = 5 : 8$입니다.
따라서 형은 1분에
$(180 \div 9) \div (8 - 5) \times 8 = \dfrac{160}{3} = 53\dfrac{1}{3}(m)$씩 갑
니다.

(2) 형이 9분 동안 간 거리는

$53\frac{1}{3} \times 9 \times 100 = 48000(cm)$이고,

형의 보폭은 40 cm이므로

형은 $48000 \div 40 = 1200(걸음)$을 걸은 것입니다.

14 $20 \times \left(20 - 23 \times \frac{3}{5}\right) = 124(m)$

15 헬리콥터와 열차의 속력의 비는 $75 : 25 = 3 : 1$이므로 터널의 길이만큼 나아가는 데 걸리는 시간의 비는 ①:③, 열차의 앞부분이 터널의 입구부터 출구까지 지나는 시간 중 $125 \div 25 + 45 = 50(초)$가 시간의 차 ②에 해당됩니다. ①이 25초에 해당되므로 $75 \times 25 = 1875(m)$입니다.

16 2시에서 시침이 움직인 각도를 ①로 하면, 분침이 움직인 각도는 ⑫이고, $⑫ \div 2 - ① = ⑤$가 $60°$에 해당됩니다.

따라서 $60° \div 5 \times 12 = 144°$ 움직인 것이므로 2시 24분입니다.

> **별해**
> 분침의 속력을 반으로 나누어 겹친 시각을 계산합니다. $60 \div (6 \div 2 - 0.5) = 24(분)$

17 열차의 시속을 □ km라고 하면

$4 \times □ = 4 \times 6 + (열차의 길이)$

$9 \times □ = 9 \times 21 + (열차의 길이)$

$9 \times □ - 4 \times □ = 9 \times 21 - 4 \times 6$

$5 \times □ = 165$, $□ = 33(km)$이고

열차의 길이는

$(33 - 6) \times \frac{4}{3600} \times 1000 = 30(m)$입니다.

18 (1) 열차가 5초 동안 간 거리와 사람이 5초 동안 간 거리의 차는 열차의 길이와 같습니다.

$(94 - 4) \times 1000 \times \frac{5}{3600} = 125(m)$

(2) 열차가 9초 동안 간 거리와 자동차가 9초 동안 간 거리의 차가 $125 + 5 = 130(m)$이므로

시속의 차는 $130 \div 9 \times \frac{3600}{1000} = 52(km)$입니다.

따라서 자동차의 속력은 $94 - 52 = 42(km)$입니다.

왕중왕 문제 186~191

1 A : 7.5 %, B : 15 % **2** B : 12 %, C : 4 %

3 2 % **4** B : 16 %, C : 24 %

5 1.5배

6 버린 소금물의 양 : 24 g,
나중에 녹인 소금의 양 : 4 g

7 (1) 15° (2) 10시 20분 (3) 3시 $42\frac{6}{7}$분

8 (1) 280 m (2) 480 m (3) 780 m

9 (1) 20 % (2) 48분

10 (1) 16 km (2) 2.4 km

11 (1) 3시간 33분 36초 (2) A강, 0.48 km

12 (1) 12시 9분 (2) 3시 (3) 10회전

13 (1) E (2) 52초

14 10 km

[풀이]

1 소금의 양에서 식을 세워 비교합니다.

$A \times 2 + B \times 1 = 3 \times 10$ … ①

$A \times 2 + B \times 3 = 5 \times 12$ … ②

①식과 ②식에서

$B \times 2 = 30$이므로 $B = 15$, $A = 7.5$

2 다음과 같이 표로 정리합니다.

	A	B	C	전체
소금물	200 g	300 g	400 g	900 g
소금	20 g	52 g		72 g
소금물	400 g	300 g	100 g	800 g
소금	40 g	40 g		80 g

$52 - 40 = 12(g)$이 C의 $400 - 100 = 300(g)$에 들어 있는 소금의 양과 같으므로

C의 농도는 $12 \div 300 \times 100 = 4(\%)$,

B의 농도는 $(40 - 4) \div 300 \times 100 = 12(\%)$입니다.

3 A 용기의 소금의 양 : $200 \times 0.084 = 16.8(g)$

B 용기의 소금의 양 : $300 \times 0.064 = 19.2(g)$

$1000 \times 0.046 - (16.8 + 19.2) = 10(g)$

$10 \div 500 \times 100 = 2(\%)$

4 A에 들어 있는 소금의 양은 B에서의 100 g 중에 있던 소금의 양이므로 B의 처음의 농도는

$400 \times 0.04 \div 100 \times 100 = 16(\%)$

또한 B와 C에 대하여 소금물의 양과 농도가 같으므로 들어 있는 소금의 양도 같습니다.

B의 300 g 중의 소금의 양과 C의 100 g 중의 소금의 양의 합이 C의 300 g 중의 소금의 양과 같습니다. 따라서 B의 300 g 중의 소금의 양은 C의 200 g 중의 소금의 양과 같으므로 B와 C의 농도의 비는 2 : 3이 됩니다.

(C의 농도)$=16\times\dfrac{3}{2}=24(\%)$

5 A, B, C 모두 소금의 양이 같으므로 A와 B를 섞은 소금의 양은 C의 2배가 됩니다.
따라서 A와 B를 섞은 소금물의 양도 C의 2배가 됩니다.

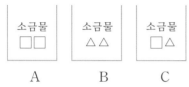
A   B   C

B와 C의 소금물을 섞으면 A의 농도의 2배가 되므로 □□＝△△□△, □＝△△△
따라서 A와 C의 소금물의 양의 비는
A : C＝6 : 4＝3 : 2이므로 A의 소금물의 양은 C의 소금물의 양의 1.5배가 됩니다.

6 20 %의 소금물 100 g에는 물 80 g과 소금 20 g이 들어 있습니다.
물 100 g과 소금 20 g을 섞은 소금 물 중에서 물 80 g이 되게 하려면 전체의 $\dfrac{1}{5}$을 버려야 하고
$120\times\dfrac{1}{5}=24(g)$을 버리면 물 20 g과 소금이 4 g 버려지게 되므로 남은 소금의 양은 $20\times\dfrac{4}{5}=16(g)$입니다.
따라서 더 넣어야 하는 소금의 양은 20－16＝4(g)입니다.

7 (1) $120°\times\dfrac{1}{8}=15°$

(2) $60\times\dfrac{15}{45}=20(분)$ ➡ 10시 20분

(3) $45°\times5\div(6-0.75)=42\dfrac{6}{7}(분)$

➡ $10시+5시간\ 42\dfrac{6}{7}분=오후\ 3시\ 42\dfrac{6}{7}분$

8 (1) 10시 48분 56초－10시 12분＝36분 56초 동안 급행열차가 달린 거리는
$72000\div60\times36\dfrac{14}{15}=44320(m)$
10시 48분 56초－10시＝48분 56초 동안

화물열차가 달린 거리는
$54000\div60\times48\dfrac{14}{15}=44040(m)$
따라서 급행열차의 길이는
44320－44040＝280(m)입니다.

(2) $900\times1\dfrac{2}{5}-1200\times\dfrac{53}{60}=200(m)$
280＋200＝480(m)

(3) $900\times1\dfrac{2}{5}-480=780(m)$

9 (1) 을이 B와 C 사이를 가는 데 80분 걸렸으므로 병은 $80\times\dfrac{5}{4}=100(분)$ 걸립니다. 갑은 A에서 80분 만에 C에 도착했으므로 갑이 80분 동안 갈 거리를 100분 걸려 가면 갑과 병이 동시에 C에 도착하게 됩니다. 따라서 갑은 속력을 20 % 줄여야 합니다.

(2) 갑이 병을 따라 잡는 지점에서 C에 도착하기까지 갑은 20분, 병은 100－60＝40(분) 걸립니다.
속력의 비는 갑 : 병＝40 : 20＝2 : 1
갑 : 을 $=2:\dfrac{5}{4}=8:5$
을은 A와 C 사이를 가는 데
$80\times\dfrac{8}{5}=128(분)$ 걸리므로 A와 B 사이를 가는 데 128－80＝48(분) 걸립니다.

10 (1) A에서 B로 내려갈 때와 B에서 A로 올라갈 때의 속력의 비가 5 : 3이므로 같은 시간에 가는 거리의 비도 5 : 3입니다.
따라서 A, B 두 지점 사이의 거리는
$6.4\div\left(1-\dfrac{3}{5}\right)=16(km)$입니다.

(2) 내려갈 때의 속력은 분속 200 m, 올라갈 때의 속력은 분속 120 m이므로 강물의 속력은 분속 (200－120)÷2＝40(m)이므로 시속 $40\times60\div1000=2.4(km)$입니다.

11 (1) (3시간 36분＋3시간 30분)
－3시간 32분 24초＝3시간 33분 36초

(2) 문제의 조건을 보면 A강이 B강보다 더 깁니다. 두 강의 길이의 차를 □ km라 하면
$\dfrac{□}{8}-\dfrac{□}{12}=\dfrac{1}{50}$, □＝0.48

12 (1) 작은 시계의 분침이 1분에 $6+6\times\dfrac{35}{15}=20°$

씩 회전하므로 180÷20=9(분)일 때입니다.

(2) 35와 15의 최소공배수는 105이므로

긴 바늘이 105÷35=3(바퀴)를 돈 3시입니다.

(3) (35+15)×3.14×3=15×3.14×□,

□=10(회전)

별해

18분마다 바늘이 일직선이 되므로

3×60÷18=10(회전)

13 (1) A를 출발한 지 2초 후에 E는 붉은색으로 변하며 E에 도착할 때 E는 푸른색으로 변합니다.

(2)

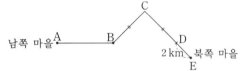

자동차는 1초에 10 m씩 진행합니다. E에서 32초 때에 A를 향하여 출발한 경우를 생각하면 위에서와 같이 84−32=52(초)가 걸리게 됩니다.

14

C

남쪽 마을 A━━━B

D

2 km 북쪽 마을

E

D와 E 사이를 오르는 것과 내려오는 것에는 10분의 차가 생깁니다.

1 km를 오르는 것과 내려오는 것에

$\frac{1}{4}-\frac{1}{6}=\frac{1}{12}$(시간)의 차가 생기므로

D와 E 사이의 거리는

$\frac{1}{6}÷\frac{1}{12}=2$(km)

A → B → C → D로 나아가는 데 걸리는 시간은

$4\frac{5}{6}-\frac{2}{6}=4\frac{1}{2}$(시간)

B → C → D의 평균 속력은 B와 C 사이를 1로 하면 시속 $2÷\left(\frac{1}{4}+\frac{1}{6}\right)=4.8$(km)

A → B → C → D로 나아갈 때, 거리는 22 km, 걸린 시간은 4.5시간입니다.

22−4.8×4.5=0.4(km)

0.4÷(5−4.8)=2(시간)

따라서 평지는 5×2=10(km)입니다.

4. 비율을 이용한 여러 가지 문제

s e a r c h 탐구 **193**

풀이

35, 35

답 35

EXERCISE 1

1 40, 80　　　　　　　　**2** 800 가구

[풀이]

2 40+80=120(가구)는 전체의 $1-\left(\frac{1}{10}+\frac{3}{4}\right)=\frac{3}{20}$

이므로 전체 가구 수는 $120÷\frac{3}{20}=800$(가구)입니다.

s e a r c h 탐구 **194**

풀이

300, 300, 700

답 700

EXERCISE 2

1 12000, 500, 500　　　　**2** 5500 원

[풀이]

2 효근이가 낸 돈 : 12000÷(1+1+2)=3000(원)

동민이가 낸 돈 : 3000×2−500=5500(원)

s e a r c h 탐구 **195**

풀이

3, 3, 3, 3, 5, 5, 9

답 9

EXERCISE 3

1 한별 : $\frac{1}{10}$, 예슬 : $\frac{1}{15}$

2 $\frac{1}{3}$　　　　　　　　**3** 4 일

[풀이]

2 $\frac{1}{15}×5=\frac{1}{3}$

$$3\left(1-\frac{1}{3}\right)\div\left(\frac{1}{10}+\frac{1}{15}\right)=4(일)$$

s e a r c h 탐구 196

풀이

(1) 15000, 15000, 5000

(2) 5000, 25000, 25000, 20000

답 (1) 5000 (2) 20000

EXERCISE 4

1 5000, 5000, 10

[풀이]

1

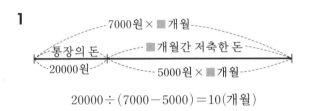

$$20000\div(7000-5000)=10(개월)$$

왕 문제 **197~204**

1 1875 원	**2** 33
3 558 명	**4** 24 개
5 한솔 : 1800 원, 용희 : 7200 원	
6 110 개	**7** 77 개
8 귤 : 57 개, 감 : 15 개	
9 660 g	**10** A : 265, B : 60
11 17 마리	**12** 1234 명
13 45 %	**14** 4 일
15 1 시간 15 분	**16** 24 일
17 35 분	**18** 30 분
19 ⑩	**20** ⑨⓪
21 28 마리	**22** 20 분
23 2 분 30 초	**24** 9 개

[풀이]

1 어머니께 받은 용돈은 $3000\div\left(1-\frac{2}{5}\right)=5000(원)$이

므로 $5000\times\frac{3}{8}=1875(원)$입니다.

2 어떤 수를 1로 놓으면,

따라서 어떤 수는 $121\div\left(1+2\frac{2}{3}\right)=33$입니다.

3 전체 학생 수를 1로 놓으면,

따라서 $124\div\left(1-\frac{4}{9}-\frac{1}{3}\right)=558(명)$입니다.

4 처음 가지고 있던 사탕 수를 1로 놓으면,

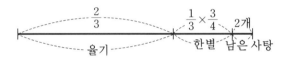

따라서 $2\div\left(1-\frac{2}{3}-\frac{1}{4}\right)=24(개)$입니다.

5 용희가 가지고 있던 돈을 4, 한솔이가 가지고 있던 돈을 1로 놓으면, 두 사람의 남은 돈의 합은 $(4-1)+\left(1-\frac{1}{2}\right)=3\frac{1}{2}$이고 이것은 6300 원을 뜻하므로 한솔이는 $6300\div3\frac{1}{2}=1800(원)$, 용희는 $1800\times4=7200(원)$을 가지고 있었습니다.

6 과일 전체의 개수를 1로 놓으면,

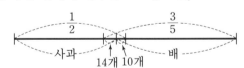

전체 과일 수의 $\left(\frac{1}{2}+\frac{3}{5}\right)-1=\frac{1}{10}$은

$10+14=24(개)$를 뜻하므로

전체 과일 수는 $24\div\frac{1}{10}=240(개)$입니다.

따라서 사과의 개수는 $240\times\frac{1}{2}-10=110(개)$입니다.

7 신영이가 가지고 있는 구슬 수를 ①로 하여 선분도로 나타내면 다음과 같습니다.

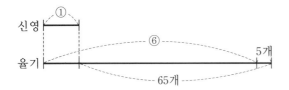

따라서 신영이는 $(65-5) \div (6-1) = 12$(개)이므로
율기는 $12+65=77$(개)입니다.

8 상하여 버린 뒤의 과일은 $72-(5+2)=65$(개)이
고, 남은 감의 수를 ①로 하여 선분도로 나타내면
다음과 같습니다.

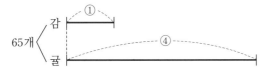

따라서 남은 감의 수는 $65 \div (1+4) = 13$(개),
남은 귤의 수는 $13 \times 4 = 52$(개)이므로
처음 감의 수는 $13+2=15$(개),
처음 귤의 수는 $52+5=57$(개)

9 ㉯ 물통의 물의 무게를 ①로 하여 선분도로 나타내
면 다음과 같다.

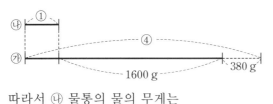

따라서 ㉯ 물통의 물의 무게는
$(1600+380) \div (4-1) = 660$(g)입니다.

10 B의 크기를 ①로 하여 선분도로 나타내면 다음
과 같다.

따라서 B는 $(325-25) \div (4+1) = 60$,
A는 $325-60=265$입니다.

11 돼지와 닭의 합을 ①로 하면 소는 ②이므로 돼지
와 닭의 합은 $84 \div (1+2) = 28$(마리)입니다.
또, 닭을 ①로 하여 선분도로 나타내면 다음과 같
다.

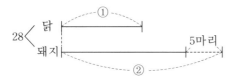

따라서 닭은 $(28+5) \div (1+2) = 11$(마리)이므로
돼지는 $28-11=17$(마리)입니다.

12 B석과 A석에 앉은 사람 수의 차는
$1390-1286=104$(명)입니다.
A석에 앉은 사람 수를 ①로 하여 선분도로 나타
내면 다음과 같습니다.

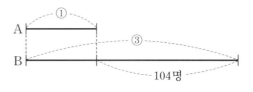

따라서 A석에 앉은 사람은
$104 \div (3-1) = 52$(명)이므로
C석에 앉은 사람은 $1286-52=1234$(명)입니다.

13 전체 일의 양을 1로 하면 어른과 아이가 1시간
12분 동안 한 일의 양은
$\left(\dfrac{1}{3}+\dfrac{1}{8}\right) \times 1.2 = \dfrac{11}{20}$이므로
남은 일은 $\left(1-\dfrac{11}{20}\right) \times 100 = 45$(%)입니다.

14 전체 일한 양을 1로 놓으면 영수가 일한 날수는
9일이므로 한 일의 양은 전체의 $9 \times \dfrac{1}{15} = \dfrac{3}{5}$입니다.
따라서 재혁이가 일한 날수는
$\left(1-\dfrac{3}{5}\right) \div \dfrac{1}{10} = 4$(일)입니다.

15 가득 찬 물의 양을 1로 하면 A로는 1시간에 $\dfrac{1}{5}$,
B로는 1시간에 $\dfrac{1}{10}$씩 채웁니다.
따라서 $1 \div \left(\dfrac{1}{5} \times 3 + \dfrac{1}{10} \times 2\right) = 1\dfrac{1}{4}$(시간)이므로
1시간 15분 걸립니다.

16 전체 일의 양을 1로 하면 한솔이는 하루에
$\dfrac{1}{3} \div 6 = \dfrac{1}{18}$씩 일을 하므로
재혁이는 하루에 $\dfrac{1}{12} - \dfrac{1}{18} = \dfrac{1}{36}$씩 일을 합니다.
따라서 재혁이는 나머지 일을
$\left(1-\dfrac{1}{3}\right) \div \dfrac{1}{36} = 24$(일) 동안 하게 됩니다.

17 가득 찬 물의 양을 1로 하면
나중의 30분 동안 들어간 물의 양은
$\left(\dfrac{1}{10} - \dfrac{1}{12}\right) \times 30 = \dfrac{1}{2}$이므로
처음에 A 수도관으로만 넣은 물의 양은

$1-\dfrac{1}{2}=\dfrac{1}{2}$ 이고 걸린 시간은 $\dfrac{1}{2}\div\dfrac{1}{10}=5$(분)입니다.

따라서 물을 가득 채우는 데 걸린 시간은
$5+30=35$(분)입니다.

18 가득찬 물의 양을 1로 하면 수도관은 1분에
$\dfrac{1}{150}$씩 물을 채웁니다.

따라서 물탱크의 물을 $\dfrac{3}{5}$만큼 채우는 데 걸리는
시간은 $\dfrac{3}{5}\div\dfrac{1}{150}=90$(분)이므로
$90-60=30$(분) 동안 더 넣어야 합니다.

19

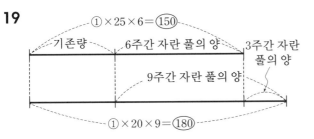

따라서 1주일 동안 자란 풀의 양은
$(⑱⓪-⑮⓪)\div 3=⑩$ 입니다.

20 19번 선분도에서 볼 때, 6주간 자란 풀의 양은
$⑩\times 6=⑥⓪$ 이므로 기존량은 $⑮⓪-⑥⓪=⑨⓪$ 입니다.

21 소를 □ 마리로 하면 5주간 먹은 풀의 양은
$⑤\times□$ 입니다.

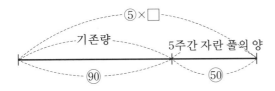

따라서 $(90+50)\div 5=28$(마리)입니다.

22 1개의 판매소에서 1분 동안 판매하는 입장권의
수를 ①로 놓아 선분도로 나타냅니다.

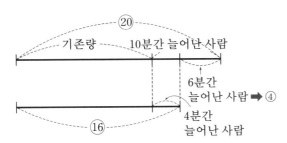

따라서 1분 동안 늘어나는 사람은 $④\div 6=\dfrac{②}{3}$
이고, 기존량은 $⑳-\dfrac{②}{3}\times 10=\dfrac{⑳}{3}$ 입니다.

따라서 줄을 서기 시작한 것은 $\dfrac{⑳}{3}\div\dfrac{②}{3}=20$(분)
전입니다.

23 □분으로 생각하여 선분도로 나타내 봅니다.

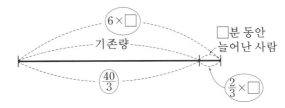

따라서 $\dfrac{40}{3}\div\left(6-\dfrac{2}{3}\right)=2.5$(분)이므로 2분 30초
입니다.

24 1분 36초 동안 판매한 입장권의 수는 $\left(1\dfrac{3}{5}\times□\right)$
이고, 1분 36초 동안 늘어난 사람 수는
$\dfrac{②}{3}\times 1\dfrac{3}{5}=\left(1\dfrac{1}{15}\right)$입니다.

판매소의 수를 □로 생각하여 선분도로 나타내어
봅니다.

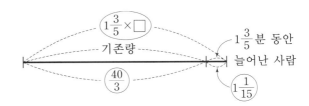

따라서 $\left(\dfrac{40}{3}+1\dfrac{1}{15}\right)\div 1\dfrac{3}{5}=9$(개)입니다.

왕중왕 문제 205~210

1 550 명 **2** 56장

3 212 개

4 영수 : 9묶음, 동민 : 6묶음

5 4400 원 **6** 18 개

7 241 명

8 아버지 : 42세, 어머니 : 38세, 나 : 13살,
동생 : 10살

9 12 일 **10** 20 일

11 한초, 1시간 12분

12 8시간 　　　　**13** 9시간
14 14명 　　　　**15** 2시간 15분
16 1 : 2 　　　　**17** 24시간
18 12시간

[풀이]

1 전체 수험생의 수를 1로 놓으면

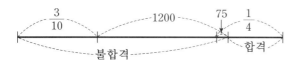

합격자와 불합격자의 합은 전체 수험생이 됩니다.
전체 수험생은 $(1200-75) \div (1-0.55) = 2500$(명)
이므로 합격자는 $2500 \times \frac{1}{4} - 75 = 550$(명)입니다.

2 지혜의 색종이 수를 1, 신영이의 색종이 수를 3으
로 놓으면 지혜의 남은 색종이는 $1 - \frac{5}{7} = \frac{2}{7}$,

신영이의 남은 색종이는 $3 \times \left(1 - \frac{7}{8}\right) = \frac{3}{8}$이므로

남은 색종이의 합은 $\frac{2}{7} + \frac{3}{8} = \frac{37}{56}$이고 이것은 37장

을 뜻하므로 지혜는 처음에 색종이를

$37 \div \frac{37}{56} = 56$(장) 가지고 있었습니다.

3 어제의 사과의 개수를 1로 놓으면,

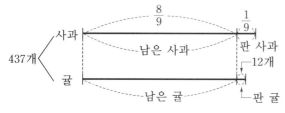

따라서 어제의 사과의 개수는
$(437-12) \div \left(1 + \frac{8}{9}\right) = 225$(개)이므로
어제의 귤의 개수는 $437 - 225 = 212$(개)입니다.

4 동민이의 남은 돈을 1로 놓으면 영수의 남은 돈은
$1\frac{11}{12}$입니다.

처음의 두 사람의 돈의 차이는
$2500 - 1500 = 1000$(원),
색종이를 산 뒤의 돈의 차이는
$1000 - 150 \times 3 = 550$(원)입니다.

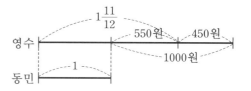

따라서 동민이의 남은 돈은
$550 \div \left(1\frac{11}{12} - 1\right) = 600$(원)이므로
동민이는 $(1500 - 600) \div 150 = 6$(묶음),
영수는 $6 + 3 = 9$(묶음)을 샀습니다.

5 한초가 갖는 돈을 ①로 하여 선분도로 나타내면 다
음과 같습니다.

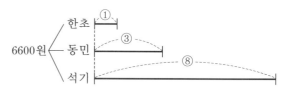

따라서 석기는 $6600 \times \frac{8}{12} = 4400$(원)을 갖습니다.

6 율기의 사탕 수를 ①로 하여 선분도로 나타내면 다
음과 같습니다.

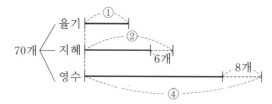

영수의 $\frac{1}{2}$은 (②-4)개에 해당하므로 영수는
(④-8)개입니다.
따라서 지혜는 $(70 + 6 + 8) \times \frac{2}{7} - 6 = 18$(개)를 갖
습니다.

7 1학년 학생 수를 ①로 하여 선분도를 그리면 다음
과 같습니다.

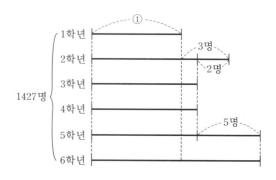

따라서 6학년은 $\{1427-(3+1+1+6+6)\}\div6+6$
$=241(명)$입니다.

8 동생의 나이를 ①로 하여 선분도로 나타내면 다음과 같습니다.

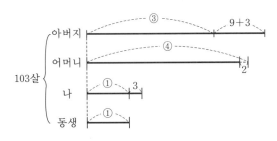

따라서 동생의 나이는
$\{103-(12-2+3)\}\div(3+4+1+1)=10(살)$,
나는 $10+3=13(살)$, 어머니는 $10\times4-2=38(세)$,
아버지는 $10\times3+12=42(세)$입니다.

9 전체 일의 양을 1로 하면, 율기 혼자 한 일은
$\dfrac{1}{16}\times2=\dfrac{1}{8}$, 예슬이 혼자 한 일은 $\dfrac{1}{20}\times4=\dfrac{1}{5}$입니다.

따라서 율기와 예슬이가 함께 한 날은
$\left\{1-\left(\dfrac{1}{8}+\dfrac{1}{5}\right)\right\}\div\left(\dfrac{1}{16}+\dfrac{1}{20}\right)=6(일)$이므로
$4+2+6=12(일)$만에 끝났습니다.

10 전체 일의 양을 1로 하면 $\dfrac{1}{2}$을 끝내는 데
$12\div2=6(일)$이 걸렸으므로
나머지 일은 $(12+4)-6=10(일)$ 동안 한 것입니다.
따라서 석기가 하루에 하는 일의 양은
$\dfrac{1}{2}\div10=\dfrac{1}{20}$이므로 석기 혼자 처음부터 하였다면
$1\div\dfrac{1}{20}=20(일)$ 걸립니다.

11 전체 일의 양을 1로 놓으면 한초는 하루에 $\dfrac{1}{21}$씩,
가영이는 $\dfrac{1}{35}$씩 일을 합니다.
$\dfrac{1}{21}+\dfrac{1}{35}=\dfrac{8}{105}$, $1\div\left(\dfrac{1}{21}+\dfrac{1}{35}\right)=13\dfrac{1}{8}$이므로 마지막 날은 한초가 일을 하게 되며,
마지막 날 해야 할 일의 양은 $\dfrac{8}{105}\times\dfrac{1}{8}=\dfrac{1}{105}$입니다.
또, 한초는 1시간당 $\dfrac{1}{21}\div6=\dfrac{1}{126}$씩 일을 하므

로 마지막 날 일하는 시간은
$\dfrac{1}{105}\div\dfrac{1}{126}=1.2(시간)$입니다.
따라서 1시간 12분입니다.

12 전체 일의 양을 1로 하면 효근이는 하루에
$\dfrac{4}{9}\div13=\dfrac{4}{117}$씩 일을 합니다.
16일 동안은 $\dfrac{4}{117}\times16=\dfrac{64}{117}$를 하므로
$\dfrac{5}{9}-\dfrac{64}{117}=\dfrac{1}{117}$을 하는 데 2시간이 걸렸습니다.
따라서 하루에 $\left(\dfrac{4}{117}\div\dfrac{1}{117}\right)\times2=8(시간)$씩 일을 하였습니다.

별해

16일 2시간－13일＝3일 2시간 동안 전체 일의 $\dfrac{1}{9}$을 하였으므로 전체 일은 $3\times9=27(일)$과
$2\times9=18(시간)$ 동안 하였습니다.
이것은 13일＋16일 2시간＝29일 2시간과 같아야 하므로 (27일＋16시간＋2시간)에서 16시간은 2일 동안의 일이므로 하루에 $16\div2=8(시간)$씩 일을 한 셈입니다.

13 1사람이 1시간 동안 퍼내는 물의 양을 ①로 놓으면 5사람이 4시간 동안 퍼낸 물의 양은
①$\times5\times4=⑳$, 8사람이 3시간 동안 퍼낸 물의 양은 ①$\times8\times3=㉔$입니다.
1시간 차이로 퍼낸 물의 양의 차는 $㉔-⑳=④$이며 이것은 1시간 동안 새어나가는 물의 양과 마찬가지입니다.

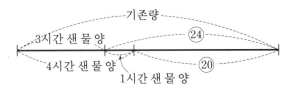

따라서 기존량은 $⑳+④\times4=㊱$이므로
$㊱\div④=9(시간)$입니다.

14 기존량이 ㊱이고 2시간 동안 $④\times2=⑧$만큼 새어나가므로 1시간당 $(㊱-⑧)\div2=⑭$씩 퍼내야 합니다. 따라서 14명이 필요합니다.

15 기존량 : ㊱
12명이 □시간 동안 퍼낸 물의 양 : $⑫\times□$
□시간 동안 새어 나간 물의 양 : $④\times□$
따라서 □$=36\div(12+4)=2.25(시간)$이므로

2시간 15분 만에 다 새어나갑니다.

16 처음 ┌ 넣는 물의 양 ⇒ ①

　　　└ 사용하는 물의 양 ⇒ $\triangle$1

　　나중 ┌ 넣는 물의 양 ⇒ ①.2

　　　└ 사용하는 물의 양 ⇒ $\triangle$.1

사용 시간의 변화가 없으므로

$\triangle$1－① ＝ $\triangle$.1－①.2 입니다. 넣은 물의 양의 20 %가 사용한 물의 양의 10 %와 같음으로 알 수 있습니다.

따라서 같은 시간에 넣은 물의 양과 사용한 물의 양의 비는 1 : 2입니다.

17 1시간 동안 넣는 물의 양을 10 L로 가정하면, 1시간 동안 사용하는 물의 양은 20 L이므로 시간당 10 L씩 줄어듭니다. 넣는 물의 양을 50 % 증가시킬 때는 시간당 15 L씩 증가하고, 사용하는 물의 양을 20 % 증가시키면 시간당 24 L를 사용하므로 시간당 9 L씩 줄어듭니다. 이때, 2시간이 더 걸린다 하였으므로 처음 상태에서 물을 사용하는 데 걸리는 시간은

$9 \times 2 \div (10-9) = 18$(시간)입니다.

따라서 처음 상태의 물탱크의 물의 양은

$10 \times 18 = 180$(L)로 생각할 수 있으므로 넣는 물의 양을 25 %씩 증가시키고 사용하는 물의 양은 그대로 할 때, 물을 사용할 수 있는 시간은

$180 \div (20-12.5) = 24$(시간)입니다.

18 $180 \div (25-10) = 12$(시간)

V 자료와 가능성

1. 여러 가지 그래프

s e a r c h 탐구 **213**

풀이

100, 22, 22, 33

답 33

EXERCISE 1

1 180 권　　　　　　　**2** 90 명

[풀이]

1 위인전을 읽은 비율은 $100-(36+25+18)=21(\%)$ 이므로 동화책은 위인전보다

$1200 \times \dfrac{36-21}{100} = 180$(권) 더 많습니다.

2 (문화면과 정치면을 먼저 보는 사람 수의 비율)

$=100-(32+24+14)=30(\%)$

(정치면을 먼저 보는 사람의 비율)

$=30 \times \dfrac{3}{8} = 11.25(\%)$

(정치면을 먼저 보는 사람 수)

$=800 \times \dfrac{11.25}{100} = 90$(명)

s e a r c h 탐구 **214**

풀이

100, 20, 20, 10, 10, 10, 180

답 180

EXERCISE 2

1 86.4°　　　　　　　**2** 120 kg

[풀이]

1 (딸기) : (복숭아) : (사과) : (배)$=1 : 3 : 6 : 15$

(사과의 중심각)$=360° \times \dfrac{6}{1+3+6+15} = 86.4°$

2 (쌀, 보리, 기타의 생산량)$=800 \times \dfrac{75}{100} = 600$(kg)

콩과 수수의 생산량의 합은 $800-600=200$(kg)이므로 콩의 생산량은

$(200+40) \div 2 = 120$(kg)입니다.

왕 문제 **215~220**

1 150　　　　　　　**2** 192 명

3 6.96 km²   **4** 50가구

5 75명   **6** 1200명

7 192명   **8** 4.8 cm

9 10 cm   **10** 2500명

11 40개   **12** 30장

13 256표   **14** 24 %

15 15 cm   **16** 11 cm

17 16 cm   **18** 42 km²

[풀이]

1 A와 D가 차지하는 비율은

$\dfrac{(8.5+6.5)}{30}\times100=\dfrac{15}{30}\times100=50(\%)$이므로

B가 차지하는 비율은 $100-(50+25)=25(\%)$입니다.

따라서 (B 부분의 수량)$=600\times0.25=150$입니다.

2 (가을)$+$(겨울)$=36+24=60(\%)$

(봄)$+$(여름)$=100-60=40(\%)$

(봄)$:$(여름)$=3:2$이므로 (봄)$=40\times\dfrac{3}{5}=24(\%)$

입니다.

따라서 봄에 태어난 학생은 $800\times0.24=192$(명)입니다.

3 (주거지)$=100-(40+15+25)=20(\%)$

(주거지의 면적)$=60\times0.2=12(\text{km}^2)$

(단독주택의 넓이)$=12\times(1-0.42)=6.96(\text{km}^2)$

4 (커피 우유와 딸기 우유를 마시는 가구 수)

$=500\times\dfrac{35}{100}=175$(가구)

(커피 우유를 마시는 가구 수)

$=175-125=50$(가구)

5 (바나나를 좋아하는 학생 수)$=400\times0.35=140$(명)

(사과와 딸기를 좋아하는 학생 수)$=140\times1.25$

$=175$(명)

(사과를 좋아하는 학생 수)$=400\div4=100$(명)

따라서 딸기를 좋아하는 학생 수는

$175-100=75$(명)입니다.

6 (어린이 입장객 수)$=4000\times\dfrac{22.5}{30}=3000$(명)

(남자 어린이 입장객 수)$=3000\times\dfrac{144}{360}=1200$(명)

7 (S회사가 차지하는 비율)$=100-(22.5+20.5+25)$

$=32(\%)$

(S회사의 휴대폰 보유자 수)$=600\times\dfrac{32}{100}=192$(명)

8 (B형과 AB형의 학생 수)$=400-(148+72)$

$=180$(명)

(B형의 학생 수)$=(180+12)\div2=96$(명)

(B형의 띠그래프 길이)$=20\times\dfrac{96}{400}=4.8(\text{cm})$

9 A의 저금액 25200원은 전체의 $\dfrac{4}{12}$이므로

전체의 $\dfrac{1}{12}$은 6300원입니다.

그러므로 전체의 $\dfrac{3}{12}$인 B는 $6300\times3=18900$(원),

전체의 $\dfrac{5}{12}$인 C는 $6300\times5=31500$(원)입니다.

각각의 저금액에서 10200원씩을 찾아 쓰고 남은 저금액은 다음과 같습니다.

A : $25200-10200=15000$(원)

B : $18900-10200=8700$(원)

C : $31500-10200=21300$(원)

$15000+8700+21300=45000$(원)

따라서 남아 있는 A의 저금액을 길이가 30 cm인 띠그래프로 나타내면

$30\times\dfrac{15000}{45000}=10(\text{cm})$입니다.

10 (의사 소통 능력)$=100-(34+12+24+12)$

$=18(\%)$

인터넷 활용 능력의 비율이 의사 소통 능력의 비율보다 $24-18=6(\%)$가 더 많으므로 조사에 참석한 사람은 $150\div0.06=2500$(명)입니다.

11 (노란색 구슬의 비율)$=30\times\dfrac{2}{3}=20(\%)$이므로

파란색 구슬의 비율은 $100-(30+20+14)=36(\%)$입니다.

따라서 노란색 구슬은 $72\div36\times20=40$(개)입니다.

12 (주황색)$+$(빨간색)$=135°\times\dfrac{7}{9}=105°$이므로

빨간색은 $105°-90°=15°$입니다.

따라서 빨간색 색종이는 $720\times\dfrac{15°}{360°}=30$(장)입니다.

13 (투표에 참여한 학생 수)$=800\times\dfrac{80}{100}=640$(명)

어린이 회장에 당선된 사람은 득표율이 가장 높은 상연이므로 득표 수는 $640 \times \dfrac{40}{100} = 256$(표)입니다.

14 ㉮는 전체의 $\dfrac{1}{4}$이므로 25 %입니다.

㉯$=38-25=13(\%)$, ㉱$=51-13=38(\%)$이므로 ㉰$=100-(25+13+38)=24(\%)$입니다.

15 기타의 길이는 전체의 $\dfrac{2}{15}$이므로 $30 \times \dfrac{2}{15} = 4$(cm)입니다.

(소나무, 은행나무, 느티나무가 차지하는 부분의 길이의 합)$=30-4=26$(cm)

(소나무) : (은행나무) : (느티나무)$=15 : 6 : 5$

따라서 소나무는 $26 \times \dfrac{15}{15+6+5} = 15$(cm)입니다.

16 (㉮의 중심각)$=360° \times \dfrac{1}{1+5} = 60°$

(㉰의 중심각)$=(300°+30°)\div 2 = 165°$

(㉰ 부분의 띠그래프의 길이)$=24 \times \dfrac{165}{360} = 11$(cm)

17 ㉱의 비율이 5 %이므로 ㉯의 비율은 $5 \times 6 = 30(\%)$입니다.

㉮ : ㉯$=8:5$이므로 ㉮의 비율은 $(100-35) \times \dfrac{8}{13} = 40(\%)$입니다.

따라서 ㉮를 나타낸 부분의 길이는 $40 \times \dfrac{40}{100} = 16$(cm)입니다.

18 (농경지의 넓이)$=200 \times \dfrac{35}{100} = 70$(km^2)

(논이 차지하는 넓이)$=70 \times \dfrac{60}{100} = 42$(km^2)

왕중왕 문제 221~227

1 30 %	**2** 720명
3 25 %	**4** 600명
5 23명	**6** 30명
7 16명	**8** 55 %
9 $49\dfrac{1}{3}$점 이상 80점 미만	

10 17명	**11** 82.8°
12 6.4 cm	**13** 32명
14 225마리	**15** 4 cm
16 180 g	**17** 5 cm
18 72°	**19** 4.8 %

[풀이]

1 ㉯의 길이를 □ cm 라 하면 ㉮$=$□$+9$, ㉰$=$□$+3$이므로

□$+9+$□$+$□$+3=30$, $3 \times$□$=18$, □$=6$입니다.

따라서 ㉰의 길이는 $6+3=9$(cm)이므로 전체의 $\dfrac{9}{30} \times 100 = 30(\%)$입니다.

2 자전거로 통학하는 학생 수를 □명이라 하면

(전철)$=$□$+54$, (도보)$=$□$\times 3$, (버스)$=216$명이고, 자전거로 통학하는 학생은

(전체의 12.5 %)$=$(전체의 $\dfrac{1}{8}$)이므로

전체 학생 수는 $8 \times$□입니다.

따라서 □$+$□$+54+$□$\times 3+216=8 \times$□,

$3 \times$□$=270$, □$=90$이므로

전체 학생 수는 $8 \times 90 = 720$(명)입니다.

3 ㉮, ㉯, ㉱의 과일 판매 개수를 구하면 다음과 같습니다.

㉮ : $40 \times \dfrac{18}{30} = 24$(개), ㉯ : $20 \times \dfrac{18}{30} = 12$(개),

㉱ : $10 \times \dfrac{18}{30} = 6$(개)

(총 판매액)$=(24 \times 600)+(18 \times 900)+(12 \times 1350)$
$\qquad\qquad +(6 \times 1800)$
$\qquad\quad =57600$(원)

따라서 ㉮의 판매액은 전체의 $\dfrac{14400}{57600} \times 100 = 25(\%)$입니다.

4 (중학생과 고등학생 수의 합) : (대학생과 초등학생 수의 합)$=11 : 9$이므로 중학생과 고등학생이 차지하는 중심각은 $360° \times \dfrac{11}{20} = 198°$이고 중학생이 차지하는 중심각은 $198°-90°=108°$입니다.

대학생과 초등학생이 차지하는 중심각은 $360°-198°=162°$이므로 초등학생이 차지하는 중심각은 $162°-36°=126°$입니다.

따라서 초등학생은 중학생보다

$12000 \times \dfrac{126-108}{360} = 600$(명) 더 많습니다.

5 (통학 방법이 버스인 여학생 수)$= 400 \times 0.25 \times 0.38$
$= 38$(명)

(통학 방법이 도보인 여학생 수)$= 38 \times 1.5 = 57$(명)

(통학 방법이 도보인 남학생 수)$= 400 \times 0.2 - 57$
$= 23$(명)

6 영어를 좋아하는 학생 수 : $\dfrac{150}{360} \times 540 = 225$(명)

수학을 좋아하는 학생 수 : $\dfrac{240}{360} \times 540 = 360$(명)

영어와 수학을 모두 좋아하는 학생 수 :

$\dfrac{100}{360} \times 540 = 150$(명)

영어만 좋아하는 학생 수 : $225 - 150 = 75$(명)

영어와 수학을 모두 좋아하지 않는 학생 수 :
$540 - (225 + 360 - 150) = 105$(명)

따라서 $105 - 75 = 30$(명)입니다.

7 수학에서 가 부분과 나 부분의 중심각의 크기의 합 :
$360 \div (4+1) \times 4 = 288°$

수학에서 가 부분의 중심각의 크기 :
$(288° - 32°) \div 2 = 128°$

전체 학생 수 : $360° - (120° + 168°) = 72°$가 9명이

므로 $9 \div \dfrac{72}{360} = 45$(명)

따라서 $\dfrac{128}{360} \times 45 = 16$(명)입니다.

8 국어와 수학이 모두 나 부분에 해당하는 학생 수 :

$\dfrac{20}{100} \times 45 = 9$(명)

수학에서 나 부분에 해당하는 학생 수 :

$\dfrac{288-128}{360} \times 45 = 20$(명)

따라서 $\dfrac{20-9}{20} \times 100 = 55$(%)입니다.

9 0점 이상 50점 미만이 9명, 50점 이상 70점 미만
이 15명, 70점 이상 100점 이하가 21명입니다.

(평균의 최저점)$= (0 \times 9 + 50 \times 15 + 70 \times 21) \div 45$
$= 49\dfrac{1}{3}$(점)

(평균의 최고점)$= (50 \times 9 + 70 \times 15 + 100 \times 21) \div 45$
$= 80$(점) 미만

따라서 평균 점수의 범위는 $49\dfrac{1}{3}$점 이상 80점 미만
입니다.

10 전체 학생 수 : $7 \div \dfrac{4.2}{30} = 50$(명)

6점을 받은 학생 수 : $\dfrac{8}{100} \times 50 = 4$(명)

16점을 받은 학생 수 : $\dfrac{4.8}{30} \times 50 = 8$(명)

10점 또는 20점을 받은 학생 수 :
$50 - (7 + 4 + 10 + 8) = 21$(명)

10점을 받은 학생 수 : $21 \div (1 + 0.4) = 15$(명)

3번 문제를 맞힌 학생 중 10점을 받은 학생 수 :
$30 - \{10 + 8 + (21 - 15)\} = 6$(명)

한 문제만 맞힌 학생 수 : $7 + 4 + 6 = 17$(명)

11 가 회사의 전체 판매량을 3이라 하면

국외 판매량 : $3 \times \dfrac{15}{100} = \dfrac{45}{100}$

나 회사의 전체 판매량을 4라 하면

국외 판매량 : $4 \times \dfrac{29}{100} = \dfrac{116}{100}$

가 회사와 나 회사의 전체 판매량은 $3 + 4 = 7$이므로

국외 판매량의 비율은 $\left(\dfrac{45}{100} + \dfrac{116}{100}\right) \div 7 = \dfrac{23}{100}$입
니다.

따라서 중심각은 $\dfrac{23}{100} \times 360° = 82.8°$입니다.

12 (수학을 좋아하는 학생 수의 비율)
$= 18 \times 3\dfrac{1}{6} = 57$(%)

(국어)$+$(사회)$+$(과학)$= 100 - 57 = 43$(%)

국어를 좋아하는 학생 수를 □명이라 하면 사회
를 좋아하는 학생은 (□-8)명, 과학을 좋아하는
학생은 (□-36)명이므로

$\dfrac{□}{18} = \dfrac{□ + (□-8) + (□-36)}{43}$에서

$□ \times 43 = □ \times 54 - 792$, $□ = 72$입니다.

따라서 사회를 좋아하는 학생은 $72 - 8 = 64$(명)이
고 전체 학생 수는 $72 \div 0.18 = 400$(명)입니다.

➜ $40 \times \dfrac{64}{400} = 6.4$(cm)

13 (여학생 수)$= 800 \times \dfrac{144}{360} = 320$(명)

(조기나 꽁치를 좋아하는 여학생 수)
$= 320 \times \dfrac{4}{10} = 128$(명)

(조기를 좋아하는 여학생 수)
$= 128 \div (1+3) = 32$(명)

14 돼지는 $\dfrac{20}{40} \times 100 = 50$(%)이므로

$(닭)+(소)=100-50-1\dfrac{3}{4}=48\dfrac{1}{4}(\%)$입니다.

따라서 닭과 소는 $800\times48\dfrac{1}{4}\div100=386$(마리)이고, 닭이 소보다 64마리 더 많으므로 닭은 $(386+64)\div2=225$(마리)입니다.

15 A : B=3 : 2, B : C=2 : 5, C : D=2 : 1이므로
A : B : C : D=3 : 2 : 5 : 2.5=6 : 4 : 10 : 5입니다.

따라서 $B=25\times\dfrac{4}{25}=4(cm)$입니다.

16 전체 재료의 무게는 $360\div40\times100=900(g)$이고,

당근은 $\dfrac{90}{900}\times100=10(\%)$입니다.

$(단무지)+(계란)=100-(10+25+40)=25(\%)$이므로 단무지와 계란의 무게의 합은

$900\times\dfrac{25}{100}=225(g)$입니다.

계란은 단무지의 4배이므로 단무지는
$225\div(1+4)=45(g)$, 계란은 $225-45=180g$입니다.

17 무, 양파, 마늘의 무게의 합을 $11+6+4=21$로 하면 무, 배추, 양파, 마늘의 무게의 합은 $11+12+6+4=33$이며 33이 차지하는 중심각은 $330°$입니다. 따라서 양파가 차지하는 중심각은 $330°\div33\times6=60°$이므로

전체의 $\dfrac{60°}{360°}=\dfrac{1}{6}$입니다.

따라서 $30\times\dfrac{1}{6}=5(cm)$입니다.

18 ㉮ : ㉯=7 : 5, ㉯ : ㉰=5 : 3이므로
㉮ : ㉯ : ㉰=7 : 5 : 3입니다.

$(㉰ 마을의 중심각)=360°\times\dfrac{3}{15}=72°$

19 감자를 말려서 포함하고 있는 수분을 절반으로 줄였으므로 수분만 75 g으로 바뀝니다.
따라서 단백질의 비율은

$\dfrac{6}{75+40+6+4}\times100=\dfrac{6}{125}\times100=4.8(\%)$입니다.

응용
왕수학

정답과 풀이

6 학년

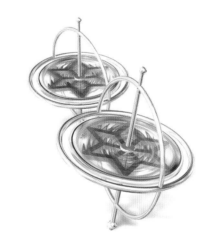